O apartamento de Paris

O apartamento de Paris

Lucy Foley

Tradução de Marina Vargas

Copyright © 2022 by Lost and Found Books Ltd.
Proibida a venda fora do território nacional.

TÍTULO ORIGINAL
The Paris Apartment

COPIDESQUE
Nina Lopes

PREPARAÇÃO
Marcela Ramos

REVISÃO
Carolina Vaz
Marina Albuquerque

DIAGRAMAÇÃO
Ilustrarte Design e Produção Editorial

DESIGN DE CAPA
Grace Han

FOTO DE CAPA
Elisabeth Ansley/ Trevillion Images

ADAPTAÇÃO DE CAPA
Henrique Diniz

CIP–BRASIL. CATALOGAÇÃO NA PUBLICAÇÃO
SINDICATO NACIONAL DOS EDITORES DE LIVROS, RJ

F699a

    Foley, Lucy, 1986–
        O apartamento de Paris / Lucy Foley ; tradução Marina Vargas. - 1. ed. -
Rio de Janeiro : Intrínseca, 2022.

Tradução de: The Paris apartment
ISBN 978-65-5560-451-1

1. Ficção inglesa. I. Vargas, Marina. II. Título.

22-77217   CDD: 823
                                    CDU: 82-3(410.1)

Meri Gleice Rodrigues de Souza - Bibliotecária - CRB-7/6439

[2022]
Todos os direitos desta edição reservados à
Editora Intrínseca Ltda.
Av. das Américas, 500, bloco 12, sala 303
22640-904 – Barra da Tijuca
Rio de Janeiro — RJ
Tel./Fax: (21) 3206-7400
www.intrinseca.com.br

Para Al, por tudo

PRÓLOGO
Sexta-feira
BEN

Seus dedos pairam sobre o teclado. Precisa contar tudo. Essa é a história que vai torná-lo famoso. Ben acende outro cigarro, um Gitanes. É meio clichê fumar ali, mas ele realmente aprecia o sabor. E, sim, é verdade, também gosta de si mesmo fumando.

Ele está sentado diante das janelas altas do apartamento, que dão para o pátio interno. Tudo lá fora está mergulhado na escuridão, exceto pela tênue luz esverdeada de uma única lâmpada. É um belo edifício, mas há algo podre em seu interior. E agora que ele descobriu, sente o fedor da podridão por toda parte.

Precisa sair logo dali. Não é mais bem-vindo naquele lugar. Jess não poderia ter escolhido um momento pior para decidir vir passar um tempo. Ela o avisou praticamente em cima da hora. E não deu muitos detalhes pelo telefone, mas é óbvio que aconteceu alguma coisa; algo deu errado em seja qual for a porcaria de bar em que ela está trabalhando. Sua meia-irmã tem o dom de aparecer sem ser convidada. Ela é um ímã de problemas: parece atraí-los aonde quer que vá. Nunca foi boa em apenas *seguir as regras do jogo*. Nunca entendeu como a vida fica mais fácil quando a gente simplesmente dá às pessoas o que elas querem, diz a elas o que desejam ouvir. É verdade que ele tinha dito que ela podia passar um tempo ali "quando quisesse", mas não estava falando sério. Era típico de Jess interpretar ao pé da letra tudo o que ele dizia.

Quando tinha sido a última vez que a vira? Sempre se sentia culpado quando pensava nela. Deveria ter sido mais presente, ter cuidado dela...? Jess é frágil. Ou melhor... não exatamente frágil, mas vulnerável de uma forma que as pessoas não percebem de início. Um "tatu": vulnerável sob a casca grossa.

Enfim, deveria ligar para ela, dar algumas instruções. Como ela não atende, ele deixa uma mensagem de voz:

— Oi, Jess, é o número doze da Rue des Amants. Está bem? Terceiro andar.

Seus olhos são atraídos por um vislumbre de movimento lá embaixo, sob as janelas. Alguém está cruzando o pátio depressa. Quase correndo. Ele só avista uma silhueta indistinta, não consegue identificar quem é. Mas há algo estranho na velocidade com que a pessoa anda. Ele é invadido por um leve pico de adrenalina animalesca.

Então se lembra de que ainda está gravando a mensagem de voz e desvia o olhar da janela.

— É só tocar o interfone. Vou estar acordado esperando você...

Ele para de falar. Hesita, escuta.

Um barulho.

Som de passos no corredor... se aproximando da porta do apartamento.

Os passos param. Tem alguém ali, bem do lado de fora. Ele fica esperando uma batida na porta. Nada. Silêncio. Mas é um silêncio pesado, como se prendessem a respiração. Estranho.

E então outro som. Ele fica parado, alerta, ouvindo atentamente. De novo. É metal contra metal, uma chave entrando na fechadura. Em seguida, o clique da chave se encaixando no miolo. Ele vê o trinco deslizar. Alguém está destrancando sua porta pelo lado de fora. Alguém que tem uma chave, mas que não deveria entrar ali sem ser convidado.

A maçaneta começa a se mover para baixo. A porta vai se abrindo, com aquele rangido prolongado familiar.

Ele coloca o celular na bancada da cozinha, a mensagem de voz esquecida. Espera e observa em silêncio a porta se abrir. A silhueta entra na sala.

— O que você está fazendo aqui? — pergunta ele. Calmo, ponderado. Nada a esconder. Nada a temer. Pelo menos ainda não. — E por que...

Então ele vê o que o intruso está segurando.

Agora. Agora vem o medo.

Três horas depois

JESS

Pelo amor de Deus, Ben. Atende esse telefone. Estou congelando até a alma aqui fora. Meu trem atrasou duas horas para sair de Londres; eu deveria ter chegado às dez e meia, mas já passa da meia-noite. E está muito frio, mais frio aqui em Paris do que em Londres. Ainda estamos no fim de outubro, mas minha respiração se condensa no ar e meus dedos dos pés estão dormentes dentro das botas. Que loucura pensar que apenas algumas semanas atrás estávamos no meio de uma onda de calor. Preciso de um casaco decente. Mas sempre precisei de muitas coisas que nunca vou ter.

Já liguei para Ben umas dez vezes: enquanto meu trem chegava, e durante a caminhada de meia hora da Gare du Nord até aqui. Nada. E ele não respondeu a nenhuma das minhas mensagens. Obrigada por nada, irmãozão.

Ele disse que ia estar em casa para abrir a porta para mim. "É só tocar o interfone. Vou estar acordado esperando você…"

Bem, aqui estou. Aqui, no caso, é uma rua de paralelepípedos sem saída, mal iluminada, no que parece ser um bairro superelegante. O prédio residencial à minha frente fica no fim da rua, isolado.

Olho para a rua vazia. Ao lado de um carro estacionado, a uns cinco metros de distância, acredito ver sombras se movendo. Dou um passo para o lado, para tentar enxergar melhor. Tem um... Eu aperto os olhos, tentando identificar o vulto. Poderia jurar que havia alguém ali, agachado atrás do carro.

Levo um susto quando uma sirene soa a algumas ruas de distância, estridente em meio ao silêncio. Ouço o som se dissipando noite adentro. É diferente das sirenes de onde moro — "ió-ió, ió-ió", como a imitação de uma criança —, mas ainda assim faz meu coração acelerar um pouco.

Olho novamente para a área sombreada atrás do carro estacionado. Agora não consigo distinguir nenhum movimento, nem mesmo enxergar o vulto que pensei ter visto de relance. Talvez tenha sido só uma ilusão de ótica no fim das contas.

Observo o prédio. Os outros edifícios da rua são lindos, mas este se destaca. Fica afastado da calçada, atrás de um grande portão com um muro alto, escondendo o que deve ser um jardim ou um pátio. Cinco ou seis andares, janelas enormes, todas com sacadas de ferro forjado. A grande extensão de hera que cresce desordenadamente por toda a fachada parece uma mancha escura rastejante. Esticando o pescoço, vejo algo que talvez seja um jardim no terraço lá no alto, as silhuetas pontiagudas das árvores e dos arbustos recortadas contra a escuridão do céu.

Verifico de novo o endereço. Número doze, Rue des Amants. Definitivamente estou no lugar certo. Ainda não acredito que Ben está morando nesse prédio chique. Ele disse que um amigo o ajudou a arranjar o apartamento, alguém dos tempos de faculdade. Mas Ben sempre se dá bem no fim das contas. Acho que faz todo o sentido ele ter usado seu charme para conseguir um lugar como este. E só pode ter sido seu charme. Eu sei que jornalistas provavelmente ganham mais do que garçonetes, mas não tanto assim.

No portão de metal à minha frente há uma aldrava de latão no formato da cabeça de um leão mostrando as presas, com um anel de metal grosso preso na boca. Noto que acima do portão há uma sucessão de pontas de lança antiescalada e, dos lados, cacos de vidro incrustados ao longo de todo o muro. Essas medidas de segurança não combinam muito com a elegância do prédio.

Levanto a aldrava, fria e pesada, e a deixo cair. O barulho do metal ecoa nos paralelepípedos, muito mais alto do que o esperado nesse silêncio. Na verdade, está tão silencioso e escuro aqui fora que é difícil imaginar que este lugar faça parte da mesma cidade que atravessei esta noite depois de sair da Gare du Nord: toda aquela luz e aquela multidão, pessoas entrando e saindo de restaurantes e bares. Penso na área ao redor daquela enorme catedral iluminada na colina, a Sacré-Coeur, por onde passei apenas vinte minutos atrás: vários turistas tirando selfies misturados com sujeitos de aparência duvidosa e casacos acolchoados, prontos para furtar algumas carteiras. E as ruas que percorri, com letreiros em neon, música alta, restaurantes abertos a noite toda, pessoas saindo dos bares, filas nas portas das boates. Aqui é um universo diferente. Olho para a rua atrás de mim: nenhuma vivalma à vista. O único som real vem de alguns galhos de hera morta nos paralelepípedos. Ouço o barulho do tráfego ao longe, as buzinas dos carros... mas até mesmo eles soam abafados, como se não ousassem invadir este mundo elegante e silencioso.

Não parei para pensar muito enquanto puxava minha mala da estação até o outro lado da cidade. Estava concentrada em não ser assaltada nem deixar que a rodinha quebrada se prendesse e me desequilibrasse. Mas agora, pela primeira vez, cai a ficha: estou em Paris. Uma cidade diferente, um país diferente. Eu consegui. Deixei minha antiga vida para trás.

Uma luz se acende em uma das janelas do prédio. Ergo o olhar e noto um vulto parado na janela, apenas a cabeça e os ombros. Ben? Se fosse ele, acenaria para mim, com certeza. Sei que devo estar iluminada pelo poste aqui do lado. Mas a silhueta na janela fica imóvel como uma estátua. Não consigo distinguir nenhuma característica, nem mesmo se é um homem ou uma mulher. Mas o vulto está me observando. Só pode estar. Imagino que eu deva parecer bem estropiada e deslocada, com minha mala velha quebrada ameaçando se abrir, não fosse pela corda amarrada em torno dela. É estranho saber que a pessoa na janela pode me ver, mas eu não consigo vê-la direito. Baixo os olhos.

Ahá. À direita do portão, encontro um pequeno painel com botões para os diferentes apartamentos e uma câmera acoplada. A grande aldrava com cabeça de leão deve ser só enfeite. Dou um passo à frente e aperto o apartamento do Ben, no terceiro andar. Espero sua voz crepitar pelo interfone.

Nada.

SOPHIE
Cobertura

Alguém está batendo no portão do prédio. Alto o suficiente para Benoit, meu cachorro, um whippet cinza, se sobressaltar e começar a latir sem parar.

— *Arrête ça!* — grito. — Pare com isso.

Benoit choraminga, mas fica quieto em seguida. Ele olha para mim, com os olhos escuros confusos. Percebo a mudança em minha voz também: muito estridente, muito alta. E, no silêncio que se segue, ouço minha respiração apreensiva e superficial.

Ninguém usa a aldrava. Pelo menos, ninguém familiarizado com o prédio. Vou até as janelas que dão para o pátio. Não consigo ver a rua daqui, mas a porta da frente leva ao pátio, então, se alguém tivesse entrado, eu veria. Ninguém apareceu, e já deve fazer alguns minutos desde a batida. Obviamente, a concierge achou melhor não deixar a pessoa entrar. Ótimo. Melhor assim. Nunca gostei muito daquela mulher, mas sei que posso confiar nela pelo menos para isso.

Em Paris, podemos morar no apartamento mais luxuoso de todos, e ainda assim a escória da cidade aparece na nossa porta de vez em quando. Os drogados, os vagabundos, as putas. Pigalle, o distrito da luz vermelha, não fica muito longe, bem aos pés de Montmartre. Aqui, nesta fortaleza multimilionária com vista para os telhados da cidade até a Torre Eiffel, sempre me senti relativamente segura. Posso ignorar a sujeira debaixo do tapete. Sou boa em fazer vista grossa. Em geral. Mas hoje à noite é... diferente.

Ando até o espelho pendurado no corredor e me olho. Presto muita atenção ao que vejo. Nada mal para uma cinquentona. Isso se deve em parte ao fato de eu ter adotado o costume francês no que diz respeito a manter minha *forme*. Ou seja, basicamente, viver com fome. Sei que mesmo a esta hora estarei impecável. Com o batom perfeito. Nunca saio de casa sem ele. Chanel, "La Somptueuse": é a minha cor. Um tom frio de vermelho, imponente, que grita "afaste-se", "não se aproxime". Mantenho meu cabelo preto e brilhoso em um corte chanel, retocado a cada seis semanas no salão de David Mallet na Rue Notre Dame des Victoires. A simetria é perfeita, qualquer fio branco, meticulosamente tingido. Jacques, meu marido, deixou bem claro uma vez que abomina mulheres que ficam grisalhas. Embora ele nem sempre esteja aqui para admirá-lo.

Estou vestindo o que considero meu uniforme. Minha armadura. Camisa de seda da Equipment, calça justa e escura, de corte primoroso. Um lenço — Hermès, de seda, com estampa de cores vivas — em volta do pescoço, excelente para esconder os estragos do tempo na pele delicada; um presente que ganhei recentemente de Jacques, com seu amor pelas coisas belas. Como este apartamento. Como eu, antes de ter a desfaçatez de envelhecer.

Perfeita. Como sempre. Como esperado. Mas me sinto suja. Manchada pelo que tive de fazer esta noite. No espelho, meus olhos brilham. O único sinal. Embora meu rosto também esteja um pouco magro... olhando de perto. Estou ainda mais magra do que o normal. Recentemente, não tenho precisado controlar minha dieta, marcar com cuidado cada taça de vinho ou pedacinho de croissant. Não sei dizer o que comi no café da manhã; nem mesmo se me lembrei de comer. A cada dia, minhas roupas ficam mais largas na cintura, meu esterno se sobressai de forma mais acentuada.

Desfaço o nó do lenço. Sei amarrar um lenço tão bem quanto qualquer pessoa nascida e criada em Paris. Qualquer um acharia que sou uma daquelas mulheres elegantes e endinheiradas, com cachorrinhos de excelente pedigree.

Olho para a mensagem que mandei para Jacques ontem à noite. Bonne nuit, mon amour. Tout va bien ici. *Boa noite, meu amor. Está tudo bem por aqui.*

Está tudo bem por aqui. RÁ.

Não sei como as coisas chegaram a esse ponto. Mas sei que tudo começou com a vinda dele para cá. Com sua mudança para o terceiro andar. Benjamin Daniels. Ele destruiu tudo.

O APARTAMENTO DE PARIS

JESS

Pego meu celular. Da última vez que verifiquei, Ben não havia respondido a nenhuma das minhas mensagens. Uma no trem: Estou a caminho! Depois: Na Gare du Nord! Você tem conta no Uber?!!! Para o caso de, sei lá, de repente ele estar se sentindo generoso o suficiente para mandar um carro me buscar. Valia a pena tentar.

Há uma nova mensagem no meu celular. Só que não é do Ben.

Sua vadiazinha. Acha que vai conseguir se safar do que fez?

Merda. Minha garganta fica subitamente seca. Apago a mensagem. Bloqueio o número.

Como eu disse, foi tudo meio de última hora, vir para cá. Ben não pareceu muito animado quando liguei para ele mais cedo e disse que estava a caminho. É verdade que não dei muito tempo para ele se acostumar com a ideia. Mas, no fim das contas, sempre tive a sensação de que o vínculo entre nós é mais importante para mim do que para meu meio-irmão. Sugeri que passássemos o Natal passado juntos, mas ele disse que estava ocupado. "Esquiando", justificou. Eu não tinha ideia de que ele sabia esquiar. Às vezes, até parece que Ben tem vergonha de mim. Eu represento o passado, e ele preferiria cortar todos os laços com essa época.

Tive de explicar que estava desesperada. "Se tudo der certo, vai ser só por um mês ou dois, e eu vou pagar pela minha estadia", avisei. "Assim que eu me ajeitar, vou arranjar um emprego." Isso. Um emprego onde não façam muitas perguntas. É assim que você acaba indo parar nos lugares onde trabalhei, afinal não há muitos estabelecimentos dispostos a aceitar uma pessoa com referências tão caóticas quanto as minhas.

Até hoje à tarde eu tinha um emprego lucrativo no bar Copacabana, em Brighton. As ocasionais gorjetas generosas compensavam. Um grupo, digamos, de banqueiros babacas, vindo de Londres para celebrar o futuro casamento de um Dick, Harry ou Tobias, e bêbados demais para contar as notas corretamente — ou talvez, para esses sujeitos, sejam só uns trocados mesmo. Mas, de hoje em diante, estou desempregada. De novo.

Toco o interfone uma segunda vez. Nada. Todas as janelas do prédio estão escuras novamente, até mesmo a que tinha se iluminado. Pelo amor de Deus. Ele não pode ter ido dormir e se esquecido completamente de mim… pode?

Abaixo de todos os outros botões, há um separado: "Concierge" está escrito em uma letra cursiva cheia de firulas. Como em um hotel: mais uma prova de que este lugar é realmente sofisticado. Pressiono o botão e espero. Nada. Mas não posso deixar de imaginar alguém olhando para uma pequena imagem minha em vídeo, avaliando e então decidindo não abrir.

Levanto a aldrava pesada novamente e bato várias vezes na madeira. O som ecoa pela rua: alguém vai ouvir. Ouço um cachorro latindo em algum lugar dentro do prédio.

Espero cinco minutos. Ninguém aparece.

Merda.

Não posso pagar um hotel. Não tenho dinheiro suficiente para a viagem de volta a Londres e, mesmo se tivesse, não posso voltar, de jeito nenhum. Considero minhas opções. Ir para um bar… e esperar?

Ouço passos atrás de mim ecoando pelos paralelepípedos. Ben? Eu me viro, pronta para ouvir suas desculpas, de que deu só uma saidinha para comprar cigarro ou algo assim. Mas não é ele. É um sujeito bem alto e corpulento, todo coberto por uma parca com capuz de pelo na borda. Ele avança com pressa em minha direção, com um ar decidido. Seguro a alça da minha mala com um pouco mais de força. Literalmente tudo o que tenho está aqui dentro.

O cara está a apenas alguns metros de distância agora, perto o suficiente para que, à luz do poste, eu veja o brilho dos seus olhos sob o capuz. Ele coloca a mão no bolso e tira algo que me faz dar um passo para trás instintivamente. E então vejo. Um objeto afiado e metálico brilhando em sua mão.

CONCIERGE

Portaria

Pela tela do interfone, observo a desconhecida no portão. O que será que está fazendo aqui? Ela toca o interfone de novo. Deve estar perdida. Eu sei, só de olhar para ela, que essa mulher não deveria estar aqui. Se bem que ela parecer ter certeza de que este é o lugar que está procurando, tão determinada. Agora ela olha para a câmera. Não vou deixá-la entrar. Não posso.

Eu sou a guardiã deste prédio. Sentada aqui na minha *loge*: um cubículo no canto do pátio, talvez vinte vezes menor que os apartamentos acima de mim. Mas é meu, pelo menos. Meu espaço privado. Minha casa. A maioria das pessoas não o consideraria digno desse nome. Se me sentar na cama dobrável, posso tocar quase todos os cantos do quarto de uma vez. Há infiltrações no chão e no telhado, e as janelas não protegem do frio. Mas há quatro paredes. Um lugar para eu colocar minhas fotos, os ecos de uma vida que já vivi, as pequenas relíquias que coletei e às quais me apego quando me sinto muito só; e as flores que colho no jardim do pátio todas as manhãs, para que haja algo fresco e vivo aqui dentro. Este lugar, com todos os seus problemas, representa segurança. Sem ele, não tenho nada.

Olho novamente para o rosto na tela do interfone. Quando a luz a ilumina, noto algo familiar: a linha acentuada do nariz e da mandíbula. Mais do que sua aparência, no entanto, há algo na maneira como ela se move, como olha ao redor. Um jeito ávido e traiçoeiro que me lembra outra pessoa. Mais uma razão para não deixá-la entrar. Não gosto de estranhos. Não gosto de mudanças. Mudanças sempre foram perigosas para mim. Ele provou isso: vindo para cá com suas perguntas, seu charme. O homem que se mudou para o apartamento do terceiro andar: Benjamin Daniels. Depois que ele apareceu, tudo mudou.

JESS

Ele continua vindo na minha direção, o sujeito de parca. E está levantando o braço. O metal da lâmina brilha novamente. Merda. Estou prestes a me virar e correr, me afastar alguns metros, pelo menos...

Mas espere, não, *não*... Agora consigo perceber que o objeto em sua mão não é uma lâmina. É um iPhone com uma capinha metálica. Solto a respiração e me apoio na mala, completamente inundada por uma onda repentina de cansaço. Passei o dia todo elétrica, não é de surpreender que eu esteja me assustando com sombras.

Observo o sujeito fazer uma ligação. Percebo uma vozinha do outro lado da linha; uma voz de mulher, acho. Então ele começa a falar por cima dela, cada vez mais alto, até gritar. Não tenho ideia do que as palavras significam, mas não preciso saber muito francês para entender que não é um bate-papo educado ou amigável.

Depois de pôr o discurso longo e raivoso para fora, ele desliga o celular e o coloca de volta no bolso. Então dispara uma única palavra: "*Putain.*"

Essa eu conheço. Tirei uma nota sofrível na minha prova de francês no ensino médio, mas uma vez pesquisei todos os palavrões e sou boa em lembrar o que me interessa. *Vadia*: é isso que significa.

Agora ele se vira e volta a se aproximar. Vejo, com bastante clareza, que deseja apenas usar o portão do prédio. Eu me afasto, sentindo-me uma completa idiota por ter ficado tão tensa por nada. Mas faz sentido; passei a viagem de trem toda olhando para trás. Sei lá, só por precaução.

— *Bonsoir* — digo com meu melhor sotaque e meu sorriso mais cativante.

Talvez esse cara me deixe entrar e eu consiga chegar até o terceiro andar para bater na porta do Ben. Talvez o interfone do meu irmão só não esteja funcionando ou algo assim.

O sujeito não responde. Simplesmente se vira para o teclado ao lado do portão e digita uma sequência de números. Por fim, olha para mim de relance por cima do ombro. Não é um olhar *muito* amigável. Sinto um bafo de bebida, rançoso e azedo. O mesmo hálito da maioria dos clientes do Copacabana.

Sorrio de novo.

— Err... *excuse-moi*? Por favor, é... Preciso de ajuda, estou procurando meu irmão, Ben, Benjamin Daniels...

Eu gostaria de ter um pouco mais do talento de Ben, um pouco mais do charme dele. "Benjamin Fala Doce", como mamãe o chamava. Ele sempre encontrava uma maneira de convencer qualquer um a fazer o que ele queria. Talvez por isso tenha se tornado jornalista em Paris enquanto eu estava trabalhando para um cara carinhosamente apelidado de Tarado em uma espelunca em Brighton, servindo bebidas em despedidas de solteiro, nos fins de semana, e a escória local, nos dias de semana.

O sujeito se vira lentamente para mim.

— Benjamin Daniels — diz ele. Não é uma pergunta, apenas o nome, repetido. Identifico alguma coisa: raiva ou talvez medo. Ele sabe de quem estou falando. — Benjamin Daniels não está aqui.

— Como assim "não está aqui"? Foi esse o endereço que ele me deu. Ele mora no terceiro andar. Não estou conseguindo falar com ele.

O homem me dá as costas. Eu o observo abrir o portão. Por fim, ele se vira para mim pela terceira vez, e eu penso que talvez vá me ajudar, afinal. Então, em um inglês com sotaque, muito alto e lentamente, ele diz:

— Cai fora daqui, *garota*.

Antes mesmo que eu tenha tempo de responder, ouço um barulho metálico e pulo para trás. Ele bateu o portão bem na minha cara. Depois que o zumbido nos meus ouvidos se dissipa, fico apenas com o som da minha respiração alta e acelerada.

Mas ele me ajudou, mesmo sem saber. Espero um momento, dou uma espiada na rua, então levo a mão ao teclado e digito os mesmos números que o vi digitar há apenas alguns segundos: 7561. Bingo! A luzinha verde pisca, e ouço o mecanismo do portão se abrir. Puxando minha mala, eu entro.

MIMI

Quarto andar

Merde.

Acabei de ouvir o nome dele, lá fora, no meio da noite. Ergo a cabeça e escuto. Por algum motivo, estou em cima das cobertas, não embaixo. Meu cabelo está úmido, o travesseiro, frio e encharcado. Eu tremo.

Será que estou ouvindo coisas? Será que imaginei? O nome dele... me seguindo por toda parte?

Não, tenho certeza de que foi real. A voz de uma mulher subindo pela janela aberta do meu quarto. De alguma forma, eu a ouvi daqui do quarto andar. E de alguma forma, eu a ouvi através do ruído branco chiando dentro da minha cabeça.

Quem é ela? Por que está perguntando por ele?

Eu me sento, puxando os joelhos ossudos com força contra o peito, e pego meu *doudou* da infância, *Monsieur* Gus, um pinguim de pelúcia velho e surrado que ainda deixo ao lado do travesseiro. Eu o pressiono no rosto e tento me confortar com a sensação de sua cabecinha dura, com o aperto suave e maleável das bolinhas dentro de seu corpo, com o cheiro de mofo. Da mesma maneira que fazia quando era pequena e tinha um pesadelo. *Você não é mais uma garotinha, Mimi.* Ele disse isso. Ben.

A lua está tão brilhante que meu quarto inteiro está inundado por uma luz azul fria. É quase lua cheia. No canto, vejo minha vitrola, a caixa de vinis ao lado. Pintei as paredes aqui dentro de um azul tão escuro que elas não refletem nenhuma luz, mas o pôster pendurado à minha frente parece cintilar. É uma fotografia de Cindy Sherman; fui a uma exposição dela no Pompidou ano passado. Fiquei completamente obcecada com quão puro, esquisito e intenso é o trabalho dela: o tipo de coisa que tento fazer com a minha pintura. No pôster, em uma imagem da série *Untitled Film Stills*, ela está usando uma peruca preta curtinha e olha para você como se estivesse possuída, ou como se fosse devorar sua alma. "*Putain!*", disse minha colega de apartamento, Camille, rindo, quando viu o pôster. "E se você trouxer algum cara para cá? Ele vai ter que olhar para essa vadia raivosa enquanto vocês trepam? Assim ele vai brochar."

Até parece, pensei na hora. *Dezenove anos e ainda virgem. Pior. Uma virgem que estudou em um colégio de freiras.*

Encaro Cindy, com olheiras escuras parecendo hematomas embaixo dos olhos e a base irregular do cabelo, que lembra um pouco o meu desde que peguei uma tesoura e cortei. É como me olhar no espelho.

Eu me viro para a janela e olho para o pátio. As luzes estão acesas no cubículo da concierge. Claro, aquela velha intrometida não deixa nada passar, saindo sorrateiramente de cantos escuros, sempre à espreita, sempre ali. Olhando para você como se soubesse de todos os seus segredos.

O prédio tem a forma de um U em torno do pátio. Meu quarto fica em uma das extremidades; então, se olhar na diagonal para baixo, consigo ver o apartamento dele. Durante os últimos dois meses, ele passava praticamente todas as noites sentado em sua mesa trabalhando até altas horas, com as luzes acesas. Por apenas um momento, me permito olhar. As venezianas estão abertas, mas as luzes estão apagadas e o espaço atrás da mesa parece mais do que vazio, como se o próprio vazio tivesse certa profundidade e peso. Desvio o olhar.

Deslizo para fora da cama e vou na ponta dos pés até a sala de estar, tentando não tropeçar em todas as coisas que Camille deixa espalhadas, como se ali fosse uma extensão do seu quarto: revistas e suéteres jogados, xícaras de café sujas, vidros de esmalte, sutiãs de renda. Das janelas grandes daqui, tenho uma visão direta da entrada da frente. Enquanto observo, o portão se abre. Um vulto entra sorrateiramente. Quando chega a uma área iluminada, consigo

O APARTAMENTO DE PARIS

distingui-lo: uma mulher que nunca vi. *Não*, digo sem emitir som. *Não, não, não, não, não. Vá embora.* O chiado na minha cabeça fica mais alto.

—Você ouviu as batidas?

Eu me viro. *Putain.* Camille está deitada no sofá, com um cigarro aceso na mão, as botas no apoio de braço: pele de cobra sintética, salto doze. Quando ela chegou? Há quanto tempo está ali, à espreita no escuro?

— Pensei que você tivesse saído — digo.

Quando vai para a balada, ela costuma voltar só depois do amanhecer.

— *Oui.* — Ela dá de ombros e traga o cigarro. — Cheguei faz só vinte minutos.

Mesmo no escuro, vejo como ela desvia o olhar. Normalmente, emendaria direto com alguma história sobre a nova boate insana aonde foi, ou sobre ter acabado de sair da cama de algum cara, incluindo uma descrição detalhada demais do pau ou das habilidades sexuais dele. Muitas vezes, tenho a sensação de estar vivendo através de Camille. Sou grata por alguém como ela escolher conviver comigo. Quando nos conhecemos, na Sorbonne, ela me disse que gosta de colecionar pessoas e que se interessou por mim porque eu tenho uma "energia intensa". Mas nos momentos em que me sinto pior em relação a mim mesma, suspeito que este apartamento tenha mais a ver com isso.

— Onde você estava? — pergunto, tentando soar quase normal.

Ela dá de ombros.

— Por aí.

Sinto que tem alguma coisa acontecendo com ela, alguma coisa que ela não está me contando. Mas, neste exato momento, não consigo pensar em Camille. O chiado na minha cabeça de repente parece prestes a abafar todos os meus pensamentos.

Só sei de uma coisa. Tudo que aconteceu aqui foi por causa dele: Benjamin Daniels.

JESS

Estou parada em um pátio pequeno e escuro. O prédio residencial se prolonga para ambos os lados. A hera cresceu completamente fora de controle aqui, chegando quase ao quarto andar, cercando janelas, engolindo calhas e algumas antenas parabólicas. À frente, um curto caminho serpenteia entre canteiros de flores com arbustos e árvores escuras. Sinto o cheiro adocicado de folhas mortas, terra recém-revolvida. À minha direita, há uma construção semelhante a um chalé minúsculo, pouco maior do que um daqueles galpões com ferramentas de jardinagem. As duas janelas parecem estar fechadas. De um dos lados, há uma pequena réstia de luz saindo por uma fresta.

No canto oposto, vejo uma porta que deve levar à área principal do prédio. Sigo nessa direção. Nesse meio-tempo, um rosto pálido surge de repente na escuridão à minha direita. Paro abruptamente. Mas é só a estátua de uma mulher nua, em tamanho real, o corpo coberto por mais hera negra e os olhos vidrados e vazios.

Para abrir a porta no canto do pátio, é preciso digitar mais uma senha, mas a combinação de antes funciona, graças a Deus. Passo pela soleira e adentro um espaço escuro e cheio de eco. Uma escada caracol leva para uma escuridão ainda mais densa no andar de cima. Noto o brilhinho laranja de um interruptor na parede e aperto. As luzes se acendem vagamente com um zumbido. Um tique-taque: algum temporizador para economizar energia, talvez. Vejo agora que há um tapete vermelho-escuro sob meus pés, cobrindo o chão de pedra e subindo pela escada de madeira polida. Acima de mim, o corrimão dá voltas em si mesmo, e no vão interior da escada há um poço de elevador: uma cápsula minúscula e de aparência frágil que deve ser tão antiga quanto o próprio edifício, tão antiga que me pergunto se ainda está em uso. Há um vestígio rançoso de fumaça de cigarro no ar. Ainda assim, é tudo bem chique, muito, muito diferente de onde eu estava morando em Brighton.

Há uma porta à minha esquerda: *Cave*, está escrito. Nunca deixei que uma porta ficasse fechada por muito tempo. Acho que poderia dizer que esse é o meu principal problema na vida. Dou um empurrão e vejo um lance de escadas que leva para baixo. Sou atingida por uma lufada de ar frio subterrâneo, úmido e mofado.

Então ouço um barulho em algum lugar acima. Um rangido de madeira. Deixo que a porta se feche e olho para o alto. Alguma coisa se move ao longo da parede vários andares acima. Espero para ver alguém aparecer na curva, entre as brechas dos corrimões. Mas a sombra para, como se esperasse por algo. E então, de repente, tudo escurece: a contagem do temporizador deve ter se encerrado. Acendo a luz novamente.

A sombra se foi.

Vou até o elevador. É definitivamente antigo, mas estou exausta demais para sequer pensar em arrastar minhas coisas escada acima. Eu e a mala mal cabemos ali dentro. Fecho a portinhola, aperto o botão do terceiro andar e apoio a mão na estrutura para me equilibrar, mas ela cede, e eu logo recolho o braço. Há um pequeno estremecimento quando o elevador começa a se mover; prendo a respiração.

Começo a subir... Em cada andar há uma porta marcada com um número de latão. Será que há apenas um apartamento por andar? Devem ser enormes. Visualizo estranhos adormecidos atrás daquelas portas. Fico imaginando quem mora ali, como são os vizinhos de Ben. E me pergunto em qual apartamento mora o idiota com quem esbarrei no portão.

O elevador para no terceiro andar. Saio, puxando a mala. Aqui está: o apartamento de Ben, com seu número três de latão.

Bato forte algumas vezes.

Nada.

Eu me agacho e examino o buraco da fechadura. É antiga, do tipo mais fácil do mundo de arrombar. Não vai ter jeito. Tiro minhas argolas da orelha e estico o metal fino — a conveniência das bijuterias baratas —, formando duas tiras compridas. Faço um tensor e uma gazua. Na verdade, Ben me ensinou isso quando éramos pequenos, então ele não pode reclamar. Acabei ficando tão boa nisso que consigo abrir uma fechadura simples em menos de um minuto.

Movimento os brincos para a frente e para trás na fechadura até ouvir um clique e, em seguida, empurro a maçaneta para baixo. Sim, a porta começa a se abrir. Eu paro. Tem alguma coisa errada. Ao longo dos anos, tive que aprender a confiar muito nos meus instintos. Também já estive em uma situação como essa. Segurando a maçaneta da porta, sem saber o que vou encontrar do outro lado...

Respiro fundo. Por um momento, parece que o ar se contrai ao meu redor. Eu me pego segurando o pingente do meu colar. É uma medalhinha de São Cristóvão: mamãe deu uma para mim e uma para Ben, para nos proteger, por mais que isso fosse função dela e não devesse ter sido terceirizada para um santinho de metal. Não sou religiosa e não sei bem se mamãe era. Ao mesmo tempo, não me imagino sem a minha medalhinha.

Com a outra mão, empurro a porta. Sem conseguir evitar, mantenho os olhos bem fechados ao entrar no apartamento.

Está um breu.

— Ben? — chamo.

Nada.

Dou um passo à frente e tateio em busca de um interruptor. As luzes se acendem, revelando o apartamento. A primeira coisa que me vem à cabeça é: Caramba, é enorme. Maior do que eu esperava. Mais grandioso. Pé-direito alto. Vigas de madeira escura no alto, as tábuas do assoalho polidas, janelas enormes voltadas para o pátio.

Dou mais um passo. Ao fazer isso, algo cai sobre meus ombros: um golpe forte e contundente. Em seguida, a dor de algo afiado, rasgando minha pele.

O APARTAMENTO DE PARIS

CONCIERGE
Portaria

Poucos minutos depois da batida, observei pelas janelas do meu alojamento a primeira pessoa entrar, com o capuz cobrindo a cabeça. Então vi a segunda. A recém-chegada, a garota. Arrastando aquela mala enorme pelos paralelepípedos do pátio, fazendo barulho suficiente para acordar os mortos.

Eu a observei pela tela do interfone até ele parar de tocar.

Sou uma boa observadora. Varro os corredores dos residentes, pego as correspondências, atendo a porta. Mas também observo. Vejo tudo. E isso me dá um estranho tipo de poder, mesmo que eu seja a única que sabe disso. Os moradores se esquecem de mim. Para eles é conveniente imaginar que não sou nada além de uma extensão deste prédio, apenas uma parte móvel de uma grande máquina, como o elevador que os leva até seus belos apartamentos. De certa forma, tornei-me parte deste lugar. Ele de fato deixou sua marca em mim. Tenho certeza de que os anos morando neste cubículo me fizeram encolher, encurvar a postura; emagreci com as horas gastas varrendo e esfregando os corredores e as escadas do prédio. Talvez em outra vida eu tivesse engordado na velhice. Não tive esse luxo. Sou toda tendões e ossos. E sou mais forte do que pareço.

Suponho que poderia ter ido até lá e a impedido. Deveria ter feito isso. Mas o confronto não faz meu estilo. Aprendi que observar é a arma mais poderosa. E a presença dela ali me parecia inevitável. Eu reparei em sua determinação. Ela teria encontrado uma maneira de entrar, não importava o que eu fizesse para tentar impedi-la.

Garota estúpida. Teria sido muito, muito melhor se ela tivesse dado meia-volta e ido embora deste lugar para nunca mais voltar. Mas agora é tarde demais. Paciência.

JESS

Meu coração está batendo duas vezes mais rápido, meus músculos estão tensos.

Olho para o gato serpenteando por entre as minhas pernas, ronronando, quase um borrão. Furtivo, preto, com o peito branco. Coloco a mão na parte de trás da minha blusa. Meus dedos ficam sujos de sangue. *Ai.*

O gato deve ter pulado nas minhas costas direto da bancada ao lado da porta, cravando as garras em mim para se segurar quando tombei para a frente. Ele me encara agora com os olhos verdes semicerrados e solta um rosnado, como se me perguntasse que diabo eu acho que estou fazendo aqui.

Um gato! Meu Deus. Começo a rir, mas paro logo em seguida por causa da maneira estranha com que o som ecoa pelo espaço de pé-direito alto.

Eu não sabia que Ben tinha um gato. Ele gosta de gatos? De repente, parece uma loucura eu não saber disso. Mas acho que não sei mesmo muito sobre a vida dele aqui.

— Ben?

Mais uma vez, o som da minha voz ecoa de volta para mim. Nada. Acho que eu nem esperava mesmo uma resposta: o apartamento parece muito silencioso, muito vazio. Também sinto um cheiro estranho. Algo químico.

De repente, preciso muito de uma bebida. Entro na pequena área da cozinha à minha direita e começo a vasculhar os armários. Primeiro, o mais importante. Encontro apenas meia garrafa de vinho tinto. Eu preferiria algo mais forte, mas é pegar ou largar, e esse poderia muito bem ser o lema de toda a minha vida de merda. Sirvo um pouco em uma taça. Também há um maço de cigarros, uma caixa azul brilhante: Gitanes. Eu não sabia que Ben ainda fumava. É a cara dele preferir uma marca francesa chique. Pego um, acendo, trago e começo a tossir, como fiz da primeira vez que um garoto em um lar temporário me ofereceu um cigarro: é forte, picante, sem filtro. Não sei se gosto. Ainda assim, coloco o restante do maço no bolso de trás da calça jeans — Ben está me devendo mesmo — e presto atenção ao meu redor pela primeira vez.

Fico... surpresa, para dizer o mínimo. Não sei bem o que havia imaginado, mas não era isso. Ben é um pouco criativo, um pouco descolado (embora jamais fosse descrevê-lo dessa maneira na frente dele), mas o apartamento inteiro é coberto por um papel de parede antiquado na cor prata com estampa floral, que mais parece ter sido escolhido por uma senhorinha. Quando toco a parede mais próxima, percebo que na verdade não é papel: é uma seda muito desbotada. Noto partes com a estampa mais vívida onde antes havia quadros pendurados, pequenas manchas enferrujadas no tecido. Do teto alto pende um lustre, ondulações de metal segurando as lâmpadas. Um longo fio de teia de aranha balança preguiçosamente para a frente e para trás; só pode ter uma brisa soprando de algum lugar. E talvez um dia tenha havido cortinas atrás das venezianas: vejo um varão de cortina vazio, os anéis de latão ainda no lugar. Uma escrivaninha diante da janela. Uma prateleira com alguns livros cor de marfim, um grande dicionário de francês azul-marinho.

No canto mais próximo, há um cabideiro com uma velha jaqueta cáqui pendurada, que tenho certeza de que já vi Ben usando. Talvez até na última vez que o vi, cerca de um ano atrás, quando ele foi até Brighton e me levou para almoçar antes de desaparecer novamente da minha vida sem olhar para trás. Enfio a mão nos bolsos da jaqueta e tiro um molho de chaves e uma carteira de couro marrom.

Não é um tanto estranho Ben ter saído sem levar essas coisas?

Abro a carteira: o bolso de trás está recheado de notas. Pego uma de vinte euros e, por via das dúvidas, algumas de dez. Eu teria pedido algum dinheiro emprestado se ele estivesse aqui mesmo. Vou pagar... um dia.

O APARTAMENTO DE PARIS

Há um cartão de visita enfiado no primeiro bolsinho para cartões de crédito. Diz: **Theo Mendelson. Editor do *Guardian* em Paris**. E rabiscado nele com caneta esferográfica, no que parece ser a caligrafia de Ben (às vezes ele se lembra de me enviar um cartão de aniversário): *MOSTRAR A HISTÓRIA PARA ELE!*

Eu examino as chaves. Uma delas é de uma Vespa, o que é estranho, já que da última vez que o vi ele estava dirigindo um Mercedes conversível dos anos 1980. A outra é uma chave enorme de aparência antiga que deve ser do apartamento. Vou até a porta e testo: a fechadura faz um clique.

A sensação desagradável na boca do meu estômago aumenta. Mas talvez ele tenha outro molho de chaves. Talvez essas sejam cópias, as que ele vai me emprestar. Ele também deve ter uma chave reserva para a Vespa; talvez tenha até ido com ela para algum lugar. Quanto à carteira, provavelmente levou apenas dinheiro.

Em seguida, vou até o banheiro. Não há muito o que relatar, exceto que, pelo visto, Ben não tem nenhuma toalha, o que é bizarro. Volto para a sala de estar. O quarto deve ser naquelas portas francesas fechadas. Vou até lá, o gato me seguindo de perto, como uma sombra. Apenas por um momento, hesito.

O gato rosna de novo para mim como se perguntasse: o que você está esperando? Tomo outro longo gole de vinho. Respiro fundo. Abro as portas. Inspiro novamente. Abro os olhos. Cama vazia. Quarto vazio. Ninguém aqui. Solto o ar.

Tudo bem. Quer dizer, eu realmente não achei que fosse encontrar nada assim. Isso não combina com Ben. Ele é bem resolvido; eu é que sou a fracassada. Mas depois que isso acontece com a gente uma vez...

Bebo o resto do vinho na taça, em seguida dou uma olhada nos armários do quarto. Não há muitas pistas, exceto que a maioria das roupas do meu irmão parece ser de lojas chamadas Acne (por que alguém usaria roupas com o nome de um problema de pele?) e A.P.C.

De volta à sala de estar, despejo o restante do vinho na taça e bebo de um gole só. Vou até a escrivaninha perto das janelas enormes com vista para o pátio. Não há nada na mesa além de uma caneta esferográfica velha. Nada de laptop. E Ben parecia cirurgicamente acoplado a ele quando me levou para almoçar naquele dia, pegando-o e digitando algo enquanto esperávamos o nosso pedido. Suponho que deva estar com ele, onde quer que esteja.

De repente, tenho a nítida sensação de que não estou sozinha, de que estou sendo observada. Sinto um arrepio na nuca. Me viro. Não tem ninguém ali a não ser o gato, que está sentado na bancada da cozinha. Talvez tenha sido só isso.

O gato me observa por alguns instantes, depois inclina a cabeça para o lado como se fizesse uma pergunta. É a primeira vez que o vejo parado assim. Em seguida, ele leva a pata à boca e a lambe. E então noto que tanto a pata quanto a faixa de pelos brancos em torno de seu pescoço estão manchadas de sangue.

JESS

Fico paralisada. Que p…

Eu me aproximo do gato para tentar olhar mais de perto, mas ele se esquiva da minha mão. Talvez tenha pegado um camundongo ou algo assim. Uma das famílias de acolhimento com quem morei tinha uma gata, Suki. Mesmo sendo pequena, ela era capaz de abater um pombo: certa vez, voltou para casa coberta de sangue, como se tivesse acabado de sair de um filme de terror, e minha mãe de acolhimento, Karen, encontrou o corpo sem cabeça mais tarde naquela manhã. Tenho certeza de que há alguma pequena criatura morta caída em algum lugar do apartamento, apenas esperando que eu pise nela. Ou talvez o gato tenha matado alguma coisa lá no pátio, afinal há uma fresta aberta em uma das janelas, e deve ser assim que ele entra e sai daqui, andando pela calha ou algo do tipo.

Ainda assim… Fiquei um pouco abalada. Quando vi o sangue, por um momento pensei que…

Não. Só estou cansada. Deveria tentar dormir um pouco.

Ben vai aparecer de manhã, explicar onde esteve, eu vou dizer a ele que é um babaca por ter me obrigado a praticamente invadir seu apartamento, e vai ser como nos velhos tempos, nos *velhos* velhos tempos, antes de ele ir morar com sua nova família rica e brilhante, adotar um jeito totalmente novo de falar e uma perspectiva totalmente diferente em relação ao mundo, enquanto eu era jogada de um lugar para o outro no sistema de assistência social até ter idade suficiente para cuidar de mim mesma. Tenho certeza de que ele está bem. Coisas ruins não acontecem com Ben. Ele tem sorte.

Tiro o casaco e o jogo no sofá. Eu provavelmente deveria tomar um banho, pois com certeza estou fedendo. Um pouco de odores corporais, mas principalmente de vinagre: não dá para trabalhar no Copacabana e não ficar fedendo a vinagre, pois é o que a gente usa para limpar o bar depois de cada expediente. Mas estou cansada demais para isso. Acho que Ben talvez tenha mencionado uma cama dobrável, mas não vejo nada do tipo. Então pego uma manta do sofá e me deito na cama dele por cima das cobertas, completamente vestida. Dou uma afofada nos travesseiros para tentar ajeitá-los. Ao fazer isso, alguma coisa desliza para fora da cama e cai no chão.

Uma calcinha: de seda, preta, rendada, coisa cara. *Eca*. Meu Deus, Ben. Não quero pensar em como isso veio parar aqui. Não sei nem se Ben tem namorada. Sinto involuntariamente uma pontada de tristeza. Ele é tudo o que tenho e nem isso eu sei sobre ele.

Estou cansada demais para fazer qualquer outra coisa além de chutar a calcinha para longe, longe da minha vista. Amanhã vou dormir no sofá.

JESS

Um grito rompe o silêncio.

A voz de um homem. Em seguida, outra voz, agora de mulher.

Eu me sento na cama e ouço com atenção, o coração batendo forte no peito. Levo um segundo para me dar conta de que os sons estão vindo do pátio, entrando pela janela da sala. Verifico o despertador ao lado da cama de Ben: 5h. Acaba de amanhecer, mas ainda está escuro.

O homem volta a gritar. Sua voz parece enrolada, como se ele tivesse bebido.

Vou sorrateiramente até a janela da sala e me agacho. O gato enfia o rosto na minha coxa, miando.

— Shh — digo, mas gosto muito da sensação do seu corpo quente roçando no meu.

Dou uma espiada no pátio. Há duas pessoas lá embaixo: uma alta e outra muito menor. O cara tem cabelo escuro e a mulher é loira, o cabelo comprido brilhando sob a luz fria da única lâmpada do pátio. Ele está vestindo uma parca com capuz com borda de pelos que já vi antes, e me dou conta de que é o sujeito que "encontrei" do lado de fora do portão na noite passada.

As vozes deles ficam mais altas; estão gritando um com o outro agora. Tenho quase certeza de que ouvi a palavra "polícia". Com isso, o tom dele muda. Não entendo as palavras, mas há uma nova firmeza, um quê de ameaça. Eu o vejo dar alguns passos na direção da mulher.

— *Laisse-moi!* — grita ela, soando diferente agora também: com medo, em vez de raiva.

Ele dá mais um passo à frente. Percebo que estou tão perto da janela que minha respiração embaça o vidro. Não posso simplesmente ficar aqui parada, ouvindo, assistindo. O homem ergue a mão. Ele é muito mais alto do que ela.

Uma lembrança repentina. Minha mãe chorando. *Me desculpe, me desculpe*: várias vezes, como uma oração.

Bato no vidro. Quero distraí-lo por alguns segundos, dar a ela a chance de se afastar. Vejo os dois olharem para cima, confusos, o som chamando a atenção. Eu me abaixo e me escondo.

Volto a olhar para o pátio bem na hora em que ele pega alguma coisa do chão, um objeto grande, volumoso e retangular. Com um grande empurrão petulante, ele o joga na direção dela, em cima dela. A mulher dá um passo para trás, e o objeto arrebenta a seus pés: vejo que é uma mala, e espalha roupas por toda parte.

Então ele olha diretamente para mim. Não tenho tempo de me agachar. Sei o que o olhar dele significa. *Eu vi você. Quero que saiba disso.*

Sim, penso, olhando de volta. *E eu estou vendo você, seu imbecil. Conheço seu tipo. Você não me assusta.* Mas todos os pelos da minha nuca estão arrepiados e o sangue lateja em meus ouvidos.

Ele vai até a estátua e a empurra violentamente para fora do pedestal, derrubando-a no chão com um estrondo. Em seguida, ele se dirige para a porta interna do prédio. Ouço a batida ecoando escada acima.

A mulher fica de joelhos no pátio, recolhendo as coisas que caíram da mala. Outra lembrança: mamãe de joelhos no corredor, implorando...

Onde estão os outros vizinhos? Não posso ser a única que tenha ouvido a comoção. Não é uma escolha descer e ajudar: tenho que fazer isso. Pego as chaves, desço a escada e chego ao pátio.

A mulher leva um susto ao me ver. Ainda está de joelhos, e reparo que a maquiagem em seus olhos está borrada de choro.

— Oi — digo suavemente. — Você está bem?

Em resposta, ela ergue o que parece ser uma camisa de seda suja com a terra do chão. Então, trêmula, em um inglês com sotaque carregado, diz:

O APARTAMENTO DE PARIS

—Vim pegar minhas coisas. Eu digo a ele que acabou, para sempre. E isso, isso é o que ele faz. Ele é um... filho da puta. Eu nunca deveria ter me casado com ele.

Meu Deus, penso. É por essas e outras que sei que estou melhor solteira. Minha mãe tinha um gosto excepcionalmente ruim para homens. Sendo que meu pai foi o pior de todos. Supostamente um cara legal. Na realidade, um desgraçado. Teria sido melhor se ele tivesse desaparecido, como o pai de Ben fez antes de ele nascer.

A mulher murmura baixinho enquanto enfia as roupas na mala. A raiva parece ter superado o medo. Eu me aproximo e me agacho para ajudá-la a catar as coisas. Saltos altos com nomes estrangeiros compridos gravados dentro, um sutiã de renda preta, um suéter laranja pequeno com o tecido mais macio que já toquei.

— *Merci* — diz ela, distraída. Então franze a testa. — Quem é você? Nunca a vi aqui.

— Eu vim passar um tempo com meu irmão, Ben.

— *Ben* — repete ela, prolongando o nome dele. Em seguida, ela me olha de cima a baixo, observando minha calça jeans, meu suéter velho. — Ele é *seu* irmão? Antes dele, eu achava que todos os ingleses ficavam vermelhos no sol, eram deselegantes, com dentes malcuidados. Não sabia que eles podiam ser tão... tão bonitos, tão *charmants*, tão *soignés*.

Pelo visto, não há palavras suficientes em inglês para descrever como meu irmão é maravilhoso. Ela continua jogando roupas na mala com movimentos violentos, vez ou outra olhando de cara feia para o portão do prédio.

— É tão estranho assim eu ter me cansado de ficar com a porra de um *alcoolique* idiota e... fracassado? Ter tido vontade de flertar um pouco? E, *d'accord*, talvez eu quisesse deixar Antoine com ciúmes. Para ele se importar com alguma coisa além de si mesmo. É uma surpresa tão grande assim eu ter começado a olhar para outros homens?

Ela joga o cabelo por cima do ombro como uma cortina brilhante. É impressionante ela ser capaz de fazer isso enquanto está agachada recolhendo sua calcinha rendada de um caminho de cascalho.

Ela olha para o prédio e ergue o tom de voz, quase como se quisesse que o marido ouvisse.

— Ele diz que eu só gosto dele por causa do dinheiro. É *claro* que só gosto dele por causa do dinheiro. Foi a única coisa que fez isso tudo... como se diz... valer a pena? Mas agora... — Ela dá de ombros. — Nem isso.

Passo para ela um vestido de seda azul neon, um chapéu bucket rosa-bebê com a marca JACQUEMUS estampada na frente.

—Você viu o Ben recentemente? — pergunto.

— *Non* — responde ela, erguendo a sobrancelha para mim como se eu estivesse insinuando alguma coisa. — *Pourquoi?* Por que a pergunta?

— Ele disse que estaria aqui ontem à noite para abrir a porta para mim, mas não estava... e não responde minhas mensagens.

Ela arregala os olhos. E então, baixinho, murmura algo. Consigo distinguir:

— Antoine... *non. Ce n'est pas possible...*

— O que você disse?

— Ah... *rien*, nada.

Mas reparo no olhar que ela lança ao prédio — amedrontado, desconfiado até — e me pergunto o que isso significa.

Agora ela está tentando fechar sua mala volumosa — couro marrom com um logotipo impresso por toda parte —, mas vejo suas mãos tremendo, deixando seus dedos atrapalhados.

— *Merde*.

Finalmente, a mala se fecha.

— Ei — digo. —Você quer entrar? Chamar um táxi?

— De jeito nenhum — responde ela, furiosa. — Nunca mais vou botar os pés lá dentro. Já pedi um Uber... — Como se isso fosse uma deixa, o celular dela apita. Ela olha a tela e solta o que parece ser um suspiro de alívio. — *Merci. Putain*, ele chegou. Tenho que ir. — Então ela se vira e olha para o prédio. — Quer saber? Foda-se este lugar maligno. — Sua expressão se suaviza e ela sopra um beijo para as janelas lá em cima. — Pelo menos uma coisa boa aconteceu comigo aqui.

Ela levanta a alça da pequena mala, se vira e sai andando até o portão.

Corro atrás dela.

— O que você quer dizer com maligno?

Ela olha para mim, balança a cabeça e passa os dedos na boca como se estivesse fechando um zíper.

— Eu quero meu dinheiro, do divórcio.

Então entra no Uber. Enquanto o carro se afasta, percebo que não consegui perguntar se o que ela teve com meu irmão foi mais do que um flerte.

★ ★ ★

Eu me viro para o pátio e quase morro de susto. Meu Deus. Tem uma velha parada lá, olhando para mim. Ela parece irradiar uma luz branca e fria, digna de um filme de terror. Mas depois de recuperar o fôlego, percebo que é porque está parada sob o poste. De onde foi que ela surgiu?

— *Excuse-moi?* — digo. — *Madame?* — Nem sei o que quero perguntar a ela. *Quem é você*, talvez? *O que está fazendo aqui?*

Ela não responde. Apenas balança lentamente a cabeça para mim, recua em direção à casinha no canto do pátio e desaparece lá dentro. As venezianas — que agora reparo que provavelmente estavam abertas — se fecham depressa.

Sábado

NICK

Segundo andar

Eu me inclino para a frente no guidão da bicicleta ergométrica, me levantando do selim pela inclinação. O suor escorre até meus olhos, que ardem. Meus pulmões parecem estar cheios de ácido, não de ar, e meu coração bate tão forte que tenho a sensação de estar prestes a sofrer um ataque cardíaco. Pedalo mais forte. Quero ir além de tudo que já fiz. Estrelas minúsculas dançam ao redor do meu campo de visão. O apartamento parece oscilar e sair de foco. Por um momento, acho que vou desmaiar. Talvez eu de fato tenha desmaiado: quando me dou conta, estou caído para a frente sobre o guidão e o mecanismo da bicicleta emite um zumbido abaixo de mim. Sou invadido por uma onda repentina de náusea. Reprimo o impulso de vomitar e respiro fundo algumas vezes.

Adotei a prática de *spinning* em São Francisco. E também *bulletproof coffee*, dieta cetogênia, Bikram yoga: praticamente todas as modas a que as pessoas do mundo da tecnologia estavam aderindo, para o caso de fornecerem alguma vantagem extra, uma fonte adicional de inspiração. Normalmente, eu ficaria aqui e assistiria a uma aula ou ouviria uma palestra do Ted Talk. Mas hoje de manhã, não. Eu queria mergulhar no puro esforço, chegar a um lugar onde meus pensamentos fossem silenciados. Acordei logo depois das cinco da manhã, mas sabia que não ia voltar a dormir, especialmente por causa daquela briga no pátio, a mais recente — e a pior — de muitas. Subir na bicicleta pareceu ser a única coisa que fazia sentido.

Desço do selim ligeiramente tonto. A bicicleta é um dos poucos objetos nesta sala, além do meu iMac e dos meus livros. Não há nada nas paredes. Nenhum tapete no chão. Em parte porque gosto da estética minimalista. Em parte porque ainda sinto que não me mudei para cá de verdade, porque gosto da ideia de poder me levantar e ir embora a qualquer momento.

Tiro os fones de ouvido. Parece que as coisas se acalmaram lá embaixo. Vou até a janela, os músculos das minhas panturrilhas protestando.

De início, não consigo ver nada. Então meus olhos são atraídos por um movimento e noto uma garota abrindo o portão do prédio. Há algo familiar nela, na maneira como se movimenta. Tenho dificuldade de identificar, mas minha mente gira como se procurasse uma palavra esquecida.

Então vejo as luzes se acenderem no apartamento do terceiro andar. E tenho um vislumbre da moça se movendo. Ela deve ter alguma relação com ele. Com meu velho amigo e — mais novo — vizinho, Benjamin Daniels. Certa vez ele me contou sobre uma irmã mais nova. Meia-irmã. Uma arruaceira. Meio problemática. De sua antiga vida, por mais que ele tenha tentado romper os laços com aquilo tudo. O que ele definitivamente não me disse foi que ela estava vindo para cá. Mas não seria a primeira vez que ele escondeu algo de mim, não é?

A garota aparece brevemente nas janelas, observando. Então se vira e se afasta em direção ao quarto, acho. Fico vigiando até ela sair do meu campo de visão.

JESS

Minha garganta dói e um suor oleoso cobre minha testa. Fico olhando para o teto alto e tento identificar onde estou. Agora me lembro: cheguei aqui ontem à noite... aquela cena no pátio algumas horas atrás. Ainda estava escuro, então voltei para a cama depois. Achei que não conseguiria dormir, mas devo ter pegado no sono, embora não me sinta descansada. Meu corpo inteiro dói, como se eu tivesse lutado contra alguém. Acho que de fato lutei, no meu sonho. Aquele tipo de sonho do qual dá alívio acordar. Tudo me volta em fragmentos. Eu estava tentando entrar em uma sala trancada, mas minhas mãos se atrapalhavam, os indicadores e polegares. Alguém — Ben? — gritava comigo para não abrir a porta, *não abra a porta*, mas eu sabia que precisava abrir, sabia que não tinha escolha. E então, finalmente, a porta se abriu e de repente eu soube que ele estava certo. Ah, por que não lhe dei ouvidos? Aquilo com que me deparei do outro lado...

Eu me sento na cama. Olho o celular. Oito da manhã. Nenhuma mensagem. Um novo dia e ainda nenhum sinal do meu irmão. Ligo para o celular dele e cai direto na caixa postal. Ouço novamente a mensagem de voz que ele me deixou, com a instrução final: "É só tocar o interfone. Vou estar acordado esperando você..."

E desta vez noto algo estranho. Sua voz parece vacilar no meio da frase, como se algo o tivesse distraído. Depois disso, há um leve murmúrio no fundo — palavras, talvez —, mas não consigo distinguir.

A inquietação aumenta.

Vou até a sala de estar. À luz do dia, o ambiente parece ainda mais ter saído de um museu: dá para ver as partículas de poeira suspensas no ar. E acabei de notar uma coisa na qual não tinha reparado ao chegar. Há uma área relativamente grande e mais clara nas tábuas do piso a apenas alguns metros da porta do apartamento. Eu me agacho lá para ver, e o cheiro — o cheiro estranho que senti ontem à noite — me atinge bem no fundo da garganta. Um forte odor químico queimando meu nariz. Alvejante. Mas não é só isso. Tem alguma coisa na fresta entre as tábuas do piso, brilhando na luz fria. Tento arrancá-la com os dedos, mas está presa. Pego dois garfos na gaveta da cozinha e os uso para soltá-la. Por fim, consigo. Uma longa corrente dourada se desenrola primeiro, depois um pingente: a imagem de um santo com uma capa, segurando um cajado.

A medalhinha de São Cristóvão de Ben. Sinto a textura idêntica da corrente em volta do meu pescoço, o peso do pingente. Nunca o vi sem isso. Assim como eu, suspeito que ele nunca o tire, porque veio da nossa mãe. Porque é uma das poucas coisas que temos dela. Talvez seja culpa, mas suspeito que Ben seja quase mais sentimental em relação a essas coisas do que eu.

Mas aqui está o cordão. E a corrente foi arrebentada.

JESS

Fico sentada tentando não entrar em pânico. Tento imaginar a explicação racional que tenho certeza de que deve haver por trás de tudo isso. Será que devo chamar a polícia? É isso que uma pessoa normal faria? Porque são várias coisas agora: Ben não estar aqui quando disse que estaria e não atender ao telefone. O pelo do gato sujo de sangue. A mancha de alvejante. O colar arrebentado. Mas, acima de tudo isso, está a sensação que essas coisas me provocam... Sinto que há algo errado. *Sempre ouça sua intuição*, era o que mamãe dizia. *Nunca ignore uma sensação.* Não funcionou muito bem para ela, é claro. Mas estava certa, de alguma forma. Foi assim que eu soube que deveria fazer uma barricada na porta do meu quarto à noite, quando morei temporariamente com os Anderson, antes mesmo de outra criança me contar sobre o Sr. Anderson e suas preferências. E muito antes disso, antes mesmo de eu ir para lares temporários, foi como eu soube que não deveria entrar naquele quarto trancado, embora eu tenha entrado mesmo assim.

Mas não quero chamar a polícia. *Eles podem querer saber coisas sobre você*, uma vozinha diz. *Podem fazer perguntas que você não quer responder.* A polícia e eu nunca nos demos muito bem. Digamos apenas que tive minha cota de desentendimentos. E mesmo que ele merecesse, suponho que o que fiz com aquele idiota tecnicamente ainda seja crime. No momento, não quero me colocar no radar da polícia, a menos que seja extremamente necessário.

Além disso, na verdade não tenho nada de significativo para contar a eles, tenho? Um gato que pode ter matado um rato? Um colar que pode ter arrebentado de maneira inocente? Um irmão que pode muito bem estar se lixando mais uma vez e deixando eu me virar sozinha?

Não, não é o suficiente.

Apoio a cabeça nas mãos, tentando pensar no que fazer. No mesmo momento, um ronco longo e alto vem do meu estômago. Então me dou conta de que não me lembro da última vez que comi alguma coisa. Ontem à noite eu meio que imaginei que chegaria aqui e Ben me prepararia ovos mexidos ou algo assim, talvez pedíssemos comida fora. Parte de mim se sente enjoada e tensa demais para comer. Mas talvez eu consiga pensar com mais clareza se estiver com o estômago cheio.

Vasculho a geladeira e os armários, mas com a exceção de meio tablete de manteiga e um pedaço de salame, estão vazios. Um dos armários é diferente de todos os outros: é um tipo de cavidade com uma espécie de sistema de roldanas, mas não descubro como funciona. Em desespero, corto um pedaço do salame com uma faca japonesa muito afiada que encontro no pote de utensílios de Ben, mas está longe de ser um café da manhã farto.

Coloco no bolso o molho de chaves que encontrei na jaqueta de Ben. Agora sei o código, tenho as chaves, então posso voltar.

O pátio parece menos assustador à luz do dia. Passo pelas ruínas da estátua da mulher nua — a cabeça separada do resto, o rosto voltado para cima, os olhos fixos no céu. Um dos canteiros parece ter sido escavado recentemente, o que explica o cheiro de terra recém-revolvida. Há uma pequena fonte ligada também. Olho para a casinha no canto e encontro uma lacuna escura entre as ripas fechadas das venezianas; perfeito para espionar o que quer que esteja acontecendo aqui fora. Eu a imagino me observando pela fresta — a velha que vi ontem à noite, que parece morar ali.

Absorvo a excentricidade do meu entorno enquanto fecho os portões do prédio, a estranheza de tudo. Os edifícios incrivelmente bonitos ao meu redor, os carros com placas que não reconheço. As ruas também parecem diferentes à luz do dia e muito mais movimentadas quando me afasto da calmaria da ruazinha sem saída do prédio. Têm um cheiro diferente também: fumaça de lambretas e cigarro, café torrado. Deve ter chovido durante a noite, porque os paralelepípedos estão úmidos e escorregadios. Todas as pessoas parecem saber exatamente para onde estão indo: dou um passo para a rua, para desviar de uma mulher que vem bem na minha direção enquanto fala ao celular, e quase esbarro em um casal de adolescentes compartilhando uma scooter elétrica. Nunca me senti tão perdida, como um peixe fora d'água.

Passo por vitrines de lojas com as grades ainda fechadas, portões de ferro forjado que levam a pátios e jardins cheios de folhas caídas, farmácias com cruzes verdes de neon piscando — parece haver uma em cada rua, será que os franceses adoecem com mais frequência? —, e acabo dando meia-volta e me perdendo algumas vezes. Finalmente, encontro uma padaria, o letreiro pintado de verde-esmeralda com letras douradas — BOULANGERIE — e um toldo listrado. Lá dentro, as paredes e o chão são decorados com azulejos estampados e o ambiente cheira a açúcar queimado e manteiga derretida. O lugar está lotado: uma longa fila dando a volta. Eu espero, cada vez mais faminta, olhando para o balcão repleto de uma infinidade de coisas que parecem perfeitas demais para serem comidas: tortinhas com framboesas glaceadas, *éclairs* com cobertura violeta, bolinhos de chocolate com mil camadas muito finas e um toque do que parece ouro de verdade no topo. As pessoas à minha frente fazem pedidos consideráveis: três pães, seis croissants, uma torta de maçã. Fico com água na boca. Sinto no bolso o farfalhar das notas que roubei da carteira de Ben.

A mulher na minha frente tem um cabelo tão perfeito que não parece real: um corte chanel preto reluzente sem nenhum fio fora do lugar. Um lenço de seda amarrado no pescoço, um casaco caramelo e uma bolsa de couro preta no braço. Tem cara de rica. Não rica de forma espalhafatosa. O equivalente francês da elegância. Ninguém tem cabelos tão perfeitos a menos que passe os dias basicamente sem fazer nada.

Olho para baixo e noto um cachorro magro e de pelo cinza em uma coleira de couro azul-claro. Ele me encara com olhos escuros desconfiados.

A atendente atrás do balcão entrega a ela uma caixa de cor pastel amarrada com uma fita.

— *Voilà, madame Meunier.*

— *Merci.*

Ela se vira, e vejo que está usando um batom vermelho tão perfeitamente aplicado que parece ter sido tatuado. Deve ter uns cinquenta anos, mas cinquenta anos muito bem conservados. Ela guarda o cartão na carteira. Ao fazer isso, algo cai no chão: um pedaço de papel. Dinheiro?

O APARTAMENTO DE PARIS

Eu me curvo para pegar. Olho mais de perto. Não é dinheiro, que pena. Alguém como ela provavelmente não sentiria falta de dez euros. É um bilhete manuscrito em letras maiúsculas grandes: *DOUBLE LA PROCHAINE FOIS, SALOPE.*

— *Donne-moi ça!*

Ergo o rosto. A mulher está olhando para mim de cara feia, com a mão estendida. Acho que sei o que está pedindo, mas ela o fez com tanta grosseria, como uma rainha dando ordens a um vassalo, que finjo não entender.

— Como?

Ela passa a falar em inglês:

— Me dê isso. — E então, finalmente, acrescenta: — Por favor.

Sem pressa, estendo o bilhete para ela, que o arranca da minha mão com tanta força que sinto sua unha comprida arranhar minha pele. Sem agradecer, sai pisando duro em direção à porta.

— *Excusez-moi? Madame?* — pergunta a atendente, pronta para anotar meu pedido.

— Um croissant, por favor. — Qualquer outra coisa provavelmente vai ser muito cara. Meu estômago ronca quando ela coloca a massa em um saquinho de papel. — Ou melhor, dois.

No caminho de volta pelas ruas frias e cinzentas da manhã, como o primeiro com mordidas vorazes, depois o segundo mais devagar, sentindo o sal da manteiga, saboreando a massa crocante por fora e macia por dentro. É tão bom que eu poderia chorar, e poucas coisas são capazes de me fazer chorar.

De volta ao prédio, entro pelo portão com o código que aprendi ontem. Ao cruzar o pátio, sinto cheiro de fumaça de cigarro. Olho para cima, seguindo seu rastro. Há uma garota sentada na varanda do quarto andar. Cigarro na mão, rosto pálido, cabelo com corte assimétrico, vestida de preto da cabeça aos pés — da gola rulê às botas Doc Martens. Vejo daqui que ela é jovem, talvez dezenove ou vinte anos. Ela me flagra olhando, e reparo que todo o seu corpo se paralisa. Essa é a única forma que encontro de descrever a cena.

Você. Você sabe de alguma coisa, penso, encarando-a. *E vou fazer com que me diga o que é.*

MIMI

Quarto andar

Ela me viu. A mulher que chegou ontem à noite e que eu vi hoje de manhã andando pelo apartamento dele. Ela está olhando diretamente para mim. Não consigo me mover.

Na minha cabeça, o chiado da estática fica mais alto.

Por fim, ela se vira. Quando solto o ar, meu peito arde.

Também vi daqui quando ele chegou. Era agosto, quase três meses atrás, no meio da onda de calor. Camille e eu estávamos sentadas na varanda, nas velhas cadeiras de praia que ela comprou em um *brocante* — um mercado de pulgas —, bebendo Aperol Spritzes, embora eu odeie um pouco Aperol Spritz. Camille vive me convencendo a fazer coisas que normalmente eu não faria.

Benjamin Daniels chegou de Uber. Camiseta cinza, calça jeans. Cabelo escuro, um pouco comprido. Parecia famoso, por algum motivo. Ou talvez não famoso, mas... especial. Sabe? Não sei explicar. Mas havia alguma coisa que me dava vontade de olhar para ele. Eu *precisava* olhar para ele.

Eu estava usando óculos escuros e espiei pelo canto do olho, fingindo que não estava olhando. Quando ele abriu o porta-malas do carro, vi as manchas de suor debaixo dos seus braços e, como a barra da camisa subiu um pouco, também deu para ver onde o bronzeado acabava, bem na altura do cós da calça, e onde a pele era mais clara, com uma flecha de pelos escuros descendo. Os músculos de seus braços se tensionaram quando ele tirou as malas do carro. Não como os de um sujeito musculoso que vive na academia. Mais elegante. Feito um baterista; bateristas sempre têm belos músculos. Mesmo daqui, eu conseguia imaginar o cheiro do seu suor: não um odor desagradável, só de sal e pele.

Ele gritou para o motorista:

—Valeu, cara!

Reconheci o sotaque inglês na hora; sou obcecada por uma antiga série de TV, *Juventude à Flor da Pele*, sobre adolescentes britânicos fodendo, se fodendo e se apaixonando.

— Humm — disse Camille, levantando os óculos de sol.

— *Mais non* — falei. — Ele é muito velho, Camille.

Ela deu de ombros.

— Ele tem só trinta e poucos anos.

— *Oui*, e isso é velho. É tipo... quinze anos mais velho do que a gente.

— Poxa, pense em toda essa *experiência*.

Ela fez um "V" com os dedos e colocou a língua entre eles.

Eu ri.

— Eca...Você é nojenta.

Ela ergueu as sobrancelhas.

— *Pas du tout*. E você saberia disso se seu querido papai deixasse você chegar perto de algum cara...

— Cala a boca.

—Ah, Mimi... estou brincando! Mas você sabe que um dia ele vai ter que aceitar que você não é mais a menininha dele.

Ela sorriu e bebeu o Aperol pelo canudo. Por um segundo, tive vontade de dar um tapa na cara dela... quase fiz isso. Nem sempre controlo muito bem meus impulsos.

— Ele é só um pouco... protetor.

Era mais do que isso, na verdade. Mas acho que também nunca quis fazer nada para decepcioná-lo, para manchar essa imagem de princesinha do papai que ele tem de mim.

Ainda assim, muitas vezes desejei ser mais como Camille. Tão desencanada em relação a sexo. Para ela, é apenas mais uma coisa que gosta de fazer: como nadar, andar de bicicleta ou tomar sol. Eu nunca tinha nem transado, muito menos com duas pessoas ao mesmo tempo (uma das especialidades dela), nem experimentado com meninas. E sabe o que é engraçado? Meu pai na verdade aprovou que ela se mudasse para cá, disse que morar com outra garota "talvez fizesse com que eu me envolvesse em menos problemas".

Camille estava usando seu menor biquíni, apenas três triângulos de crochê clarinho que mal cobriam alguma coisa. Seus pés estavam apoiados na grade de ferro da varanda, as unhas pintadas com um esmalte rosa-choque lascado. Tirando o mês que passou no sul com os amigos, ela se sentava na varanda em praticamente todos os dias quentes, ficando mais e mais bronzeada, se lambuzando de protetor solar La Roche-Posay. Todo o seu corpo parecia ter sido mergulhado em ouro, seu cabelo clareou até ficar cor de caramelo. Eu não fico bronzeada, apenas me queimo, então estava sentada protegida pela sombra feito uma vampira, com meu romance de Françoise Sagan e uma camisa masculina grande.

Ela se inclinou para a frente, ainda observando o cara tirando as malas do carro.

— Ai, meu Deus, Mimi! Ele tem um gato. Que *fofo*. Está vendo? Olha, naquela caixinha de transporte. *Salut, minou!*

Ela fez isso de propósito, para que ele olhasse para cima e nos visse... a visse. O que de fato ele fez.

— Oi — disse Camille, levantando-se e acenando com tanta força que seus *nénés* se balançaram no biquíni como se tentassem escapulir. — *Bienvenue*, bem-vindo! Eu sou a Camille. E esta é a Merveille. *Cute pussy!* — acrescentou ela em inglês.

Eu fiquei tão envergonhada... Ela sabia exatamente o que estava dizendo, em francês a gíria também tem duplo sentido: *chatte*. Além disso, odeio meu nome verdadeiro: Merveille. Ninguém me chama assim. Sou Mimi. Minha mãe me deu esse nome porque significa "maravilha" e ela dizia que era isso que minha chegada à vida dela significava: algo inesperado, mas maravilhoso. No entanto, também é completamente constrangedor.

Afundei atrás do meu livro, mas não tanto a ponto de não conseguir ver o cara.

Ele colocou a mão sobre os olhos para protegê-los do sol.

— Obrigado! — exclamou, erguendo a mão e acenando de volta. Quando fez isso, vi outra vez a faixa de pele entre a camiseta e a calça jeans. — Eu sou o Ben, amigo do Nick. Estou me mudando para o terceiro andar.

O apartamento de Paris

51

Camille se virou para mim.

— Ora, ora — disse ela, em voz baixa. — Acho que este lugar acabou de ficar *muito* mais interessante. — Ela sorriu. — Talvez eu devesse me apresentar a ele direito. Me oferecer para cuidar do bichano se ele viajar.

Não vou me surpreender se ela estiver transando com ele em menos de uma semana, pensei. Não seria nenhuma surpresa. O surpreendente foi o quanto detestei pensar nisso.

Alguém está batendo na porta do meu apartamento.

Eu me esgueiro pelo corredor e espio pelo olho mágico. *Merde,* é ela, a mulher do apartamento de Ben.

Engulo em seco... ou pelo menos tento. Parece que minha língua está presa na garganta.

É difícil pensar com esse chiado nos meus ouvidos. Sei que não tenho que abrir a porta. Este é meu apartamento, meu espaço. Mas o *toc toc toc* é incessante, martelando meu crânio até que sinto que algo em mim vai explodir.

Cerro os dentes e abro a porta, dando um passo para trás. É um choque ver seu rosto de perto: na mesma hora, eu reconheço a semelhança dos traços dos dois. Mas ela é pequena, seus olhos são mais escuros e tem alguma coisa nela, não sei o quê... uma avidez, que talvez ele também tivesse, mas disfarçava melhor. É como se nela todos os ângulos fossem mais acentuados. Nele, tudo era mais suave. Ela também é meio desleixada: calça jeans e um moletom velho puído nos punhos, cabelo ruivo-escuro preso em um coque bagunçado no alto da cabeça. Nisso também ela não se parece em nada com ele. Mesmo com uma camiseta cinza em um dia quente, ele parecia meio... arrumado, sabe? Como se tudo nele se encaixasse perfeitamente.

— Oi. — Ela sorri, mas não é um sorriso verdadeiro. — Me chamo Jess. Qual é o seu nome?

— M-Mimi. — Minha voz sai rouca.

— Meu irmão, Ben, mora no terceiro andar. Mas ele... Bom, ele meio que me deu um perdido. Você o conhece?

Por um momento insano, penso em fingir que não falo inglês. Mas isso seria idiotice.

Balanço a cabeça.

— Não. Eu não conhecia ele... quer dizer, não o conheço. Meu inglês não é tão bom, desculpe.

Sinto que ela está olhando algo atrás de mim, como se tentasse espiar meu apartamento. Chego para o lado, tentando bloquear sua visão. Então, ela olha para mim, como se agora tentasse espiar dentro de *mim*: o que é pior.

— Este apartamento é seu? — pergunta ela.

— *Oui*.

— Uau. — Ela arregala os olhos. — Sortuda. E você mora sozinha?

— Moro com uma amiga. Camille.

Ela está tentando espiar o apartamento de novo, olhando por cima do meu ombro.

— Eu gostaria de saber se por acaso você não o viu recentemente. O Ben.

— Não. Ele tem deixado as venezianas fechadas. Quer dizer... — Eu percebo, tarde demais, que essa não era a pergunta.

Ela ergue as sobrancelhas.

— Certo — diz —, mas você se lembra da última vez que o viu por aqui? Seria de grande ajuda.

Ela sorri. O sorriso dela não se parece em nada com o dele. Mas, pensando bem, o sorriso de ninguém se parece com o dele.

Percebo que ela não vai embora a menos que eu dê uma resposta. Pigarreio.

— Eu... Eu não sei. Já tem um tempo... Acho que talvez uma semana?

— *Quoi? Ce n'est pas vrai!* Isso não é verdade! — Eu me viro e vejo Camille apenas de camisola e calcinha perambulando atrás de mim. — Foi ontem de manhã, lembra, Mimi? Eu vi você com ele na escada.

Merde. Sinto meu rosto ficando quente.

— Ah, é. Isso mesmo.

Eu me volto para a mulher na porta.

— Então ele *estava* aqui ontem? — pergunta ela, franzindo a testa, olhando para mim, depois para Camille e de volta para mim. — Você o viu?

— Uhum — respondo. — Ontem. Tinha esquecido.

— Ele disse se ia a algum lugar?

— Não. Foi muito rápido.

Eu me lembro do rosto dele quando nos esbarramos na escada. *Oi, Mimi. Aconteceu alguma coisa?* Aquele sorriso. Ninguém tem um sorriso como o dele.

— Não sei como ajudar — digo. — Desculpe.

Faço menção de fechar a porta.

— Ele disse que me pediria para dar comida ao gatinho sempre que fosse viajar — diz Camille, e a maneira quase sedutora com que diz "gatinho" me

faz lembrar de quando ela disse *"Cute pussy!"* no dia em que ele chegou. —
Mas ele não me pediu dessa vez.

— Sério? — A mulher parece interessada nisso. — Então, pelo visto...

Talvez ela tenha percebido que estou lentamente fechando a porta, porque
faz um movimento como se estivesse prestes a entrar no apartamento. Até
que, sem pensar duas vezes, bato a porta na cara dela com tanta força que sinto
a madeira estremecer nas minhas mãos.

Meus braços estão tremendo. Meu corpo inteiro está tremendo. Eu sei
que Camille deve estar me encarando, se perguntando o que está acontecendo. Mas não dou a mínima para o que ela está pensando. Apoio a cabeça na
porta. Não consigo respirar. E de repente sinto que estou sufocando. A onda
de náusea cresce dentro de mim e, antes que consiga evitar, vomito nas tábuas
lindamente polidas do piso.

SOPHIE
Cobertura

Estou subindo a escada quando a vejo. Uma estranha aqui dentro. Levo um susto tão grande que quase deixo cair a caixa da *boulangerie*. Uma garota bisbilhotando o andar da cobertura. Ela não tem nada que estar aqui.

Eu a observo por um tempo antes de falar, friamente:

— *Bonjour.*

Ela se vira, surpresa. Ótimo. Eu queria chocá-la.

Mas agora é a minha vez de ficar chocada.

—Você.

Era ela na *boulangerie*: a garota desleixada que pegou o bilhete que deixei cair.

DOUBLE LA PROCHAINE FOIS, SALOPE. O dobro da próxima vez, vadia.

— Quem é você?

— Eu sou a Jess. Jess Hadley. Vim passar um tempo com meu irmão, Ben — responde ela, rapidamente. — Ele mora no terceiro andar.

— Se está hospedada no terceiro andar, o que está fazendo aqui?

Faz sentido, suponho. Xeretando por aqui como se fosse dona do lugar. Igualzinho a ele.

— Estou procurando o Ben.

Ela deve ter percebido o quão absurdo isso soou, como se ele pudesse estar escondido em algum canto escuro das mansardas da cobertura, porque de repente fica envergonhada.

—Você o conhece? Benjamin Daniels?

Esse sorriso: uma raposa entrando no galinheiro. O som de vidro quebrando. Uma mancha carmesim em um guardanapo branco engomado.

— Amigo do Nicolas. Sim. Mas só o encontrei algumas vezes.

— Nicolas? Está falando do "Nick"? Acho que talvez o Ben tenha mencionado esse amigo. Em qual andar ele mora?

Eu hesito. Então digo:

— No segundo.

—Você se lembra de quando o viu pela última vez? — pergunta ela. — O Ben, digo. Ele deveria estar aqui ontem à noite. Tentei perguntar a uma das meninas do quarto andar... Mimi? Mas ela não me ajudou muito.

— Não lembro. — Talvez minha resposta tenha sido muito rápida e assertiva. — Mas ele é muito fechado. Você sabe. Ele é muito... Qual é mesmo a palavra? Reservado.

— Sério? Isso não é nada a cara do Ben! Imaginava que a essa altura ele já tivesse feito amizade com todo mundo no prédio.

— Não comigo. — Isso, pelo menos, é verdade. Dou ligeiramente de ombros. — Enfim, talvez ele tenha viajado e se esquecido de avisar você.

— Não — diz ela. — Ele não faria isso.

Será que eu me lembrava da última vez que o tinha visto? Claro que sim.

Mas estou pensando agora na primeira vez. Há cerca de dois meses. No meio da onda de calor.

Não gostei dele. Soube disso logo de cara.

A risada, foi o que ouvi primeiro. Vagamente ameaçadora, como o riso masculino consegue ser. Sua natureza quase competitiva.

Eu estava no pátio. Tinha passado a tarde plantando na sombra. Para outras pessoas, a jardinagem é uma forma de ócio criativo. Para mim, é uma forma de exercer controle sobre o que está ao meu redor. Quando avisei a Jacques que queria cuidar do pequeno jardim do pátio, ele não entendeu. "Podemos pagar alguém para fazer isso por nós", disse ele. No mundo do meu marido, é possível pagar alguém para fazer qualquer coisa.

Fim do dia: a luz desvanecendo, o calor ainda sufocante. Observei por trás dos arbustos de alecrim os dois entrarem no pátio. Nick primeiro. Em seguida, um desconhecido, empurrando uma Vespa. Mais ou menos da mesma idade do amigo, porém parecia um pouco mais velho. Alto e esguio. Cabelo escuro. Ele tinha uma boa postura. Ocupava o espaço à sua volta com uma segurança muito particular.

Observei o amigo de Nick arrancar com força um ramo de alecrim de um dos arbustos. Ele o esmagou embaixo do nariz, inspirando fundo. Havia algo de presunçoso no gesto. Parecia um ato de vandalismo.

Então Benoit correu na direção deles. O recém-chegado o pegou e o segurou no colo.

Eu me levantei.

— Ele não gosta de ficar no colo de ninguém além de mim.

Benoit, o traidor, virou a cabeça para lamber a mão do estranho.

— *Bonjour*, Sophie — disse Nicolas. — Este é o Ben. Ele vai morar aqui, no apartamento do terceiro andar.

Orgulhoso. Exibindo o amigo como se fosse um brinquedo novo.

— Prazer em conhecê-la, *madame*.

Em seguida, ele deu um sorriso preguiçoso que era de alguma forma tão presunçoso quanto a maneira como arrancou o ramo do arbusto. *Você vai gostar de mim*, dizia o sorriso. *Todo mundo gosta.*

— Por favor — falei. — Me chame de Sophie.

Ao ouvir *"madame"* me senti com uns cem anos, embora fosse totalmente apropriado.

— Sophie.

Então desejei não ter dito aquilo. Era muito informal, muito íntimo.

— Pode deixá-lo comigo, por favor. — Estendi as mãos para o cachorro. Benoit cheirava levemente a gasolina, a suor masculino. Eu o segurei a uma pequena distância do meu corpo. — A concierge não vai gostar disso — acrescentei, indicando a Vespa e em seguida a casinha dela. — Ela detesta essas coisas.

Minha intenção era me impor, mas eu parecia uma matrona repreendendo um garotinho.

— Bom saber — disse ele. — Obrigado pela dica. Vou ter que bajulá-la, então. Conseguir a aprovação dela.

Eu o encarei. Por que diabos ele iria querer fazer uma coisa dessas?

— Boa sorte — disse Nick. — Ela não gosta de ninguém.

— Ah — diz ele. — Mas eu gosto de um desafio. Vou conquistá-la.

— Bom, tome cuidado — alertou Nick. — Não sei se é uma boa ideia encorajá-la. Ela tem o dom de aparecer do nada quando a gente menos espera.

Não gostei nem um pouco daquela ideia. Aquela mulher com seus olhos vigilantes, sua onipresença. O que ela revelaria se ele realmente a "conquistasse"?

Quando Jacques chegou, contei que havia conhecido o novo morador do terceiro andar. Ele franziu a testa e apontou para minha bochecha.

— Você está com terra aí.

Esfreguei a bochecha. De alguma forma, não devo ter notado quando verifiquei minha aparência... Achei que tivesse sido muito cuidadosa.

— Então, o que você achou do nosso novo vizinho?

— Não gostei dele.

Jacques ergueu as sobrancelhas.

— Pois ele me pareceu um rapaz interessante. O que a incomodou?

— Ele é muito... charmoso.

Um charme que ele ostentava como uma arma.

Jacques franziu a testa sem entender. Meu marido: um homem inteligente, mas também arrogante. Acostumado a ter as coisas do seu jeito, a ter poder. Nunca desenvolvi esse tipo de arrogância. Nunca tive certeza suficiente da minha posição para ser complacente.

— Bem — disse ele. —Vamos ter que convidá-lo para tomar um drinque, dar uma boa olhada nele.

Não gostei nem um pouco dessa ideia: convidá-lo para a nossa casa.

O primeiro bilhete chegou duas semanas depois.

Eu sei quem você é, madame Sophie Meunier. Eu sei o que você realmente é. Se não quiser que mais ninguém saiba, sugiro que deixe 2.000 euros debaixo do degrau solto em frente ao portão.

O "madame" representava uma desagradável falsa formalidade. O tom zombeteiro e cúmplice. Sem carimbo do correio; foi entregue em mãos. Meu chantagista conhecia o prédio bem o suficiente para saber sobre o degrau solto do lado de fora do portão.

Não contei a Jacques. Para início de conversa, sabia que ele ia se recusar a pagar. As pessoas que têm mais dinheiro são as que costumam ser mais mão-fechadas na hora de gastar. Eu estava com muito medo para não pagar. Peguei minha caixa de joias. Pensei no broche de safira amarela que Jacques tinha me dado no nosso segundo aniversário de casamento, e nas presilhas de cabelo de jade e diamantes que ele tinha me dado no último Natal. Concluí que uma pulseira de esmeraldas seria o mais seguro, porque ele nunca me pediu para usá-la. Levei-a a uma casa de penhores, nos *banlieues* — os bairros fora do anel viário *périphérique* que circunda a cidade. Um mundo bem distante da Paris dos cartões-postais, dos sonhos dos turistas. Eu tinha que ir a um lugar onde ninguém me reconhecesse. O penhorista sabia que eu estava desnorteada. Acho que ele percebeu meu medo. Mal imaginava ele que tinha menos a ver com a vizinhança do que com meu horror por estar naquela situação. A humilhação.

Voltei com dinheiro mais do que o suficiente para pagar o chantagista, mas menos do que valia a pulseira. Separei dez notas de duzentos euros. O dinheiro parecia sujo: o suor de outras mãos, a imundície acumulada. Enfiei as notas em um envelope grosso, dentro do qual elas pareceram ainda mais sujas, em contraste com o papel creme elegante, e o lacrei. Como se de alguma forma isso tornasse o dinheiro menos horrível, menos degradante. Eu o deixei, conforme instruído, debaixo do degrau de pedra solto em frente ao portão do prédio.

Por enquanto, havia quitado minha dívida.

—Talvez seja melhor você voltar para o terceiro andar agora — digo à garota estranha e desleixada.

É a irmã dele. Difícil de acreditar. É difícil, na verdade, imaginar que ele tenha tido uma infância, uma família. Ele parecia tão... abstrato. Como se tivesse vindo ao mundo já totalmente formado.

— Não lembro o seu nome — diz ela.

Eu não disse.

— Sophie Meunier. Meu marido Jacques e eu moramos na cobertura, neste andar.

— Se vocês moram na cobertura, aonde aquilo vai dar?

Ela aponta para a escada de madeira.

— Na entrada das antigas *chambres de bonne*, os antigos quartos dos empregados, nas mansardas do telhado do edifício. — Eu aceno com a cabeça para a escada no lado oposto, que leva aos andares inferiores. — Mas certamente você deve estar querendo voltar para o terceiro andar agora.

Ela entende a deixa. Precisa passar bem perto de mim para descer. Eu não me movo um centímetro. Só quando minha mandíbula começa a doer é que me dou conta da força com que estava cerrando os dentes.

O apartamento de Paris

JESS

Entro e fecho a porta. Penso em como Sophie Meunier olhou para mim há pouco: como se eu fosse alguma coisa grudada na sola do seu sapato. Ela pode até ser francesa, mas eu reconheceria esse tipo de gente em qualquer lugar. O corte chanel reluzente, o lenço de seda, a bolsa luxuosa. A ênfase que deu à "cobertura". Ela é uma esnobe. Não é exatamente uma sensação nova, ser olhada como se eu fosse escória. Mas pensei ter percebido outra coisa. Uma hostilidade extra quando mencionei Ben.

Penso na sugestão dela de que ele pode ter viajado. "Não é um bom momento", dissera ele ao telefone. Mas ele não iria simplesmente se ausentar sem deixar um bilhete... não é? Eu sou da família, a *única* família que ele tem. Por mais chateado que estivesse, não acho que ele me abandonaria.

Mas, ao mesmo tempo, não seria a primeira vez que ele desapareceria da minha vida praticamente sem olhar para trás. Fez isso quando de repente arrumou pais novinhos em folha dispostos a apresentá-lo a uma nova vida mágica de escolas particulares, férias no exterior, labradores e *sinto muito, mas os Daniels só querem adotar uma criança. Na verdade, talvez seja até melhor separar filhos da mesma família, ainda mais quando houve um trauma compartilhado.* Como eu disse, meu irmão sempre foi bom em fazer as pessoas se apaixonarem por ele. Ben, indo embora no banco de trás do Volvo azul-marinho dos Daniels, se virando para trás uma única vez e em seguida olhando para a frente, para sua nova vida.

Não. Ele me deixou uma mensagem de voz com instruções, pelo amor de Deus. E mesmo que tenha precisado sair por algum motivo, por que não atende a nenhuma das minhas ligações nem responde minhas mensagens?

Eu não paro de pensar na sua medalhinha de São Cristóvão com a corrente arrebentada. Nas manchas de sangue no pelo do gato. E notei que nenhum dos vizinhos de Ben parece disposto a falar comigo... Mais do que isso, eles parecem de fato hostis. Estou com a sensação de que simplesmente tem alguma coisa *errada* aqui.

Vasculho as redes sociais de Ben. Em algum momento, ele parece ter excluído todas as suas contas, exceto a do Instagram. Como só percebi isso agora? Nada de Facebook, nada de Twitter. A foto de perfil do seu Instagram é o gato, que agora está sentado na mesa sobre as patas traseiras, me olhando com os olhos semicerrados. Não há uma única foto no *feed* do perfil dele. Suponho que seja típico de Ben, mestre da reinvenção, ter se livrado de todas as suas coisas antigas. Mas algo no desaparecimento total de seu conteúdo me deixa arrepiada. É quase como se alguém tivesse tentado apagá-lo. Mando uma DM para ele mesmo assim.

Ben, se vir esta mensagem: atenda o celular!

Meu telefone vibra:

Você tem apenas 50 MB de dados de roaming restantes. Para comprar mais, clique neste link...

Merda. Não dá nem para sobreviver com o plano mais barato.

Eu me sento no sofá. Ao fazer isso, percebo que me sentei sobre a carteira de Ben; devo tê-la jogado aqui mais cedo. Abro a carteira e tiro o cartão de visita guardado na frente. **Theo Mendelson. Editor do *Guardian* em Paris**. E rabiscado no cartão: MOSTRAR A HISTÓRIA PARA ELE! Seria alguém para quem Ben está trabalhando, talvez, alguém com quem pode ter entrado em contato recentemente? Há um número de celular. Eu ligo, mas ninguém atende, então mando uma breve mensagem de texto:

Oi. É sobre meu irmão, Ben Daniels. Estou tentando encontrá-lo. Pode me ajudar?

Largo o celular. Acabei de ouvir algo estranho.

Fico sentada, imóvel, escutando atentamente, tentando descobrir que barulho é esse. Parecem passos descendo um lance de escada. Mas o som não vem do corredor, da escada diante da porta do apartamento. Vem de trás de mim. Eu me levanto do sofá e analiso a parede. E é só então, olhando direito, que noto algo lá. Passo as mãos pela camada de seda desbotada. Há uma interrupção, uma fenda no tecido, correndo horizontalmente acima da minha cabeça e verticalmente para baixo. Dou um passo para trás e observo melhor a forma. Está muito bem escondida, atrás do sofá, então ninguém notaria nada a menos que olhasse de perto. Mas acho que é uma porta.

SOPHIE
Cobertura

De volta ao apartamento, pego minha bolsa — de couro preto, da Celine, absurdamente cara e extremamente discreta, um presente de Jacques —, tiro minha carteira e fico quase surpresa ao descobrir que o bilhete não abriu um buraco no couro. Não acredito que fui tão descuidada a ponto de deixá-lo cair mais cedo. Não costumo ser descuidada.

O dobro da próxima vez, vadia.

Este bilhete chegou ontem de manhã. O mais recente da série. Bem... Ele não tem mais nenhum poder sobre mim agora. Rasgo o bilhete em pedaços minúsculos e os jogo na lareira. Puxo a corda com borlas na parede e as chamas ganham vida, incinerando o papel instantaneamente. Em seguida, caminho depressa pelo apartamento, passando pelas janelas do chão ao teto com vista para Paris, ao longo do corredor onde está pendurado o trio de telas abstratas de Gerhard Richter, meus saltos batendo brevemente sobre o parquet e logo silenciados pela seda do tapete persa antigo.

Na cozinha, abro a caixa pastel da *boulangerie*. Há uma quiche lorraine cravejada de pedaços de toucinho defumado, a massa tão crocante que se despedaça ao mais leve toque. O aroma do creme e da gema do ovo me dá vontade de vomitar. Quando Jacques está fora, em uma de suas viagens de negócios, geralmente vivo à base de café puro e frutas, talvez um pedaço ocasional de chocolate amargo de uma barra da Maison Bonnat.

Eu não estava com vontade de sair. Queria ficar escondida aqui, longe do mundo. Mas sou uma cliente regular, e é importante seguir a rotina.

Alguns minutos depois, abro a porta do apartamento novamente e fico parada por alguns instantes, escutando, olhando escada abaixo, me certificando de que não há ninguém lá. Não dá para fazer nada neste prédio sem meio que esperar que a concierge surja de repente de algum canto escuro, se materializando das próprias sombras. Mas, pela primeira vez, não é com ela que estou preocupada. É com a recém-chegada, essa desconhecida.

Quando tenho certeza de que estou sozinha, atravesso o corredor até a escada de madeira que leva às antigas *chambres de bonne*. Sou a única no prédio que tem a chave desses aposentos antigos. Inclusive o acesso da concierge aos espaços compartilhados do edifício termina aqui.

Prendo Benoit pela coleira na barra do corrimão junto ao degrau inferior da escada de madeira. Ele está usando uma coleira de couro azul da Hermès: nós dois com nossos caros adornos de pescoço da Hermès combinando. Ele vai latir se vir alguém.

Tiro a chave do bolso e subo a escada. Quando coloco a chave na fechadura, minha mão treme um pouco; só consigo girá-la depois de algumas tentativas.

Empurro a porta. Antes de entrar, verifico mais uma vez se não estou sendo observada. Todo cuidado é pouco. Especialmente agora, com ela aqui, bisbilhotando.

Passo talvez dez minutos ali em cima, nas *chambres de bonne*. Depois, tranco a porta com o mesmo cuidado e coloco a pequena chave prateada no bolso. Benoit está esperando por mim na base da escada, me encarando com seus olhos escuros. O guardião do meu segredo. Levo um dedo aos lábios.

Shh.

JESS

Arrasto o sofá para longe da parede. O gato pula da mesa e vem trotando até mim, talvez esperando que eu vá revelar um rato ou algum inseto rastejante. Mas lá está: uma porta. Não há maçaneta, então seguro a borda, enfiando os dedos na fresta, e puxo. A porta se abre.

Eu arquejo. Não sei o que esperava encontrar: um armário secreto, talvez. Não isso. Sou recebida pela escuridão do outro lado. O ar está frio como se eu tivesse acabado de abrir uma geladeira. Sinto um odor velho e bolorento, como em uma igreja. Enquanto meus olhos se adaptam ao breu, noto uma escada de pedra escura e estreita se espiralando para cima e para baixo. Não poderia ser mais diferente da imponente escadaria principal do prédio. Suponho, pela aparência, que provavelmente fosse uma escada de serviço, como os quartos dos criados lá em cima que Sophie Meunier mencionou.

Entro e deixo a porta se fechar atrás de mim. De repente, fica muito escuro. Mas noto um feixe de luz entrando pela porta, um pouco abaixo da minha cabeça. Eu me abaixo e aproximo os olhos do orifício. Vejo o interior do apartamento: a sala de estar, a cozinha. Parece um olho mágico improvisado. Suponho que possa estar aqui desde sempre, tão antigo quanto o próprio prédio.

Ou pode ter sido feito mais recentemente. Alguém poderia estar observando Ben por aqui. Alguém poderia estar *me* observando.

Ainda ouço passos de alguém descendo. Ligo a lanterna do celular e sigo o som, tentando não tropeçar nos meus próprios pés conforme os degraus se curvam acentuadamente. Esse acesso de escada deve ter sido feito em uma época em que as pessoas eram menores: eu não sou grande, mas ainda assim me parece apertado.

Um segundo de hesitação. Não faço ideia de onde essa escada pode dar. Não tenho certeza se é uma boa ideia. Será que posso estar indo em direção a algum perigo?

Bom, isso nunca me deteve. Continuo descendo.

Chego a outra porta, onde também encontro um pequeno orifício de observação. Aproximo o rosto rapidamente e dou uma olhada lá dentro. Nenhum sinal de gente por perto. Estou um pouco desorientada, mas imagino que seja o apartamento do segundo andar: a casa do amigo de Ben, Nick. Parece ter praticamente a mesma planta do apartamento de Ben, mas todas as paredes são pintadas de branco e não há nada pendurado nelas. Com exceção do computador gigante no canto, alguns livros e o que parece um equipamento de ginástica, a sala está praticamente vazia, com tanta personalidade quanto a de um consultório. Nem parece que alguém mora ali.

O som dos passos abaixo de mim não para, me incentivando a continuar. Retomo a descida, a luz do celular oscilando à minha frente. Devo estar no primeiro andar agora. Chego a outro apartamento e ali está ele: o olho mágico. Olho pelo buraco. O lugar está uma bagunça: coisas por toda parte, pacotes de batata frita vazios, cinzeiros transbordando, mesinhas repletas de garrafas, um abajur caído de lado. Dou um passo involuntário para trás quando alguém surge. Apesar de não estar usando a parca, eu o reconheço na mesma hora: o sujeito do portão, da briga no pátio. Antoine. Ele parece estar bebendo direto de uma garrafa de Jack Daniel's. Toma as últimas gotas e depois levanta a garrafa. Meu Deus! Dou um pulo quando ele a quebra em uma das mesinhas.

Ele cambaleia, olhando para o caco estilhaçado como se estivesse se perguntando o que fazer com aquilo. Então se vira na minha direção. Por um momento aterrorizante, ele parece olhar diretamente para mim. Mas estou espiando por uma fenda de apenas alguns milímetros de largura... não tem como ele me ver aqui. Certo?

Não vou ficar para descobrir. Começo a descer rápido. Devo estar passando pelo térreo, pelo hall de entrada. Mais um lance de degraus e acho que estou no subsolo agora. O ar parece mais pesado, mais frio; imagino a terra ao meu redor. Finalmente, a escada me leva a uma porta, com as dobradiças ainda se movendo, entreaberta... Quem quer que eu esteja seguindo acabou de entrar aqui. Minha pulsação se acelera, devo estar chegando mais perto. Empurro a porta e, embora ainda esteja escuro do outro lado, tenho a impressão de ter entrado em um espaço amplo e com eco. Silêncio. Nenhum som de passos. Aonde foram parar? Devo estar apenas alguns segundos atrás.

Está mais frio aqui embaixo. Tem cheiro de umidade, de mofo. Meu celular projeta um feixe luminoso fraco demais na escuridão, mas vejo o brilho laranja de um interruptor de luz à minha frente. Aperto, e as luzes se acendem, o pequeno temporizador mecânico iniciando a contagem: *tique-taque, tique-taque, tique-taque*. É provável que eu tenha apenas alguns minutos antes de ficar tudo escuro outra vez. Definitivamente estou no porão: um espaço amplo e de teto baixo com o dobro do tamanho do apartamento de Ben; e várias portas. Um suporte no canto com duas bicicletas. E, encostada em uma parede, uma Vespa vermelha. Vou até ela, pego o molho de chaves que encontrei na jaqueta de Ben, enfio a chave na ignição e viro. As luzes se acendem. Então me dou conta de que Ben não pode ter ido para algum lugar em sua Vespa. Devo ter me apoiado nela, porque a Vespa se desequilibra. É então que noto que a roda dianteira está vazia, a borracha totalmente destruída. Um acidente? Mas alguma coisa naquela destruição completa parece intencional.

Eu me volto para o porão. Talvez a pessoa que eu seguia tenha se enfiado em uma daquelas portas. Será que está se escondendo de mim? Um arrepio de inquietação percorre meu corpo quando percebo que agora posso ser eu quem está sendo observada.

Abro a primeira porta. Duas máquinas de lavar: uma delas ligada, as roupas girando lá dentro em um emaranhado colorido.

Na sala ao lado, sinto o cheiro das latas de lixo antes de vê-las, aquele odor adocicado e podre. Alguma coisa faz um ruído abafado. Fecho a porta.

A próxima é uma espécie de armário de limpeza: esfregões, vassouras, baldes e uma pilha de panos sujos no canto.

Apesar do cadeado na porta seguinte, ela está aberta. Eu a empurro. O lugar está repleto de garrafas de vinho: prateleiras e mais prateleiras, do chão ao teto. Deve ter mais de mil garrafas ali. Algumas parecem muito antigas: com

O APARTAMENTO DE PARIS

os rótulos manchados e descascando, e o vidro coberto por uma camada de poeira. Pego uma delas. Não entendo muito de vinhos. Quer dizer, já trabalhei em vários bares, mas eram o tipo de lugar onde as pessoas pedem "uma taça grande de vinho tinto, querida" e você leva a garrafa inteira por umas libras a mais. Mas esses vinhos parecem *realmente* caros. Quem quer que esteja guardando essas coisas aqui, confia mesmo nos vizinhos. E provavelmente não vai nem notar se apenas uma garrafinha desaparecer. Talvez isso me ajude a pensar. Vou escolher uma que pareça estar aqui há muito tempo, uma que já deve ter sido esquecida. Encontro as garrafas mais empoeiradas e cobertas de teias de aranha nas prateleiras de baixo, procuro ao longo das fileiras, puxo uma delas um pouco para fora. *1996.* Tem a imagem de um palacete destacada em tinta dourada. Château Blondin-Lavigne, diz o rótulo. Essa deve servir.

As luzes se apagam. A contagem do temporizador deve ter acabado. Procuro um interruptor de luz. Está tão escuro aqui que logo fico desorientada. Dou um passo para a esquerda e esbarro em algo. Merda, preciso tomar cuidado: estou basicamente cercada por paredes de vidro instáveis.

Pronto. Finalmente, vejo o brilho laranja de outro interruptor de luz. As luzes voltam com um zumbido.

Eu me viro para procurar a porta. Que estranho, achei que a tivesse deixado aberta. Deve ter se fechado depois que entrei. Giro a maçaneta. Mas nada acontece quando a puxo. A porta não se move. Como assim? Não pode ser. Tento de novo... nada. Em seguida, mais uma vez, usando toda a minha força, colocando todo o meu peso na porta.

Alguém me trancou aqui dentro. É a única explicação.

CONCIERGE
Portaria

Meio da tarde e a luz parece estar se esmaecendo, as sombras se aprofundando. Uma batida na minha porta. Meu primeiro pensamento é que é ele, Benjamin Daniels. O único que se dignaria a aparecer aqui. Penso na primeira vez que ele bateu na minha porta, me pegando de surpresa: "*Bonjour, madame.* Eu só queria me apresentar. Estou me mudando para o terceiro andar. Acho que agora seremos vizinhos!"

No início, achei que ele estivesse zombando de mim, mas seu sorriso educado dizia o contrário. Certamente ele devia saber que em nenhum mundo seríamos vizinhos. Ainda assim, me causou uma boa impressão.

Mais uma batida. Dessa vez, noto que batem com certa autoridade. E percebo meu erro. Claro que não é ele... isso seria impossível.

Quando abro a porta, lá está ela: Sophie Meunier. *Madame*, para mim. Em todo o seu esplendor: o elegante casaco bege, a bolsa preta reluzente, o elmo formado por seus cabelos negros brilhantes, o nó de seda do seu lenço. Ela é daquelas mulheres que você vê caminhando pelas ruas mais sofisticadas da cidade, com sacolas de compras de papel grosso e impressas com letras douradas, repletas de roupas de grife e objetos caros. Um cachorrinho com pedigree puxado por uma coleira. Os maridos ricos com seus encontros amorosos depois do trabalho, os apartamentos grandiosos e as casas de férias pintadas de branco e com venezianas na Île de Ré. Nascidas aqui, criadas aqui, em famílias francesas ricas e tradicionais... ou pelo menos é nisso que gostariam que você acreditasse. Nada espalhafatoso. Nada *nouveau*. Tudo de uma simplicidade elegante, qualidade e herança.

— *Oui, madame?* — digo.

Ela dá um passo para trás, afastando-se da porta, como se não suportasse ficar perto demais da minha casa, como se a pobreza pudesse de alguma forma contagiá-la.

— A garota — diz ela simplesmente. Ela não usa meu nome, nunca usou meu nome, nem sei se ela sabe como me chamo. — Aquela que chegou ontem à noite, a que está hospedada no apartamento do terceiro andar.

— *Oui, madame?*

— Quero que você fique de olho nela. Quero que me avise quando ela sair, quando voltar. Quero ficar sabendo se receber alguma visita. É extremamente importante. *Comprenez-vous?*

Entendeu?

— *Oui, madame.*

— Ótimo.

Ela não é muito mais alta do que eu, mas de alguma forma olha para mim de cima, como se estivesse a uma grande altura. Então se vira e se afasta o mais rápido possível, com o cachorrinho cinza trotando na altura do calcanhar dela.

Eu a observo ir embora. Em seguida, vou até minha minúscula cômoda e abro a gaveta. Olho lá dentro.

Ela pode me menosprezar, mas o conhecimento que tenho me dá poder. E acho que ela sabe disso. Suspeito, embora ela jamais cogite admitir, que *madame* Meunier tenha um pouco de medo de mim.

Que curioso, temos mais em comum do que parece. Nós duas moramos neste prédio há muito tempo. Nós duas, cada uma a sua maneira, nos tornamos invisíveis. Parte do cenário.

Mas, na verdade, eu sei exatamente que tipo de mulher é *madame* Sophie Meunier. E sei exatamente do que ela é capaz.

JESS

— Olá! — grito. — Alguém consegue me ouvir?

Sinto as paredes engolindo o som e percebo que é inútil. Dou um empurrão na porta com toda a força, na esperança de que o peso do meu corpo quebre a tranca. Nada... Foi o mesmo que me jogar em uma parede de concreto. Em pânico, esmurro a madeira.

Merda. *Merda.*

— Ei! — grito, desesperada agora. — EI! SOCORRO!

A última palavra. Um súbito flashback de outra sala. Gritando a plenos pulmões, gritando até minha voz ficar rouca, mas nunca parecia alto o suficiente... Ninguém veio. *Socorro, socorro, socorro, alguém me ajude, ela não está...*

Meu corpo inteiro treme.

E então, de repente, a porta se abre e uma luz se acende. Há um homem parado ali. Dou um passo para trás. É Antoine, o sujeito que acabei de ver quebrando casualmente uma garrafa em uma mesinha...

Não... Percebo que estou errada. Foi a altura, talvez, e a largura dos ombros. Mas esse homem é mais jovem e à luz fraca vejo que seu cabelo é mais claro, de um dourado-escuro.

— *Ça va?* — pergunta ele. Então, em inglês: —Você está bem? Desci para pegar minha roupa na máquina e ouvi...

—Você é britânico! — disparo.

Tão britânico quanto a rainha, na verdade: com um sotaque característico da elite, a pronúncia perfeita. Um pouco parecido com o que Ben adotou depois que foi morar com seus novos pais.

Ele olha para mim como se esperasse alguma explicação.

— Alguém me trancou aqui dentro. — Estou trêmula agora que a adrenalina está passando. — Alguém fez isso de propósito.

Ele passa a mão pelo cabelo e franze a testa.

— Acho que não. A porta estava emperrada quando a abri. A maçaneta definitivamente parece um pouco travada.

Penso em como fiz força. Será que poderia mesmo estar só emperrada?

— Bem, obrigada — digo, sem muita convicção.

— Tudo bem. — Ele dá um passo para trás e olha para mim. — O que você está fazendo aqui? Quer dizer, não na *cave*, mas no prédio?

— Você conhece o Ben, do terceiro andar? Vim passar um tempo com ele...

Ele franze a testa.

— O Ben não me disse que ia receber alguém.

— Bom, foi meio que de última hora — digo. — Então... você o conhece?

— Conheço. Ele é um velho amigo. E você é...?

— Eu sou a Jess. Jess Hadley, irmã dele.

— Eu sou o Nick. — Ele dá de ombros. — Eu... bem, fui eu que sugeri que ele viesse morar aqui.

NICK

Segundo andar

Propus que Jess fosse até meu apartamento, em vez de ficarmos conversando na escuridão fria da *cave*. Estou ligeiramente arrependido: sugeri que se sentasse, mas ela está andando de um lado para o outro da sala, examinando minha bicicleta Peloton, minhas estantes de livros. Sua calça jeans está gasta nos joelhos, os punhos do suéter puídos, as unhas roídas até o sabugo feito minúsculos pedaços de conchas quebradas. Ela emana uma energia tensa e inquieta; bem diferente da languidez e da postura casual de Ben. O jeito de falar também é diferente; ela não estudou em escola particular, imagino. Mas o sotaque de Ben mudava dependendo de com quem ele estava falando. Levei um tempo para perceber isso.

— Ei — diz ela, de repente. — Posso jogar um pouco de água no rosto? Estou muito suada.

— Fique à vontade.

O que mais posso dizer?

Ela volta alguns minutos depois. Sinto uma lufada de Eau de Monsieur da Annick Goutal; ou ela usa o mesmo perfume que eu (o que parece improvável), ou passou um pouco enquanto estava no banheiro.

— Está melhor? — pergunto.

— Sim, muito, obrigada. Ei, gostei da sua superducha. É assim que se chama, não é?

Continuo observando-a enquanto ela examina a sala. Há uma semelhança com ele. De alguns ângulos, é quase perturbadora... Mas a compleição dela é diferente da de Ben. Ela é ruiva, e ele tem cabelo castanho; o corpo pequeno e rijo. Isso, e a maneira curiosa como ela perambula pela sala, avaliando o lugar, me faz pensar em uma pequena raposa.

— Obrigada por me ajudar — diz ela. — Por um momento, pensei que nunca ia sair de lá.

— Mas o que é que você estava fazendo na *cave*?

— Onde?

— Na *cave* — explico. — Quer dizer "adega", em francês.

—Ah, tá. — Ela mordisca a cutícula do polegar e dá de ombros. — Estava dando uma olhada no lugar, acho.

Eu vi a garrafa de vinho na mão dela. Reparei quando a colocou de volta na prateleira, achando que eu não estava olhando. Não vou mencionar isso. O dono daquela adega pode se dar ao luxo de ficar sem uma ou duas garrafas.

— É enorme lá embaixo — diz ela.

— Aquele lugar foi usado pela Gestapo durante a guerra — conto. — O quartel-general principal deles era na Avenue Foch, perto do Bois de Boulogne. Mas no fim da ocupação eles sofreram... uma superlotação. E usaram a *cave* para manter os prisioneiros. Membros da Resistência, esse tipo de coisa.

Ela faz uma careta.

— Acho que faz sentido. Aquele lugar tem um clima pesado, sabe? Minha mãe acreditava nessas coisas: energia, auras, vibrações.

Acreditava. Eu me lembro de Ben falando sobre a mãe. Certa noite, bêbado num bar. Mesmo bêbado, suspeito que ele nunca revelasse mais do que desejava.

— Enfim — diz ela —, nunca acreditei de verdade nessas coisas. Mas dá para sentir algo. Este prédio me dá arrepios. — Ela se detém. — Desculpe, não tive a intenção de ofender...

— Não. Tudo bem. Acho que entendo o que você está falando. Então, você é irmã do Ben.

Quero descobrir o que exatamente ela está fazendo aqui.

Ela assente.

— Sou. Mesma mãe, pais diferentes.

Percebo que ela não diz nada sobre Ben ter sido adotado. Eu me lembro do meu choque ao descobrir. Mas também de pensar que fazia sentido. O fato de não ser possível rotulá-lo como fazíamos com os outros alunos do nosso ano na universidade: os caras sérios do remo, os alunos-modelo, os festeiros desregrados. Sim, havia o sotaque de escola pública, a desenvoltura, mas sempre parecia que havia mais alguma camada por trás de tudo. Indícios de algo mais brutal, mais sombrio. Talvez fosse por isso que as pessoas ficavam tão intrigadas com ele.

— Gostei da sua Gaggia — diz Jess, indo em direção à cozinha. — Tinha uma parecida em um café onde eu trabalhei. — Uma risada, sem muito humor. — Posso não ter frequentado uma escola e uma universidade sofisticadas como meu irmão, mas sei fazer um leite vaporizado incrível. — Sinto um tom amargo em sua voz.

— Quer um café? Posso fazer para você. Infelizmente, só tenho leite de aveia.

— Você tem cerveja? — pergunta ela, esperançosa. — Sei que é cedo, mas estou precisando.

— Claro, e fique à vontade para se sentar — digo, indicando o sofá.

Observá-la perambulando pela sala, mais a privação de sono, está me deixando um pouco tonto.

Vou até a geladeira pegar duas garrafas: cerveja para ela, kombucha para mim, pois nunca bebo antes das sete. Antes que eu possa me oferecer para abrir a cerveja, ela tira um isqueiro do bolso, encaixa-o embaixo da tampa e de alguma forma consegue tirá-la. Eu a observo, pasmo e ligeiramente chocado ao mesmo tempo. Quem é essa garota?

— Não me lembro do Ben ter comentado que você vinha passar um tempo aqui — digo da forma mais casual possível.

Não quero que ela tenha a impressão de que a estou acusando de alguma coisa, mas ele com certeza não comentou nada. É verdade que não nos falamos muito nas últimas semanas. Ele andava ocupado demais.

— Bom, foi meio que de última hora. — Ela acena vagamente com a mão. — Quando você o viu pela última vez? — pergunta em seguida. — O Ben?

— Alguns dias atrás... acho.

— Então você não falou com ele hoje?

— Não. Aconteceu alguma coisa?

Eu a observo roer a unha do polegar com tanta força que me faz estremecer. Vejo uma pequena gota de sangue brotar no sabugo.

O APARTAMENTO DE PARIS

— Ele não estava aqui quando cheguei ontem à noite. E desde ontem à tarde não tenho notícias dele. Sei que isso vai soar estranho, mas acha que ele poderia estar com algum problema?

Eu me engasgo com o gole que acabei de tomar.

— Problema? Que tipo de problema?

— É só que... parece ter alguma coisa errada. — Ela mexe no colar de ouro em volta do pescoço. Noto a medalhinha com o santo balançar; é igual à dele. — Ele me deixou uma mensagem de voz. E a gravação... meio que é interrompida no meio. E agora ele não está mais atendendo ao celular. Não leu nenhuma das minhas mensagens. A carteira e as chaves dele ainda estão em casa... E sei que ele não saiu com a Vespa porque a vi no porão...

— Mas isso é a cara do Ben, não é? Ele provavelmente viajou por alguns dias, foi atrás de uma história só com algumas centenas de euros no bolso. Daqui dá para pegar um trem para praticamente toda a Europa. Ele sempre foi assim, desde a faculdade. Desaparecia e voltava alguns dias depois dizendo que tinha ido para Edimburgo porque deu vontade, ou que havia decidido conhecer Norfolk Broads, ou que tinha se hospedado em um albergue e feito trilha nas montanhas de Brecon Beacons.

O restante de nós ficava em nossa pequena bolha, mal nos lembrando — alguns querendo esquecer — de que havia um mundo lá fora. Não nos teria ocorrido sair dali. Mas ele ia embora, sozinho, como se não estivesse cruzando uma barreira invisível. Aquele anseio, aquele ímpeto que ele tinha.

— Acho que não — diz Jess, interrompendo minhas lembranças. — Ele não faria isso... sabendo que eu estava vindo. — Mas ela não parece muito segura e quase soa como se estivesse fazendo uma pergunta. — De qualquer forma, você parece conhecê-lo bem.

— Não nos víamos com muita frequência até recentemente. — Isso, pelo menos, é verdade. — Sabe como é. Mas ele entrou em contato comigo quando se mudou para Paris. E ao nos reencontrarmos... a sensação foi de que o tempo não tinha passado, na verdade.

Sou levado de volta àquele reencontro, quase três meses atrás. Minha surpresa — meu choque — ao receber o e-mail dele depois de tanto tempo, depois de tudo. Um bar de esportes em Saint-Germain. O chão grudento e o balcão pegajoso, camisetas de times franceses de rúgbi autografadas pregadas na parede, pedaços de charcutaria parecendo mofados acompanhados de cerveja e da seleção francesa de rúgbi jogando em cerca de quinze telas diferentes. Mas parecia nostálgico, quase igual ao tipo de lugar que frequentávamos quando éramos estudantes, bebericando um copo de cerveja e fingindo ser homens de verdade.

Colocamos a conversa em dia sobre a década perdida entre nós: meu tempo em Palo Alto; a carreira dele de jornalista. Ele pegou o celular para me mostrar seu trabalho.

— Não é nada muito... contundente — disse ele, dando de ombros. — Não é o que eu dizia que queria fazer. São banalidades, para ser sincero. Mas no momento as coisas estão difíceis. Eu deveria ter optado pela área da tecnologia, como você.

Eu tossi, sem jeito.

— Cara, eu não diria que conquistei o mundo da tecnologia.

Isso foi um eufemismo. Porém, fiquei quase mais decepcionado com a falta de sucesso dele do que com a minha. Eu esperava que ele já tivesse escrito um romance premiado. Nós nos conhecemos em um jornal universitário, mas a ficção sempre pareceu mais a praia dele, não o rigor factual do jornalismo. E se alguém se tornaria bem-sucedido, eu tinha certeza de que seria Ben Daniels. Se ele não conseguisse, que esperança haveria para o restante de nós?

— Sinto que estou correndo atrás de migalhas — disse ele. — Vou a bons restaurantes, descolo uma noitada grátis de vez em quando. Mas não é exatamente o que achei que ia fazer. É preciso uma história de peso para entrar no mundo do jornalismo, fazer seu nome. Uma grande sacada. Cansei de Londres, do velho clube do bolinha. Pensei em tentar a sorte aqui.

Bem, nós dois tínhamos grandes planos quando nos vimos pela última vez. Mesmo que o meu não envolvesse muito mais do que ficar bem longe do meu pai e o mais distante possível de casa.

Um barulho repentino me traz de volta para a sala. Jess, perambulando novamente, derrubou um porta-retratos; um dos poucos que tenho na estante.

Ela o coloca no lugar.

— Desculpe. Mas é um barco legal. Na foto.

— É o iate do meu pai.

— E esse é você, com ele?

— Sim.

Estou com mais ou menos quinze anos na foto. A mão dele no meu ombro, nós dois sorrindo para a câmera. Eu de fato o impressionei naquele dia, assumindo o leme por um tempo. Deve ter sido uma das únicas vezes em que senti que ele estava orgulhoso de mim.

O apartamento de Paris

Uma gargalhada repentina.

— E essa aqui parece de um filme de Harry Potter — diz ela. — Essas capas pretas. Isso é em...

— Cambridge.

Um grupo de estudantes depois de um jantar formal, no gramado do parque Jesus Green, às margens do rio Cam, à noite, usando nossos trajes formais e segurando garrafas de vinho pela metade. Ao olhar para a foto, quase sinto o cheiro fresco da grama recém-cortada: a essência de um verão inglês.

— Foi lá que você conheceu o Ben?

— Foi, nós trabalhamos juntos no *Varsity*: ele no editorial, eu no site. E nós dois frequentamos o Jesus.

Ela revira os olhos.

— Os nomes que dão a esses lugares... — Estreita os olhos para enxergar melhor as pessoas. — Ele não está nesta foto, está?

— Não. Ele tirou a foto. — Rindo, organizando todos nós em uma pose. Era a cara do Ben ficar por trás da câmera, não na frente: contar a história em vez de ser parte dela.

Ela se volta para as estantes de livros. Anda de um lado para outro, lendo os títulos. É difícil imaginá-la parada.

— Você tem muitos livros em francês. Foi isso que o Ben estudou na faculdade, não foi? Francês ou algo assim.

— Bom, no início ele estudou Línguas Modernas, sim. Depois mudou para Literatura Inglesa.

— Sério? — Sua expressão fica mais obscura. — Eu não... não sabia disso. Ele nunca me contou.

Eu me lembro dos fragmentos que Ben me contou sobre ela enquanto estávamos viajando. A vida da irmã tinha sido muito mais difícil do que a dele. Não teve ninguém por perto para ajudar a juntar os cacos. Sendo jogada de um lado para outro no sistema de assistência social, sem nunca encontrar um lar definitivo.

— Então você é o amigo que o ajudou a encontrar o apartamento? — pergunta ela.

— Eu mesmo.

— Parece incrível — disse Ben, quando sugeri o apartamento no dia em que voltamos a nos encontrar. — E você tem certeza disso, do aluguel?

Acha que seria mesmo tão baixo assim? Preciso admitir que estou um pouco apertado de dinheiro no momento.

—Vou descobrir para você — falei a ele. — Mas tenho quase certeza, sim. Quer dizer, não está muito bem conservado. Se você não se importar com alguns detalhes um pouco... antiquados.

Ele sorriu.

— De jeito nenhum. Você me conhece. Gosto de lugares com personalidade. E posso garantir que é muito melhor do que dormir no sofá dos outros. Posso levar meu gato?

Eu ri.

— Claro que pode levar seu gato. — Eu disse a ele que daria uma investigada. — Mas acho que provavelmente é seu, se você quiser.

— Bem... valeu, cara. Quer dizer... sério, parece muito incrível.

— Sem problema. Fico feliz em ajudar. Então, isso é um sim, você está interessado?

— Pode apostar. — Ele riu. —Vou até pagar outra bebida para você, para comemorarmos.

Ficamos sentados lá por horas bebendo cerveja. E de repente foi como se estivéssemos em Cambridge outra vez, como se o tempo não tivesse passado.

Ele se mudou alguns dias depois. Rápido assim. Estava ao seu lado no apartamento enquanto ele olhava ao redor.

— Eu sei que é um pouco retrô — falei.

— Definitivamente... tem personalidade. Quer saber? Acho que vou deixar assim. Eu gosto. Gótico.

E pensei em como era bom ter meu velho amigo de volta. Ele sorriu para mim e, por algum motivo, de repente, senti que tudo poderia ficar bem. Talvez mais do que bem. Como se aquilo pudesse me ajudar a reencontrar o cara que eu tinha sido um dia.

— Posso usar seu computador?

— O quê? — Sou subitamente arrancado das minhas lembranças.

Vejo que Jess foi até meu iMac.

— Essas malditas tarifas de roaming são um inferno. Só pensei em dar uma olhada no Instagram do Ben de novo, para o caso de ter acontecido alguma coisa com o celular dele e ele ter respondido a minha mensagem.

— Hmm... Posso te dar a senha do wi-fi.

Mas ela já está sentada com a mão sobre o mouse. Aparentemente não tenho escolha. Ela move o mouse, e a tela se ilumina.

— Espere... — Ela se inclina para a frente, examinando o protetor de tela, em seguida se vira para mim. — Esse dois são você e o Ben, não são? Caramba, ele parece tão jovem. Você também.

Não ligo meu computador há vários dias. Eu me forço a olhar.

— Acho que sim. Praticamente crianças.

É tão estranho pensar isso. Eu me sentia muito adulto na época. Como se todos os mistérios do mundo tivessem sido repentinamente revelados para mim. E ainda éramos crianças, na verdade. Eu me viro para as janelas. Não preciso olhar a foto; posso vê-la de olhos fechados. A luz dourada e oblíqua: nós dois de olhos semicerrados por causa do sol.

— Onde era isso aqui?

— Um grupo nosso passou o verão todo viajando sobre trilhos depois das provas finais.

— Como assim? De trem?

— É. Por toda a Europa... foi incrível.

Foi mesmo. A melhor época da minha vida, acho.

Olho para Jess. Ela fica em silêncio; parece perdida em pensamentos.

—Você está bem?

— Estou, claro. — Ela força um sorriso. Um pouco de sua energia parece ter se esvaído. — Então... onde essa foto foi tirada?

— Em Amsterdã, acho.

Acho não, eu sei. Como poderia esquecer?

Ao olhar para aquela foto, sinto o sol do fim de julho no rosto, sinto o fedor sulfuroso das águas quentes do canal. Aquela época é tão nítida, embora essas lembranças tenham mais de uma década. Mas tudo naquela viagem pareceu importante. Tudo que dissemos, tudo que fizemos.

JESS

— Acabei de me lembrar — diz Nick, olhando para o relógio. — Eu na verdade tenho que sair. Desculpe, sei que você queria usar o computador.

— Ah — digo, um pouco confusa. — Tudo bem. Mas você pode me passar a sua senha? Vou ver se consigo entrar no wi-fi lá do apartamento.

— Claro.

De repente, ele parece muito ansioso para sair; talvez esteja atrasado para alguma coisa.

— O que foi? — pergunto — Trabalho?

Eu queria saber o que ele faz da vida. Tudo nesse cara dá a entender que ele tem dinheiro. Mas de uma maneira discreta. Ao dar uma olhada em sua casa, notei alto-falantes sofisticados (Bang & Olufsen; vou pesquisar mais tarde, mas já dá para ver que são caros), uma câmera extravagante (Leica), um monitor enorme no canto (Apple) e aquela máquina de café com cara de profissional. No entanto, é preciso prestar atenção para enxergar a riqueza. Os pertences de Nick indicam que ele é um cara com muito dinheiro mas que não quer ostentar... talvez fique um pouco constrangido por isso. Mas os objetos contam uma história. Assim como os livros em suas estantes. Os títulos que consigo entender, pelo menos: *Investimento avançado, O investidor tecnológico, Capturando um unicórnio, A ciência da autodisciplina.* E os itens do banheiro. Passei cerca de três segundos jogando água fria no rosto e o resto do tempo dando uma boa vasculhada nos armários. Dá para descobrir muito sobre alguém pelo seu banheiro. Percebi isso quando era levada para conhecer possíveis famílias temporárias. Ninguém nunca impede uma visita de usar o banheiro. Eu entrava lá, dava uma vasculhada — às vezes pegava um batom ou um frasco de perfume, outras vezes explorava os quartos no caminho de volta —, descobria se estavam escondendo alguma coisa assustadora ou estranha.

No banheiro de Nick, encontrei coisas básicas: enxaguante bucal, pasta de dente, loção pós-barba, paracetamol, produtos de higiene pessoal finos, de marcas como "Aesop" e "Byredo", e então — interessante — um estoque considerável de oxicodona. Todo mundo tem sua droga de preferência, eu entendo. Experimentei algumas coisas, no passado. Quando parecia que seria mais fácil parar de me importar, meio que escapar pela porta dos fundos da vida. Não era para mim, mas eu entendo. E acho que caras ricos também sofrem.

— Eu estou... Bom, entre um emprego e outro, no momento — diz Nick.

— O que você fazia antes? — pergunto, me afastando relutantemente da mesa.

Posso apostar que o último trabalho dele não era em uma espelunca com palmeiras infláveis e flamingos pendurados no teto.

— Passei um tempo em São Francisco. Palo Alto. Start-ups de tecnologia. Um anjo, sabe?

— Hum... não.

— Um investidor-anjo.

— Ah.

Deve ser bom falar de maneira tão casual sobre procurar emprego. Claramente, "entre um emprego e outro" não significa que ele está com o dinheiro contado.

Ele se espreme para passar por mim e chegar à porta; eu estava bloqueando seu caminho e, como um bom inglês rico, ele provavelmente é educado demais para pedir que eu saia da frente. Sinto o perfume quando ele passa: defumado, caro e delicioso, o mesmo que borrifei em mim no banheiro.

— Ah — digo. — Desculpe. Estou atrasando você.

— Tudo bem.

Mas tenho a impressão de que ele não está tão relaxado quanto aparenta: algo em sua postura, talvez, a mandíbula cerrada.

— Bem. Obrigada pela ajuda.

— Olha — começa ele —, tenho certeza de que não é nada para se preocupar. Mas ainda assim quero ajudar. Qualquer coisa que eu possa fazer, qualquer pergunta que eu possa responder, vou tentar.

— Tenho uma dúvida, sim. Você sabe se o Ben está saindo com alguém?

Ele franze a testa.

— Com alguém?

— É. Tipo uma namorada, ou algo mais casual.

— Por que a pergunta?

— Só um palpite.

Não sou nem um pouco puritana, mas alguma coisa em mim acha repulsivo descrever a calcinha que encontrei na cama de Ben.

— Hum... — Nick leva a mão à cabeça, o que só bagunça mais seus cachos.

Ele é lindo. Sim, todo o meu foco está em encontrar Ben, mas também não sou cega. Sempre tive um fraco idiota por caras educados e riquinhos; não estou dizendo que me orgulho disso.

— Não que eu saiba — diz ele, por fim. — *Acho* que ele não tem namorada. Mas imagino que eu não saiba tudo sobre a vida dele aqui em Paris. Quer dizer, nós meio que tínhamos perdido o contato antes de ele vir para cá.

— É.

Eu sei como é.

Mas isso é a cara do Ben, não é?, dissera Nick, um pouco antes. *Ele sempre foi assim, desde a faculdade.* E a única coisa que consegui pensar foi: *É? Sempre foi assim?* E se ele vivia se ausentando sem pensar duas vezes quando estava em Cambridge, como não encontrava tempo para me ver? Ele sempre dizia que estava "muito ocupado com os trabalhos da faculdade" ou que não podia "perder nenhuma reunião com o orientador, sabe como é". Mas eu não sabia, é claro. E ele sabia disso. Uma das únicas vezes que Ben foi me ver — na época em que eu estava morando em um lar temporário em Milton Keynes — foi quando sugeri uma viagem a Cambridge. Eu suspeitava que a ameaça de sua irmã adotiva asquerosa aparecendo e prejudicando sua imagem pudesse funcionar. Ao pensar nisso, sinto uma pontada de algo que espero ser raiva, não mágoa. Mágoa é pior.

— Desculpe eu não ter ajudado mais — diz Nick —, mas se precisar de mim, estou aqui. Só um andar abaixo.

Nossos olhos se encontram. Os dele são de um azul muito escuro, não castanhos, como eu pensava. Tento enxergar além do pequeno impulso da

O APARTAMENTO DE PARIS

83

atração. Será que posso confiar nesse cara? Ele é amigo do Ben. Diz que quer muito ajudar. O problema é que não sou boa em confiar nas pessoas. Faz tempo demais que me acostumei a não contar com ninguém. Mas Nick pode ser útil. Ele conhece Ben... pelo visto melhor do que eu, em alguns aspectos. Claramente fala francês. E parece um sujeito decente. Penso na estranha e nervosa Mimi e na glacial Sophie Meunier: é bom pensar que alguém neste prédio pode ser um aliado útil.

Ele veste um elegante casaco de lã azul-marinho e enrola no pescoço um cachecol cinza que parece macio.

Vai até a porta e a abre para mim.

— Foi um prazer conhecer você, Jess — diz, com um sorriso discreto.

Parece a pintura de um anjo. Não sei de onde vem essa ideia — talvez seja porque ele mesmo usou essa palavra há pouco —, mas sei que é a imagem certa; até mesmo perfeita. Um anjo caído. São os cachos dourado-escuros, as olheiras roxas sob os olhos azul-escuros. Minha mãe também gostava de anjos; ela sempre dizia para mim e Ben que todos temos um anjo que cuida de nós. Pena que o dela não parecia estar à altura do trabalho.

— E, olha — diz Nick —, tenho certeza de que o Ben vai aparecer.

— Obrigada. Eu também acho.

Tento acreditar nisso.

—Vou te dar meu número.

— Ótimo.

Entrego meu celular a ele, que salva o contato.

Quando o pego de volta, nossos dedos se roçam, e ele abaixa rapidamente a mão.

De volta ao apartamento de Ben, fico aliviada ao descobrir que consigo acessar o wi-fi de Nick daqui. Entro no Instagram de Ben e procuro por "Nick Miller" — o nome que ele salvou no meu celular —, mas não consigo encontrá-lo entre seus seguidores. Tento uma busca mais geral e os resultados são Nick Millers de toda parte: Estados Unidos, Canadá, Austrália. Percorro a lista até meus olhos arderem. Mas são jovens demais, velhos demais, carecas, do país errado. O Google também é inútil: há um sujeito fictício chamado Nick Miller de um programa de TV que aparece em todos os resultados. Desisto. Quando estou prestes a colocá-lo de volta no bolso, ele vibra com uma mensagem. E, por um momento, penso: *Ben*. É uma mensagem do Ben! Seria incrível, depois de tudo...

Mas é de um número desconhecido:

Recebi sua mensagem sobre o Ben. Não tenho notícias dele. Mas ele me prometeu alguns textos e tinha uma história para me oferecer. Vou passar o dia trabalhando no café Belle Époque, ao lado do Jardin du Luxembourg. Você pode me encontrar lá. T.

Fico confusa por um momento, então rolo a tela para cima e percebo que é o cara para quem mandei mensagem mais cedo. Tiro a carteira de Ben do bolso para me lembrar do seu nome completo. Theo Mendelson, editor do *Guardian* em Paris.

Estou indo agora, respondo.

Pouco antes de guardar o cartão na carteira, percebo que há outro atrás dele. Chama a minha atenção porque é muito simples, incomum. Feito de metal, de um azul-escuro quase preto, com uma imagem parecida com fogos de artifício explodindo realçada em dourado. Sem texto, nem números, nem nada. Não é um cartão de crédito. Muito menos um cartão de visita. Então o que é? Hesito, sinto o peso surpreendente dele na palma da mão e o coloco no bolso.

Quando abro a porta do pátio, percebo que já está começando a escurecer, o céu da cor de um hematoma antigo. Quando isso aconteceu? Não notei as horas passando. Este lugar engoliu o tempo, como se estivéssemos em um conto de fadas.

Enquanto caminho pelo pátio, ouço um som próximo, algo raspando. Então me viro e levo um susto ao ver uma figura pequena e curvada parada apenas alguns metros à minha direita. É a velha, a que vi ontem à noite. Ela usa um lenço amarrado sobre o cabelo grisalho e uma espécie de cardigã comprido e disforme por cima de um avental. O nariz e o queixo despontam do seu rosto, as olheiras fundas sob os olhos. Ela pode ter qualquer idade entre setenta e noventa anos. Está segurando uma vassoura, que usa para juntar as folhas secas em uma pilha. Seus olhos estão fixos em mim.

— *Bonsoir* — digo a ela. — Hum. Você viu o Ben? Do terceiro andar?

Aponto para as janelas do apartamento. Mas ela simplesmente continua varrendo, o tempo todo me observando.

Ela se aproxima ainda mais. Os olhos sempre em mim, praticamente sem piscar. Apenas uma vez, depressa, ela olha para o prédio, como se estivesse verificando algo. Então abre a boca e murmura, um som não muito diferente das folhas secas ásperas:

— *Não há nada para você aqui.*

Eu a encaro.

— Como assim?

Ela balança a cabeça. E então se vira e se afasta, voltando a varrer. Tudo aconteceu tão rápido que eu poderia quase acreditar que imaginei a coisa toda. Quase.

Fico olhando para sua figura curvada, retraída. Pelo amor de Deus, parece que todo mundo que encontro fala por meio de enigmas... exceto Nick, talvez. Sou invadida pelo desejo repentino, quase violento, de correr até ela e, não sei, sacudi-la ou algo assim... forçá-la a me explicar o que quis dizer com aquilo. Engulo minha frustração.

Quando me viro para abrir o portão, tenho certeza de que sinto seu olhar nas minhas costas, concreto como o toque da ponta dos dedos. E, ao sair para a rua, não consigo deixar de me perguntar: será que isso foi um aviso ou uma ameaça?

CONCIERGE

Portaria

O portão se fecha com um ressoar metálico atrás da garota. Ela acha que está hospedada em um prédio residencial normal. Um lugar que segue regras comuns. Não tem ideia de onde se meteu.

Penso nas instruções de *madame* Meunier. Sei que não tenho escolha a não ser obedecer. Há muito em jogo para que eu não coopere. Vou avisar que a garota acabou de sair, como ela me pediu. Vou avisar quando a garota voltar também, como a funcionária obediente que sou. Não gosto da *madame* Meunier, como já deixei claro. Mas fomos forçadas a estabelecer uma aliança incômoda com a chegada dessa garota. Ela anda bisbilhotando. Fazendo perguntas para os moradores. Exatamente como ele fez. Não posso permitir que ela chame atenção para este lugar. Ele queria fazer o mesmo.

Há coisas aqui que tenho que proteger, sabe? Justamente por isso nunca poderei deixar este trabalho. E até recentemente eu me sentia segura aqui. Porque essas pessoas têm segredos. Mas me aprofundei muito nesses segredos. Sei demais. Eles não podem se livrar de mim. E eu nunca poderei me livrar deles.

Ele era gentil, o recém-chegado. Só isso. Notava a minha presença. Me cumprimentava cada vez que passava por mim no pátio, na escada. Me perguntava como eu estava. Comentava sobre o tempo. Não parece muito, não é? Mas a sensação era de que fazia muito tempo que ninguém prestava atenção em mim, muito menos era gentil comigo. Muito tempo que eu não era sequer notada como um ser humano. E logo depois ele começou a fazer perguntas.

— Há quanto tempo você trabalha aqui? — perguntou ele, enquanto eu limpava o chão de pedra na base da escada.

— Muito tempo, *monsieur*.

Torci o esfregão dentro do balde.

— E como veio trabalhar aqui? Espere... eu ajudo.

Ele carregou o balde de água pesado pelo corredor para mim.

— Minha filha veio para Paris primeiro. Eu vim atrás dela.

— O que ela veio fazer em Paris?

— Isso tudo foi há muito tempo, *monsieur*.

— Estou interessado, mesmo assim.

Isso me fez olhá-lo com mais atenção. De repente, tive a sensação de que já tinha dito a ele o suficiente. Era um estranho. Será que não era gentil *demais*, interessado *demais*? O que queria de mim?

Fui muito cuidadosa com a minha resposta:

— Não é uma história muito interessante. Talvez outra hora, *monsieur*. Tenho que continuar meu trabalho. Mas obrigada pela ajuda.

— Claro, não quero atrapalhar.

Por tantos anos, minha insignificância e invisibilidade têm sido uma máscara por trás da qual posso me esconder. E, no processo, evitei remexer no passado. Reviver a vergonha. Como digo, este trabalho pode ter algumas pequenas perdas de dignidade. Mas não envolve vergonha.

No entanto, o interesse dele, suas perguntas... Pela primeira vez em muito tempo, eu me senti vista. E, feito idiota, caí na sua armadilha.

E agora essa garota veio aqui atrás dele. Ela precisa ser encorajada a ir embora antes que descubra que as coisas não são o que parecem.

Talvez eu possa *convencê-la*.

JESS

É estranho estar de volta entre as pessoas, o trânsito, o barulho, depois do silêncio do prédio. Desorientador também, porque ainda não sei exatamente onde estou, como as ruas por aqui se conectam umas às outras. Dou uma olhadinha rápida no mapa no meu celular, para não gastar muitos dados. Descubro que o café onde vou me encontrar com esse tal de Theo fica do outro lado da cidade, do outro lado do rio, então decido pegar o metrô, mesmo que isso signifique usar mais uma das notas que roubei do Ben.

Parece que quanto mais me afasto do apartamento, mais fácil fica de respirar. É como se parte de mim sentisse o cheiro da liberdade e nunca mais quisesse voltar para dentro daquele lugar, embora eu saiba que terei que fazer isso.

Ando pelas ruas de paralelepípedos, passo por cafés lotados com cadeiras de vime na calçada, pessoas conversando enquanto bebem vinho e fumam cigarro. Passo por um velho moinho de vento de madeira atrás de uma cerca viva e me pergunto o que isso está fazendo no meio da cidade, no jardim de alguém. Ao descer apressada um longo lance de degraus de pedra, sou obrigada a desviar de um sujeito dormindo em uma cabana feita de caixas de papelão úmidas; deixo alguns euros em seu copo de papel. Um pouco adiante, atravesso praças elegantes que parecem quase idênticas, exceto pelo fato de que no meio de uma delas há sujeitos jogando uma modalidade de bocha e no outro um carrossel de cobertura listrada, com crianças montadas em formas de cavalos e peixes pulando.

Quando chego às ruas mais movimentadas perto da estação de metrô, sou invadida por uma sensação tensa e estranha, como se algo estivesse prestes a acontecer. É como um cheiro no ar... e tenho um bom faro para problemas. Eis que vejo três viaturas da polícia estacionadas em uma rua lateral. Policiais sentados dentro dos veículos com capacetes e coletes de proteção. Por instinto, mantenho a cabeça baixa.

Sigo o fluxo de pessoas entrando na estação de metrô. Fico presa na catraca porque me esqueço de tirar o pequeno tíquete de papel; não sei como destravar as portas do vagão quando o metrô chega, então um cara tem que me ajudar a entrar antes que ele vá embora sem mim. Tudo isso me faz sentir uma turista perdida, o que odeio: estar perdida é perigoso, deixa a gente vulnerável.

Enquanto estou no meio da aglomeração de corpos imprensados, fedorentos e quentes demais no vagão, tenho a sensação de estar sendo observada. Olho ao redor: um grupo de adolescentes pendurados nas barras de apoio, parecendo ter saído de uma pista de skate dos anos 1990; uma mulher jovem vestindo jaqueta de couro; algumas idosas com cachorrinhos minúsculos e carrinhos de compras; um grupo de pessoas com roupas bizarras, óculos de esqui na cabeça e bandanas no pescoço, uma delas carregando um cartaz pintado. Mas nada obviamente suspeito, e quando chegamos à próxima parada, um homem tocando acordeão entra, bloqueando a vista de metade do vagão.

Ao sair do metrô, o caminho mais rápido parece ser por um parque, o Jardin du Luxembourg. Lá, a luz é roxa, inconstante, não exatamente escura. Meus pés esmagam folhas que ficaram de fora das enormes pirâmides laranja afogueadas; os galhos das árvores estão praticamente nus. Há um coreto vazio, um café fechado, cadeiras empilhadas. Mais uma vez tenho a sensação de estar sendo observada, seguida. Posso jurar que sinto o olhar de alguém sobre mim. Mas toda vez que viro para trás, ninguém se destaca.

Então eu o vejo. *Ben*. Ele passa de relance por mim, correndo ao lado de outro homem. Como assim? Ele deve ter me visto, então por que não parou?

— Ben! — grito, acelerando o passo — Ben! — Mas ele não olha para trás. Começo a correr. Mal consigo distingui-lo desaparecendo sob a luz fraca. Merda. Sou muitas coisas, mas não uma boa corredora. — Ei, Ben! Pelo amor de Deus!

Ele não se vira, embora vários outros corredores olhem para mim enquanto passam. Por fim, estou logo atrás dele, quase sem fôlego. Estendo a mão, toco seu ombro. Ele me encara.

Dou um passo para trás. Não é Ben. O rosto é totalmente diferente: os olhos muito próximos, o queixo pequeno. Vejo a sobrancelha erguida de Ben tão claramente que é como se ele estivesse parado diante de mim. *Você me confundiu com aquele cara?*

— *Qu'est-ce que tu veux?* — pergunta o desconhecido, irritado, e em seguida: — O que você quer?

Não consigo responder, em parte porque está difícil respirar e falar ao mesmo tempo, mas principalmente porque estou muito confusa. Ele faz um breve gesto de "que mulher louca" para seu companheiro enquanto os dois se afastam correndo.

É claro que não era Ben. Ao observá-lo se afastar, vejo que está tudo errado: ele é desajeitado correndo, os braços soltos e esquisitos. Nunca houve nada de esquisito em Ben. Fico com a mesma sensação que tive quando ele passou correndo por mim. Foi como ver um fantasma.

O Café Belle Époque tem um aspecto um tanto festivo, cintilando em vermelho e dourado, a luz se derramando pela calçada. As mesas do lado de fora estão lotadas de pessoas conversando e rindo, e as janelas estão embaçadas por causa da condensação de todos os corpos amontoados em torno das mesas lá dentro. Virando a esquina, onde os aquecedores externos ainda não foram acesos, há um cara sozinho, curvado sobre um laptop; de alguma forma, simplesmente sei que é ele.

— Theo?

Eu me sinto em um encontro marcado pelo Tinder, se ainda me desse ao trabalho de ir a encontros assim e se os caras nesses aplicativos não fossem todos mentirosos e babacas.

Ele olha para mim de cara amarrada. Cabelo escuro que há muito tempo precisa de um corte e o início de uma barba por fazer. Parece um pirata que decidiu se vestir com roupas comuns: um suéter de lã, com a gola puída, sob um casaco grande.

— Theo? — pergunto novamente. — Nós trocamos mensagens sobre Benjamin Daniels. Eu sou a Jess.

Ele faz um breve aceno com a cabeça. Puxo a pequena cadeira de metal na frente dele. A cadeira gruda na minha mão por causa do frio.

— Se importa se eu fumar? — Acho que é uma pergunta retórica, pois ele já pegou um maço amassado de Marlboro Red. Tudo nele é meio amarrotado.

— De jeito nenhum, vou fumar um também, obrigada.

Não tenho dinheiro para financiar o hábito de fumar, mas estou tão nervosa que preciso disso, mesmo que na verdade ele não tenha me oferecido.

Ele passa os próximos trinta segundos tentando acender o cigarro com um isqueiro vagabundo, murmurando baixinho: "Mas que merda" e "Acende, porra". Acho que identifico um leve sotaque enquanto ele fala.

—Você é do leste de Londres? — pergunto, pensando que talvez, se conseguir conquistar sua simpatia, ele fique mais disposto a ajudar. — De que parte?

Ele ergue a sobrancelha escura, mas não responde. Finalmente, o isqueiro funciona e os cigarros são acesos. Ele traga o seu como um asmático usando uma bombinha, depois se recosta e olha para mim. Theo é alto e parece desconfortável na cadeirinha: uma das longas pernas cruzada sobre a outra, o tornozelo sobre o joelho. Ele é meio atraente, para quem gosta de homens grosseiros. Mas não tenho certeza se gosto, e fico chocada comigo mesma por pensar nisso, dadas as circunstâncias.

— Então — diz ele, estreitando os olhos em meio à fumaça. — Ben?

Algo na maneira como pronuncia o nome sugere que eles não se davam muito bem. Talvez eu tenha encontrado a única pessoa imune ao charme do meu irmão.

Antes que eu possa responder, um garçom se aproxima, parecendo irritado por ter que anotar nosso pedido, embora seja o trabalho dele. Theo, igualmente irritado por ter que se dirigir ao garçom e falar francês com um sotaque inglês persistente, pede um espresso duplo e alguma coisa chamada Ricard.

—Trabalhei até tarde, prazos a cumprir, sabe como é — diz ele, um pouco na defensiva.

Mais para me aquecer do que qualquer outra coisa, peço um *chocolat chaud*. Seis euros. Vamos supor que ele vá pagar.

—Também vou querer essa outra coisa — digo ao garçom.

— *Un Ricard?*

Faço que sim. O garçom se afasta, de má vontade.

— Acho que não servíamos isso no Copacabana — digo.

— Onde?

— Um bar onde eu trabalhava. Até alguns dias atrás, na verdade.

Ele ergue a sobrancelha escura de novo.

— Parece elegante.

— Era totalmente deplorável.

Mas o dia em que o Tarado decidiu mostrar seu pauzinho nojento para mim foi o dia em que finalmente decidi que tinha chegado ao limite. E foi nesse dia também que decidi que ia me vingar daquele canalha por todas as vezes que ele havia ficado tempo demais atrás de mim, o hálito quente e úmido na minha nuca, ou me "afastado" do caminho, com as mãos na minha cintura, por todos os comentários que fizera sobre a minha aparência, sobre as roupas que eu usava — todas essas coisas que não eram exatamente "assédio", mas no fundo eram, fazendo com que me sentisse um pouco menos eu mesma. Outra garota talvez tivesse ido embora naquele dia e nunca mais voltado. Outra ainda poderia ter chamado a polícia. Mas eu não sou assim.

— Muito bem — diz Theo; claramente sem tempo para jogar conversa fora. — Por que você está aqui?

— O Ben... ele trabalha para você?

— Não. Ninguém trabalha mais para ninguém hoje em dia, não neste ramo. É um mundo cão, cada um por si. Mas, sim, às vezes peço a ele uma resenha, um artigo sobre viagem. Ele queria entrar nas matérias investigativas. Acho que você sabe disso. — Eu balanço a cabeça. — Na verdade, ele me deve uma matéria sobre os protestos.

— Protestos?

— É. — Theo me encara como se não acreditasse que não sei do que se trata. — As pessoas estão revoltadas com o aumento dos impostos e do preço da gasolina. A coisa ficou bem feia... gás lacrimogêneo, jatos de água, tudo junto. Passa o tempo todo no noticiário. Você deve ter visto.

— Eu cheguei aqui ontem à noite. — Mas então me lembro: — Vi viaturas da polícia perto da estação de metrô Pigalle. — Penso no grupo de pessoas com óculos de esqui no vagão. — E talvez alguns manifestantes.

— É, provavelmente. Os protestos estão eclodindo por toda a cidade. E Ben ficou de escrever uma matéria sobre isso. Mas ele também ia me contar sobre um suposto "furo" que tinha para mim... hoje de manhã, na verdade. Ele fez um grande mistério. Mas não tive mais notícias dele.

Uma nova hipótese. Será que podia ser isso? Ben se aprofundou demais em alguma coisa? Irritou quem não deveria? E teve que... o quê? Fugir? Desaparecer? Ou... não quero pensar nas outras possibilidades.

O apartamento de Paris

Nossas bebidas chegam; meu chocolate quente vem escuro e reluzente em uma pequena jarra acompanhada de uma xícara. Eu me sirvo, bebo um gole e fecho os olhos, porque pode até custar seis euros, mas é o melhor chocolate quente que já tomei na vida.

Theo acrescenta cinco sachês de açúcar mascavo ao café e mexe. Em seguida, toma um longo gole do seu Ricard. Eu tomo do meu: tem gosto de alcaçuz, uma lembrança de todas as doses de Sambuca que bebi enquanto trabalhava no bar, compradas para mim por clientes ou surrupiadas da garrafa em uma noite de pouco movimento. Bebo tudo de um gole só. Theo ergue as sobrancelhas.

Limpo a boca.

— Desculpe. Eu estava precisando. As últimas vinte e quatro horas foram realmente péssimas. Sabe, o Ben desapareceu. Sei que você não tem notícias dele, e não faz ideia de onde ele possa estar, não é?

Theo dá de ombros.

— Lamento. — Sinto a pequena esperança à qual estava me agarrando definhar e morrer. — O que você quer dizer com "desapareceu"?

— Ele disse que estaria em casa ontem à noite, mas não estava. Não atende a nenhuma das minhas ligações nem lê minhas mensagens. E tem várias outras coisas...

Engulo em seco e conto a ele sobre o sangue no pelo do gato, a mancha de alvejante, os vizinhos hostis. Enquanto relato tudo isso, por um momento penso: como chegou a esse ponto? Eu, sentada aqui com um desconhecido em uma cidade estranha, tentando encontrar meu irmão desaparecido?

Theo fica sentado tragando seu cigarro, os olhos semicerrados em meio à fumaça, a expressão impassível. O cara sabe fazer uma bela cara de paisagem.

— A outra coisa estranha — digo — é que ele está morando em um apartamento enorme e sofisticado. Quer dizer, não acredito que o Ben ganhe tanto assim escrevendo.

A julgar pelo estado das roupas do Theo, suspeito que não.

— Não. As pessoas certamente não entram nesse ramo pelo dinheiro.

Eu me lembro de mais uma coisa. O estranho cartão de metal que tirei da carteira de Ben. Tiro do bolso de trás da calça.

— Eu achei isto. Significa alguma coisa para você?

Franzindo a testa, ele observa o desenho dos fogos de artificio dourados.

— Não tenho certeza. Eu definitivamente já vi esse símbolo. Mas agora não lembro onde. Posso ficar com ele? Eu te dou um retorno.

Entrego o cartão a ele, um pouco relutante, porque é uma das poucas coisas que tenho que parece uma pista. Theo pega o cartão, e há algo na maneira como ele o tira de mim que não me agrada. De repente, fica bastante ansioso, apesar de ter me dito que não conhece meu irmão muito bem e de não parecer preocupado com seu bem-estar. Ele não passa exatamente a impressão de ser um bom samaritano.

Não confio nesse sujeito. Ainda assim, na minha posição, não tenho muita escolha.

— Tem mais uma coisa — digo, me lembrando. — O Ben deixou uma mensagem de voz para mim ontem à noite, pouco antes de eu entrar na Gare du Nord.

Theo pega meu celular e abre a mensagem. Ben diz:

— Oi, Jess...

É estranho ouvir a mensagem de novo assim. Parece diferente da última vez que a escutei, de alguma forma nem sequer soa como Ben; é como se ele estivesse ainda mais longe do meu alcance.

Theo escuta toda a mensagem.

— Parece que ele disse outra coisa no fim. Você conseguiu descobrir o que é?

— Não... não consigo ouvir. Está abafado demais.

Ele ergue um dedo.

— Espere um pouco. — Então enfia a mão na mochila ao lado da cadeira, tão surrada quanto todo o resto, e tira lá de dentro fones de ouvido com fios embolados. — Pronto. Eles cancelam o ruído e o volume máximo é bem alto. Quer um?

Ele estende um dos fones para mim. Eu o coloco no ouvido.

Ele aumenta o volume ao máximo e coloca a mensagem de voz para tocar desde o começo.

Ouvimos a parte familiar da gravação. A voz de Ben: "Oi, Jess, é o número doze da Rue des Amants. Está bem? Terceiro andar." e "É só tocar o interfone. Vou estar acordado esperando você...". Ele é interrompido no meio da frase, como em todas as vezes que a ouvi. Mas agora me dou conta: o que parecia um crepitar na mensagem de áudio é, na verdade, um rangido. Eu *reconheço* o som. São as dobradiças da porta do apartamento.

E então ouço a voz de Ben a distância, baixa, mas ainda assim muito mais clara do que antes, quando era apenas um murmúrio: "O que você está fazendo aqui?" Uma longa pausa. Então ele diz: "Que porra é essa...?"

O APARTAMENTO DE PARIS

Em seguida, um som: um gemido. Mesmo com o volume alto, é difícil dizer se é uma pessoa ou outra coisa que está fazendo aquele som... uma das tábuas do piso estalando? Então... silêncio.

Sinto ainda mais frio do que antes. E me pego levando a mão ao colar, segurando o pingente, agarrando-o com força.

Theo reproduz a gravação novamente. E, por fim, uma terceira vez. Lá está. Lá está a prova. Havia alguém no apartamento com Ben na noite em que ele gravou a mensagem de voz.

Nós tiramos os fones de ouvido. Olhamos um para o outro.

— É — diz Theo. — Eu diria que isso é estranho pra cacete.

MIMI
Quarto andar

Ela não está no apartamento agora. Eu sei porque estou observando da janela do meu quarto. Todas as luzes estão apagadas no terceiro andar, a sala escura. Mas, por um momento, realmente acho que o vejo, surgindo das sombras. Então pisco e é claro que não tem ninguém lá.

Se bem que seria a cara dele. Tinha o hábito de aparecer sem avisar. Como fez na segunda vez em que o encontrei.

Eu havia passado em uma antiga loja de vinis no caminho de volta da Sorbonne: Pêle-Mêle. Estava muito quente. Temos uma expressão em francês, *soleil de plomb*, para quando o sol parece pesado como chumbo. Estava assim naquele dia, por mais difícil que seja imaginar agora, nesse frio. Era horrível: fumaça de escapamento e turistas suados e bronzeados amontoados nas calçadas. Eu odeio turistas, mas odeio ainda mais no verão. Fico andando por toda parte com calor e raiva por terem vindo para a cidade e não para uma praia. Na loja, contudo, não havia nenhum, porque ela parece sombria e deprimente por fora; é exatamente por isso que eu gosto dela. Lá dentro estava escuro e frio, como debaixo d'água, os sons de fora abafados. Eu poderia passar horas lá dentro, em minha própria bolha, escondida do mundo, flutuando entre as pilhas de vinis e ouvindo disco após disco na cabine de vidro arranhado.

— Oi.

Eu me virei.

Lá estava ele. O cara que tinha acabado de se mudar para o terceiro andar. Eu o via quase todos os dias, empurrando sua Vespa pelo pátio e às vezes andando pelo apartamento, pois ele sempre deixava as venezianas abertas. Mas, de perto, era diferente. Eu via a barba por fazer no queixo, os pelos acobreados nos braços. Via a corrente que usava em volta do pescoço desaparecendo sob a gola da camiseta. Eu não esperava isso, no entanto: ele parecia arrumadinho demais. De perto, dava para sentir o cheiro do seu suor, o que parece nojento, mas era um cheiro apimentado e limpo, não o odor desagradável de cebola que se sente no metrô. Ele era um pouco velho, como eu disse a Camille. Mas também bonito. Na verdade, me deixava sem fôlego.

— É Merveille, não é?

Quase deixei cair o disco que estava segurando. Ele sabia meu nome. Havia lembrado. E, de alguma forma, por mais que eu odiasse meu nome, nos lábios dele soava diferente, quase especial. Fiz que sim, porque senti que não seria capaz de falar. Minha boca estava com um gosto metálico; talvez eu tivesse mordido a língua. Imaginei o sangue se acumulando entre meus dentes.

No silêncio, ouvia o ventilador de teto, *vum, vum, vum,* como um coração batendo.

Finalmente, consegui falar:

— Q-quase todo mundo me chama de Mimi.

— Mimi. Combina com você. Eu sou o Ben. — O sotaque inglês; sua aspereza. — Nós somos vizinhos, eu me mudei para o apartamento no terceiro andar faz alguns dias.

— *Je sais* — falei, e saiu como um sussurro. *Eu sei.* Parecia absurdo ele achar que eu não saberia.

— É um prédio muito legal. Você deve adorar morar lá. — Dei de ombros. — Toda aquela história. Todo aquele ar incrível: a *cave*, o elevador...

— Tem um elevador de comida também — deixei escapar.

É uma das minhas coisas favoritas no prédio. Não sei ao certo por quê, mas de repente quis compartilhar isso com ele.

Ben se aproximou.

— Um elevador de comida? — Ele parecia muito animado, e senti um brilho caloroso por ter sido a responsável por isso. — Sério?

— Sério. Da época em que o prédio era um *hôtel particulier*. Pertencia a uma condessa ou algo assim e havia uma cozinha na *cave*. A comida e a bebida eram levadas para cima pelo elevador, e as roupas sujas desciam.

— Que incrível! Nunca vi um desses na vida real. Onde fica? Não, espere, não me conte. Vou tentar encontrar.

Ele sorriu. Percebi que eu estava sorrindo também.

Ele puxou a gola da camiseta.

— Caramba, como está quente hoje.

Vi o pequeno pingente pendurado pular para fora da gola.

—Você usa uma medalhinha de São Cristóvão? — Mais uma vez, eu meio que deixei escapar. Acho que foi a surpresa ao vê-la, reconhecer o santinho de ouro.

— Ah. — Ele olhou para o pingente. — É. Era da minha mãe. Ela me deu quando eu era pequeno. Nunca tiro, meio que esqueço que estou usando.

Tentei imaginá-lo criança e não consegui. Só conseguia vê-lo alto, de ombros largos, o rosto bronzeado. Ele tinha rugas, é verdade, mas percebi que não o envelheciam. Apenas o deixavam mais interessante do que qualquer outro cara que eu já tinha conhecido. Como se ele tivesse ido a muitos lugares, visto e feito muitas coisas. Ele sorriu.

— Estou impressionado que você tenha reconhecido. É católica?

Minhas bochechas enrubesceram.

— Meus pais me mandaram para uma escola católica.

Uma escola católica para meninas. *Seu papaizinho realmente queria que você se tornasse freira*, disse Camille. *O mais próximo que ele encontrou de um cinto de castidade*. A maioria dos jovens que conheço, como Camille, estudou em grandes liceus, ia para a aula com as próprias roupas, fumava cigarro e beijava na rua na hora do almoço. Estudar em um lugar como o Soeurs Servantes du Sacré-Coeur era coisa de gente esquisitona. Eu me sentia um personagem de *Madeline*, aquele livro infantil, o que significava que, quando estava de uniforme, era encarada por uns sujeitos nojentos no metrô e ignorada por todos os outros caras. O uniforme torna a gente incapaz de falar com garotos como um ser humano normal. E deve ter sido justamente por isso que meu pai escolheu aquela escola para mim.

É claro que não fiquei o tempo todo na SSSC. Eles tiveram alguns problemas com um professor lá, um rapaz jovem, então meus pais acharam melhor eu sair da escola e, nos meus últimos anos escolares, tive uma professora particular, o que era ainda pior.

O apartamento de Paris

Reparei que Benjamin Daniels estava olhando para o disco que eu tinha nas mãos.

—Velvet Underground — disse ele. — Adoro eles.

O design da capa — de Andy Warhol — era uma sequência de fotos que mostravam lábios vermelhos molhados se abrindo para beber refrigerante de um canudinho. De repente, aquilo pareceu de alguma forma indecente, e senti minhas bochechas enrubescerem outra vez.

—Vou levar este — disse ele, me mostrando seu disco. — Os Yeah Yeah Yeahs. Gosta deles?

Dei de ombros.

— *Je ne sais pas.*

Nunca tinha ouvido falar. Também nunca tinha escutado o disco do Velvet Underground que havia escolhido. Simplesmente gostei do design de Warhol; tinha planejado copiá-lo em meu caderno de desenhos quando chegasse em casa. Eu estudo na Sorbonne, mas o que gostaria mesmo de fazer (se dependesse de mim) é arte. Às vezes, quando tenho um pedaço de carvão ou um pincel na mão, parece o único momento em que me sinto completa. A única maneira de me expressar de verdade.

— Bom, tenho que ir. — Ele fez uma careta. — Tenho um prazo a cumprir. — Até isso parecia descolado: ter um prazo a cumprir. Ele era jornalista; eu o tinha visto trabalhando até tarde da noite no laptop. — Mas vocês moram no quarto andar, não é? Lá no prédio? Você e sua colega de apartamento? Qual é o nome dela...?

— Camille.

Ninguém se esquece de Camille. Ela é atraente, divertida. Mas ele havia esquecido o nome dela. E tinha se lembrado do meu.

Alguns dias depois, passaram um bilhete por baixo da porta de casa.

Encontrei!

No início, não entendi o que significava. Quem havia encontrado o quê? Não fazia sentido. Devia ser para Camille. E então me lembrei da nossa conversa na loja de vinis. Será? Fui até o armário onde ficava o elevador de comida, puxei a manivela escondida e a girei para trazer o carrinho para cima. Havia alguma coisa ali: o disco dos Yeah Yeah Yeahs que ele tinha comprado na loja. Com um bilhete colado. *Oi, Mimi. Achei que você ia gostar de ouvir. Me conte depois o que achou. Bj, B.*

100   LUCY FOLEY

— Quem mandou isso? — Camille se aproximou e leu o bilhete por cima do meu ombro. — Ele emprestou o disco para você? O Ben? — Dava para perceber a surpresa na voz dela. — Eu encontrei ele ontem — acrescentou ela. — Ele me disse que adoraria se eu pudesse alimentar o gatinho caso ele precise se ausentar. E me deu a chave reserva dele.

Ela colocou uma mecha de cabelo castanho-claro atrás da orelha. Senti uma pontada de ciúmes. Mas lembrei a mim mesma que ele não havia deixado um bilhete para *ela*. Não havia mandado um disco para *ela*.

Existe uma expressão em francês: *Être bien dans sa peau*. Sentir-se bem na própria pele. Não me sinto assim com frequência. Segurando aquele disco, no entanto, eu me senti. Como se tivesse algo que era só meu.

Olho para o armário dentro do qual fica escondido o elevador de comida. E me pego indo até lá. Abro o armário, vejo as polias, giro a manivela, como fiz naquele dia de agosto. Espero o carrinho aparecer.

O quê?

Fico olhando fixamente. Tem alguma coisa ali dentro. Como no dia em que Ben me enviou o disco. Mas não é um disco. É algo embrulhado em um pano. Quando pego o objeto, sinto uma picada. Levanto a mão e vejo sangue escorrendo da palma. *Merde.* O que quer que esteja enrolado no pano me cortou, perfurando o tecido. Abro o embrulho e o conteúdo cai no chão.

Dou um passo para trás. Olho para a lâmina, incrustada com algo que parece ferrugem ou sujeira, mas não é; é uma coisa que também manchou todo o tecido.

Começo a gritar.

JESS

Não consigo parar de pensar no tom de Ben ao fim da mensagem. O medo na voz. "O que *você* está fazendo aqui?" A ênfase. Quem quer que estivesse na sala, ele parecia conhecer. E então: "Que porra é essa?" Meu irmão, que sempre estava no controle de qualquer situação. Nunca o ouvi daquele jeito. Nem parecia Ben.

Sinto um mal-estar na boca do estômago. Estava sentindo durante esse tempo todo, na verdade, crescendo desde ontem à noite. Mas agora não posso mais ignorá-lo. Acho que aconteceu alguma coisa com meu irmão antes de eu chegar. Alguma coisa ruim.

— Você vai voltar para aquele lugar? — pergunta Theo. — Depois de ouvir isso?

Fico surpresa com a preocupação, especialmente porque ele não parece do tipo sensível.

— Vou — respondo, tentando soar mais confiante do que me sinto. — Preciso ficar lá.

E é verdade. Além do mais — mas não digo isso —, não tenho para onde ir.

★ ★ ★

Decido voltar a pé em vez de pegar o metrô. É um longo caminho, mas preciso de ar fresco, tentar pensar com clareza. Dou uma olhada no celular para verificar a rota. Ele vibra:

Você já usou quase todos os seus dados de roaming! Para comprar mais, clique neste link...

Merda. Coloco o celular de volta no bolso.

Passo por lojinhas pretensiosas pintadas de vermelho, verde-esmeralda, azul-marinho, as vitrines iluminadas exibindo vestidos estampados, velas, sofás, joias, chocolates e até alguns merengues especiais tingidos de azul-claro e rosa. Há coisas para todos os gostos aqui, suponho, desde que tenha dinheiro para gastar. Na ponte, abro caminho em meio a multidões de turistas tirando selfies em frente ao rio, se beijando, sorrindo, conversando e rindo. É como se vivessem em outro universo. E agora a beleza deste lugar parece um embrulho colorido escondendo algo maligno. Sinto o cheiro de coisas apodrecendo sob os aromas agradáveis e açucarados das padarias e chocolaterias: peixe no gelo do lado de fora de uma peixaria deixando poças fedorentas se acumularem na calçada, o fedor de cocô de cachorro pisoteado na rua, o cheiro nauseabundo dos ralos entupidos. O mal-estar aumenta. O que aconteceu com Ben ontem à noite? O que eu posso fazer?

Houve momentos na vida em que fiquei realmente desesperada. Sem saber como pagar o aluguel. Vezes em que agradeci a Deus por ter um meio-irmão com mais dinheiro do que eu. Porque, sim, posso ter me ressentido dele no passado por ter muito mais do que eu jamais tive. Mas ele já me salvou em momentos bem difíceis.

Uma vez, pegou o Golf que havia ganhado dos pais e foi me resgatar de uma situação péssima em um lar temporário, mesmo estando bem no meio da época de provas.

— Nós, órfãos, temos que nos unir. Não, somos piores do que órfãos, porque nossos pais não querem saber da gente. Eles estão por aí, mas não querem saber de nós.

— Você não é como eu — retruquei. — Tem uma família: os Daniels. Olhe só para você. Ouça como fala. Olhe só este maldito carro. Você tem um monte de coisas.

Ele deu de ombros.

— Eu só tenho uma irmã mais nova.

Agora é minha vez de ajudá-lo. E embora todas as fibras do meu ser sintam aversão à ideia de ligar para a polícia, acho que isso precisa ser feito.

Pego o celular, procuro o número e digito 112.

Fico em modo de espera por alguns instantes. Aguardo, ouvindo o sinal de ocupado, brincando com minha medalhinha de São Cristóvão. Finalmente alguém atende:

— *Comment puis-je vous aider?* — pergunta uma mulher.

— Hum, *parlez-vous anglais?*

— *Non.*

— Posso falar com alguém que fale?

Um suspiro.

— *Une minute.*

Depois de uma longa pausa, outra voz: um homem.

— Pois não?

Eu começo a explicar. De alguma forma, a situação toda soa muito mais frágil em voz alta.

— Desculpe. Não entendi. Seu irmão deixou uma mensagem de voz. Da casa dele? E a senhora está preocupada?

— Ele parecia assustado.

— Mas não havia sinal de arrombamento no apartamento?

— Não, acho que foi alguém conhecido...

— Seu irmão é... uma criança?

— Não, tem trinta e poucos anos. Mas desapareceu.

— E a senhora tem certeza de que ele, por exemplo, não se ausentou por alguns dias? Porque essa parece ser a possibilidade mais provável, *non?*

Sou invadida por uma sensação crescente de desesperança. Sinto que não estamos chegando a lugar nenhum.

— Tenho quase certeza, sim. É tudo estranho pra cacete... desculpe... e ele não está atendendo ao celular, deixou a carteira, as chaves.

Uma longa pausa.

— Tudo bem, *madame.* Me dê seu nome e endereço, vou fazer uma ocorrência formal e daremos um retorno para a senhora.

— Eu...

Não quero constar em nenhuma ocorrência formal de nada. E se eles trocarem informações com a polícia do Reino Unido, se investigarem meu nome? E a maneira como ele diz "ocorrência formal", com aquela voz monótona e entediada, soa como "sim, vamos pensar em fazer algo daqui a alguns anos, depois de resolver tudo o que realmente importa e talvez algumas coisas sem importância também".

— *Madame?*

Eu desligo.

Foi uma completa perda de tempo. Mas será que eu realmente esperava algo diferente? A polícia britânica nunca me ajudou. Por que achei que a francesa seria diferente?

Quando desvio a atenção do celular, me dou conta de que não faço a menor ideia de onde estou. Devo ter andado sem rumo enquanto estava na ligação. Tento acessar o mapa no meu telefone, mas não carrega. Neste instante, o aparelho vibra com uma notificação:

Você usou todos os seus dados de roaming. Para comprar mais, clique neste link...

Merda, merda... Está escurecendo também e de alguma forma isso só faz com que eu me sinta mais perdida.

Tudo bem. Controle-se, Jess. Eu consigo. Só preciso chegar a uma rua mais movimentada, em seguida encontrar uma estação de metrô e um mapa.

Mas as ruas vão ficando cada vez mais silenciosas até que a única coisa que ouço são passos de alguém logo atrás de mim.

Há um muro alto à minha direita e percebo, ao vislumbrar uma plaquinha pregada nele, que estou contornando um cemitério. Acima do muro, vejo apenas os túmulos mais altos, as pontas das asas e a cabeça curvada de um anjo melancólico. Está quase completamente escuro agora. Então paro.

Os passos atrás de mim também param.

Eu ando mais rápido. Os passos se apressam.

Alguém está me seguindo. Sabia. Viro na esquina do muro para ficar fora de vista por alguns segundos. Então, em vez de continuar, paro e pressiono o corpo no muro do outro lado. Meu coração bate com força. Isso provavelmente é de uma estupidez absurda. O que eu deveria fazer é fugir, encontrar uma rua movimentada, me cercar de mais gente. Mas preciso saber.

Espero até um vulto aparecer. Alto, casaco escuro. Meu peito queima; percebo que estava prendendo a respiração. A silhueta se vira lentamente, olhando ao redor. Procurando por mim. Está usando um capuz e, por um momento, não consigo ver seu rosto.

Então, dá um passo repentino para trás; sei que me viu. O capuz cai, revelando o rosto, à luz do poste. É uma mulher: jovem e tão bonita que poderia ser modelo. Cabelo castanho-escuro cortado com uma franja bem marcada, uma verruga no alto da maçã do rosto, como um sinal de pontuação. Um moletom sob a jaqueta de couro. Ela me encara, surpresa.

— Olá — digo. Dou um passo cauteloso em sua direção, o choque diminuindo, especialmente agora que vejo que ela não é a figura ameaçadora que eu havia imaginado. — Por que você estava me seguindo? — Ela se afasta. Parece que estou em vantagem. — O que você quer? — pergunto, de forma mais incisiva.

— Eu... estou procurando o Ben. — Um sotaque forte, não francês. Do Leste Europeu, talvez... o "r" carregado. — Ele não está respondendo. E tinha me dito que, se fosse muito importante, eu podia ir ao apartamento. Ouvi você perguntando por ele ontem à noite. Na rua.

Eu me lembro de quando cheguei ao prédio, quando pensei, por um instante, ter visto alguém agachado nas sombras atrás de um carro estacionado.

— Era você? Atrás do carro?

Ela não diz nada, e concluo que não vou receber muito mais do que isso como resposta. Dou mais um passo na direção dela, que também dá um passo para trás.

— Por quê? — pergunto. — Por que você está procurando pelo Ben? O que é tão importante?

— Onde ele está? — É só o que ela diz. — Preciso falar com ele.

— É exatamente isso que estou tentando descobrir. Acho que aconteceu alguma coisa. Ele desapareceu.

Acontece tudo muito rápido. O rosto dela fica pálido. Ela parece tão apavorada que de repente também fico com muito medo. Então xinga em outro idioma, algo que soa como "koorvah".

— O que foi? — pergunto. — Por que você está tão assustada?

Ela está balançando a cabeça. Dá mais alguns passos para trás, quase tropeçando nos próprios pés. Então se vira e começa a andar, rapidamente, na outra direção.

— Espere. — E então, quando se afasta ainda mais, eu grito: — Espere! — Mas a mulher começa a correr. Eu corro atrás dela. Merda, ela é rápida, com aquelas pernas compridas. E, apesar de ser magra, não estou em forma.

— Pare, por favor! — tento gritar.

Eu a persigo até uma rua mais movimentada; as pessoas se voltam para olhar para nós. No último minuto, ela desvia para a esquerda e desce ruidosamente a escada da estação de metrô. Um casal que sobe os degraus de braços dados se separa, assustado, para deixá-la passar.

— Por favor — peço, descendo a escada atrás dela, ofegando, sentindo como se estivesse me movendo em câmera lenta —, espere!

Mas ela já passou pela catraca eletrônica. Por sorte, há uma enguiçada que foi deixada aberta e eu passo correndo atrás dela. Mas quando chego a uma bifurcação, o túnel da direita levando aos trens para o leste e o da esquerda, aos trens para o oeste, percebo que não faço ideia de para onde ela foi. Tenho cinquenta por cento de chance, suponho: escolho virar à direita. Ofegante, desço até a plataforma e a vejo do outro lado dos trilhos. Merda. Ela olha para mim, o rosto pálido.

— Por favor! — grito, tentando recuperar o fôlego. — Por favor, eu só quero falar com você...

As pessoas se viram para me olhar, mas não me importo.

— Espere aí! — grito.

Há uma grande lufada de ar quente, o ressoar de um trem se aproximando pelo túnel. Subo a escada correndo, atravesso a passarela que leva à outra plataforma, sinto o estrondo do trem passando embaixo de mim.

Desço a escada para o outro lado. Não a vejo. As pessoas se amontoam diante do vagão. Tento entrar, mas está lotado, há muitos corpos imprensados, e as pessoas começam a voltar para esperar o próximo trem na plataforma. Quando as portas se fecham, vejo seu rosto, pálido e assustado, me encarando. O trem começa a se afastar, estalando ruidosamente para dentro do túnel. Olho para o quadro exibindo a rota: há quinze estações antes do fim da linha.

Uma ligação com Ben, uma pista... enfim. Mas não tenho a menor chance de descobrir para onde ela está indo, em qual estação vai descer. Menos chance ainda, provavelmente, de vê-la outra vez.

O APARTAMENTO DE PARIS

JESS

Deixo o apartamento o mais iluminado possível. Acendi todas as lâmpadas. Até coloquei um vinil para tocar na vitrola sofisticada de Ben. Estou tentando não entrar em pânico e pareceu uma boa ideia arrumar o máximo de ruído e luz que consegui. Estava tudo tão quieto quando entrei no prédio há pouco. Quieto demais, de alguma forma. Como se não houvesse ninguém atrás das portas pelas quais passei. Como se o prédio em si estivesse à espreita, esperando por algo.

Estar aqui é totalmente diferente agora. Antes, era apenas uma sensação que eu não conseguia definir. Mas depois de ouvir o fim da mensagem sei que na última vez em que escutei a voz de Ben ele estava com medo e havia mais alguém neste apartamento.

Também penso na garota. Sua expressão quando eu disse que achava que alguma coisa havia acontecido com Ben. Ela ficou com medo, mas também parecia que, à sua maneira, esperava por isso.

De repente, tenho a total noção de que, olhando do ponto certo de todos os outros apartamentos, qualquer pessoa poderia me ver aqui sentada, iluminada como se estivesse em um palco. Vou até as janelas e fecho com força todas as grandes venezianas de madeira. Melhor assim. Definitivamente houve cortinas aqui um dia: noto que os anéis no varão estão todos quebrados, como se em algum momento tivessem sido puxados com força para baixo.

Não posso simplesmente ficar sentada aqui e repassar tudo na minha cabeça sem parar. Deve haver alguma coisa que estou deixando passar. Algo que me dê uma pista do que aconteceu.

Atravesso depressa o apartamento. Me agacho para olhar embaixo da cama, revolvo as camisas do guarda-roupa de Ben, vasculho os armários da cozinha. Afasto a escrivaninha da parede. Bingo: algo cai. Algo que estava preso entre a parede e a parte de trás da mesa. Eu pego. É um caderno. Um daqueles elegantes, com capa de couro. Exatamente o tipo que Ben usaria.

Eu o abro. Há algumas anotações rabiscadas que parecem ser resenhas de restaurantes, esse tipo de coisa. Então, em uma página perto do fim, leio:

> LA PETITE MORT
> Sophie M sabe.
> Mimi: como ela se encaixa?
> A concierge?

La Petite Mort. Até eu consigo traduzir isso: *a pequena morte*.

Sophie M. Só pode ser Sophie Meunier, a mulher que mora na cobertura. *Sophie M sabe.* O que ela sabe? Mimi é a garota do quarto andar, a que pareceu que ia vomitar o café da manhã quando perguntei sobre Ben. *Como* Mimi se encaixa? Qual *é* a ligação da concierge? Por que Ben estava escrevendo em seu caderno sobre essas pessoas, sobre "pequenas mortes"?

Folheio o restante do caderno, na esperança de encontrar mais alguma coisa, porém todas as páginas depois dessa estão em branco. Isso, no entanto, me diz algo. Tem alguma coisa estranha acontecendo com as pessoas deste prédio. Ben estava fazendo anotações sobre elas.

Bebo mais do vinho de Ben, para acalmar os nervos, mas pelo visto não está ajudando. Só me deixa zonza. Largo a taça na mesa porque preciso ficar acordada, atenta, continuar pensando. Não quero adormecer aqui. De repente, não parece seguro.

Quando meus olhos começam a se fechar por conta própria, percebo que não tenho escolha. Preciso dormir. Preciso de energia para continuar. Eu me arrasto até o quarto e desabo na cama. Sei que não posso fazer mais nada hoje, não enquanto estiver tão exausta. Quando apago a luz, porém, me dou

O APARTAMENTO DE PARIS

conta de que um dia inteiro já se passou sem uma palavra do meu irmão, e a sensação de pavor cresce.

Meus olhos se abrem. Parece que não se passou nem um segundo, mas os números em neon no despertador de Ben marcam 3h. Algo me acordou. Eu sei disso, mesmo que não tenha certeza do quê. Será que foi o gato, derrubando alguma coisa? Mas não, ele está aqui na beira da cama, sinto o peso do seu corpo nos meus pés e, conforme meus olhos se adaptam à escuridão, consigo distingui-lo mais claramente à tênue luz verde do despertador. Ele está sentado, alerta, as orelhas em pé e se mexendo tanto quanto radares tentando captar um sinal. Está ouvindo algo.

E então eu ouço também. Um rangido, o som da tábua do assoalho cedendo com um passo. Tem alguém aqui, dentro do apartamento, do outro lado das portas francesas.

Mas... será que é o Ben? Abro a boca para chamá-lo. Então hesito. Me lembro da mensagem de voz. Não há luz sob as portas francesas: o intruso está se movendo no escuro. Ben já teria acendido as luzes.

De repente, estou completamente desperta. Mais do que desperta: elétrica. Minha respiração soa alta demais no silêncio. Tento acalmá-la, silenciá-la o máximo possível. Fecho os olhos e finjo dormir, ficando o mais imóvel que consigo. Alguém invadiu o apartamento? Eu não teria escutado o vidro se estilhaçando, a porta sendo arrombada?

Espero, ouvindo cada rangido minúsculo dos passos pela sala. A pessoa não parece estar com muita pressa. Puxo a colcha até ficar quase completamente coberta. E então, em meio ao ressoar do sangue nos meus ouvidos, ouço as portas do quarto começarem a se abrir.

Meu peito está tão apertado que é difícil respirar. Meu coração pula nas costelas. Ainda estou fingindo dormir. Mas, ao mesmo tempo, penso no abajur ao lado da cama, a base de metal firme e pesada. Basta eu estender o braço...

Eu espero, com a cabeça no travesseiro, tentando decidir se pego o abajur agora ou...

Mas então... ouço o ruído suave de passos recuando. Ouço as portas francesas se fechando. E, alguns instantes depois, mais distante, o rangido da porta principal do apartamento se abrindo e se fechando.

O invasor se foi.

★ ★ ★

Fico imóvel por um momento, minha respiração ofegante e difícil. Então pulo da cama, abro as portas francesas e corro para a sala. Se for rápida, posso ver quem era. Mas primeiro vasculho os armários da cozinha, pego uma frigideira pesada, só por precaução, e abro a porta do apartamento. O corredor e a escada estão escuros e silenciosos. Fecho a porta e vou até as janelas. Talvez eu consiga ver alguém lá embaixo, no pátio. Mas encontro apenas escuridão: as formas negras de árvores e arbustos, nenhum sinal de movimento. Para onde foi o invasor?

Acendo uma das luzes. O lugar está intocado. Nenhum vidro quebrado, e a porta da frente parece intacta. Como se a pessoa tivesse simplesmente entrado.

Eu quase poderia acreditar que sonhei. Mas alguém esteve aqui, tenho certeza. Eu ouvi. O gato ouviu. Mesmo que, agora, não pudesse estar mais relaxado, esparramado no sofá, lambendo delicadamente entre os dedos estendidos de uma das patas.

Dou uma olhada na escrivaninha de Ben, e é então que me dou conta de que o caderno sumiu. Procuro nas gavetas, no espaço atrás da escrivaninha onde o encontrei antes. Merda. Eu sou uma idiota. Por que o deixei lá, bem à vista? Por que não o escondi em algum lugar?

Parece tão óbvio agora. Depois de ouvir aquela mensagem de voz, eu deveria ter tomado precauções extras. Deveria ter colocado alguma coisa na frente da porta. Deveria saber que alguém poderia entrar aqui, bisbilhotar. Porque nem precisaria invadir. Se for a mesma pessoa com quem Ben estava falando naquela gravação, ela já tem a chave.

O APARTAMENTO DE PARIS

Trinta horas antes

BEN

Tudo fica escuro. Apenas por um momento. Em seguida, tudo fica terrivelmente claro. Vai acontecer bem ali, naquele instante, no apartamento. Bem ali, naquele local inócuo do piso, próximo à porta, ele vai morrer.

Ele entende o que deve ter acontecido. Nick. Quem mais? Mas um dos outros moradores deste lugar deve estar envolvido... porque é claro que todos têm relação...

— Por favor — ele consegue dizer —, eu posso explicar.

Ele sempre foi capaz de usar as palavras para se safar de qualquer situação. *Benjamin Fala Doce*, ela o chamava. Só precisa encontrar as palavras certas. Mas falar parece repentinamente muito difícil...

O golpe seguinte vem com uma rapidez surpreendente, uma força surpreendente. Sua voz implora, aguda como a de uma criança.

— Não, não... por favor, por favor... não... — As palavras lhe escapando, ele, que é sempre tão equilibrado.

Não há tempo para explicações agora. Ele está implorando. Implorando por misericórdia. Mas não há nenhuma nos olhos que o encaram de cima.

Ele vê o sangue respingar em sua calça jeans, mas a princípio não entende o que é. Então observa gotas vermelhas começando a cair no piso de madeira.

Lentamente no início, depois mais e mais rápido. Não parece real; é um vermelho tão brilhante e intenso, e uma quantidade tão grande de uma só vez. Como tudo aquilo pode estar vindo dele? Mais e mais a cada segundo. Deve estar escorrendo do seu corpo.

Até que acontece de novo, o golpe seguinte; ele cai e, durante a queda, sua cabeça bate em algo duro e afiado: a borda da bancada da cozinha.

Ele deveria saber. Deveria ter sido menos arrogante, menos displicente. Deveria pelo menos ter colocado uma tranca na porta. Mas se achava invencível, achava que estava no controle. Foi tão estúpido, tão presunçoso.

Agora está caído no chão e não se imagina capaz de se levantar outra vez. Ele tenta erguer as mãos, implorar sem dizer nada, se defender, mas seus braços tampouco lhe obedecem. Seu corpo não está mais sob seu controle. Com isso, vem um novo terror: ele está totalmente indefeso.

As venezianas... as venezianas estão abertas. Está escuro lá fora, o que significa que toda essa cena deve estar iluminada para o mundo exterior. Se alguém visse, se alguém pudesse vir ajudá-lo...

Com um grande esforço, ele abre os olhos, se vira e começa a se arrastar em direção às janelas. É tão difícil... Cada vez que apoia a mão, ela escorrega. Leva um momento para perceber que é porque o chão está escorregadio com seu sangue. Por fim, ele alcança a janela. Se ergue um pouco acima do peitoril, estende a mão e deixa uma marca sangrenta no vidro. Tem alguém lá fora? Um rosto voltado para ele, capturado pela luz que se derrama das janelas, lá fora, na escuridão? Sua visão embaça de novo. Ele tenta bater com a palma da mão, pronunciar a palavra: *SOCORRO*.

E então a dor o atinge. É intensa, mais avassaladora do que qualquer coisa que tenha experimentado na vida. Não vai suportar isso, com certeza: é demais. É ali que a história termina.

E seu último pensamento lúcido é: Jess. Jess vai chegar esta noite e não vai haver ninguém para recebê-la. Assim que chegar, ela também estará em perigo.

Domingo
NICK
Segundo andar

De manhã, chego à escada do prédio. Estou correndo há horas. Não tenho ideia de quanto tempo, na verdade, nem da distância que percorri. Em geral, eu teria as estatísticas exatas, verificaria meu relógio Garmin obsessivamente, fazendo o upload de tudo para o Strava no segundo em que chegasse em casa. Hoje de manhã não me dou nem ao trabalho de olhar. Precisava apenas clarear as ideias. Só parei porque a dor na minha panturrilha ficou maior que todo o resto, embora por um tempo eu tivesse quase gostado de correr em meio à tortura. Uma lesão antiga: convenci um charlatão do Vale do Silício a me prescrever oxicodona. O que também ajudou a amenizar o golpe quando meus investimentos começaram a afundar.

No primeiro andar, hesito na porta do apartamento. Bato na porta uma, duas, três vezes. Tento ouvir o som de passos lá dentro enquanto observo o batente desgastado, e sinto fedor de cigarro velho. Espero talvez alguns minutos, mas não há resposta. Ele deve ter desmaiado lá dentro, em um estupor alcoólico. Ou talvez esteja me evitando... Eu não ficaria surpreso. Tem algo que quero — preciso — dizer a esse cara. Mas acho que vai ter que esperar.

Então me afasto e começo a subir a escada, meus olhos ardendo. Levanto a bainha da camiseta encharcada de suor para limpá-los e sigo em frente.

Estou passando pelo apartamento do terceiro andar quando a porta se abre e lá está ela: Jess.

— Hã... oi — digo, passando a mão pelo cabelo.

— Ah — diz ela, confusa. — Tive a impressão de que você estava subindo.

— Não — retruco. — Não... na verdade, eu passei para ver como você estava. Queria pedir desculpas por ter saído apressado ontem. Quando estávamos conversando. Descobriu alguma coisa sobre o paradeiro do Ben?

Olho para ela atentamente. Seu rosto está pálido. Não parece mais a raposinha astuta de ontem, agora ela é um coelho assustado.

— Jess — digo. — Você está bem?

Ela abre a boca, mas por um momento não sai nenhum som. Tenho a impressão de que está travando uma batalha interna. Finalmente ela deixa escapar:

— Alguém esteve aqui, bem cedo de madrugada. Outra pessoa deve ter uma chave deste apartamento.

— Uma chave?

— É. Alguém entrou e ficou andando pelo apartamento.

Menos coelho assustado agora. A casca grossa voltando.

— Como assim, alguém *entrou* no apartamento? Levaram alguma coisa?

Ela dá de ombros, hesitante.

— Não.

— Olha, Jess. Acho que você deveria falar com a polícia.

Ela faz uma careta.

— Liguei para a polícia ontem. Eles não ajudaram em nada.

— O que disseram?

— Que iam registrar uma ocorrência — diz ela, revirando os olhos. — Enfim, não sei por que me dei ao trabalho. Eu sou a idiota que vem para Paris sozinha, praticamente sem saber falar francês. Não sei por que achei que eles iam me levar a sério...

— Quanto de francês você fala? — pergunto a ela.

Jess dá de ombros.

— Quase nada. Sei pedir uma cerveja, e só. Bem inútil, né?

— Olha, por que não vamos juntos ao *Commissariat*? Tenho certeza de que vão ser mais solícitos se eu falar em francês com eles.

Ela ergue as sobrancelhas.

— Isso seria... Bem, isso seria incrível. Obrigada. Eu fico... olha, eu fico muito grata. — Então dá de ombros. — Não sou boa em pedir favores.

— Você não pediu, eu ofereci. Eu disse ontem que quero ajudar. Estava falando sério.

— Bem, obrigada. — Ela puxa a correntinha do colar. — Podemos ir logo? Preciso sair deste lugar.

JESS

Estamos na rua, caminhando lado a lado em silêncio. Minha mente dá voltas. A mensagem de voz me deixou com a sensação de que não deveria confiar em ninguém no prédio, incluindo o velho amigo de faculdade do Ben, por mais simpático que ele seja. Mas, por outro lado, foi Nick quem sugeriu que fôssemos à polícia. Ele certamente não faria isso se tivesse alguma relação com o desaparecimento de Ben, não é?

— Por aqui.

Nick segura meu cotovelo, meu braço formigando de leve ao seu toque, e me conduz para um beco; não, é mais como um túnel de pedras entre os prédios.

— Um atalho — diz ele.

Contrastando com a rua movimentada que deixamos para trás, de repente não há mais ninguém à vista e fica muito mais escuro. Nossos passos ecoam. Não gosto de não poder ver o céu.

É um alívio quando saímos do outro lado. Mas assim que chegamos à rua, percebo uma barricada policial. Há diversos policiais usando capacetes e coletes, segurando cassetetes, os rádios crepitando.

— Merda — digo, o coração acelerado.

— *Merde* — diz Nick ao mesmo tempo.

Ele se aproxima e fala com os policiais. Eu fico onde estou. Eles não parecem nada amigáveis. Posso senti-los nos examinando.

— São os protestos — diz Nick, ao voltar. — Estão esperando um tumulto. — Ele olha atentamente para mim. — Você está bem?

— Sim, tudo bem.

Eu lembro a mim mesma que estamos literalmente indo falar com a polícia. Talvez eles possam ajudar. Mas de repente parece importante confessar uma coisa.

— Ei, Nick — começo, enquanto voltamos a andar.

— O que foi?

— Ontem, quando falei com a polícia, eles me pediram meu nome e endereço para a ocorrência ou qualquer coisa assim. Eu, hum... não quero dar essa informação a eles.

Nick franze a testa para mim.

— Por quê?

— Eu... Não vale a pena entrar nesse assunto. — Mas como ele continua me olhando de forma estranha e não quero que pense que sou uma criminosa de alta periculosidade, digo: — Tive um probleminha no trabalho, pouco antes de vir para cá.

Mais do que um probleminha. Dois dias atrás, entrei no Copacabana com um sorriso no rosto, como se meu chefe não tivesse mostrado o pau para mim na véspera. Ah, eu sei entrar no jogo quando preciso. Precisava daquele maldito trabalho. E então, na hora do almoço, antes de o bar abrir, enquanto o Tarado estava cagando (ele entrou no banheiro com uma revista de sacanagem, por isso eu sabia que tinha tempo), fui até o escritório, peguei a chavinha, abri o caixa e roubei todo o dinheiro. Não foi muito; ele era esperto, reabastecia o caixa todos os dias. Mas foi o suficiente para chegar aqui, o suficiente para escapar no primeiro trem para o qual consegui passagem. Ah, e só por garantia, coloquei dois barris de cerveja na frente da porta do banheiro, um em cima do outro, o do topo logo abaixo da maçaneta, impedindo-o de abrir a porta. Deve ter demorado um pouco para sair dessa.

Então, não, não estou nem um pouco ansiosa para constar em nenhum registro oficial de nada. Não que eu ache que a Interpol está atrás de mim. Mas não gosto da ideia do meu nome em nenhum sistema, da polícia daqui trocando informações com a polícia do Reino Unido. Vim para cá para começar do zero.

— Nada importante — digo. — É só... delicado.

— Hum... claro. Olha, eu dou a eles as minhas informações como contato. Pode ser?

— Pode — respondo, meus ombros relaxando de alívio... — Obrigada, Nick... isso seria ótimo.

— Então — diz ele, enquanto esperamos o sinal de trânsito —, estou pensando no que vou dizer à polícia. Vou dizer a eles que você achou que havia alguém no apartamento ontem de madrugada, é claro...

— Eu não *achei* que havia alguém — interrompo. — Eu *sei*.

— Claro. E tem mais alguma coisa que você queira que eu diga?

Faço uma pausa.

— Bom... Eu falei com o editor do Ben.

Ele se vira para mim.

— Falou?

— Falei. Um cara do *Guardian*. Não sei se é importante, mas parece que o Ben estava entusiasmado com uma ideia para uma matéria.

— Sobre o quê?

— Não sei. Alguma grande matéria investigativa. Mas acho que ele se meteu em alguma furada...

Nick desacelera um pouco.

— E o editor não sabe sobre o que era a matéria?

— Não.

— Ah. Que pena.

— E eu encontrei um caderno. Foi a única coisa que sumiu hoje de manhã. Tinha algumas anotações nele... sobre pessoas do prédio. Sophie Meunier, você sabe, a senhora do andar de cima? Mimi, do quarto andar. A concierge. Havia uma expressão: *La Petite Mort*. Acho que quer dizer "a pequena morte"...

Vejo algo mudar na expressão de Nick.

— O que foi? O que isso quer dizer?

Ele tosse.

— Bem, também é um eufemismo para orgasmo.

— Ah. — Não sou de ficar constrangida com facilidade, mas sinto minhas bochechas enrubescerem. De repente, me dou conta dos olhos de Nick fixos em mim, de como estamos próximos um do outro na rua vazia. Há um silêncio longo e desconfortável. — Enfim — digo. — Quem quer que tenha entrado no apartamento hoje de madrugada pegou o caderno. Então deve haver alguma coisa nele.

Viramos em uma rua lateral. Vejo alguns pôsteres esfarrapados colados em tapumes. Paro por um instante diante deles. Rostos fantasmagóricos impressos em preto e branco me encaram. Não preciso entender francês para saber o que — quem — são: pessoas desaparecidas.

— Olha — diz Nick, seguindo meu olhar. — Provavelmente vai ser difícil. Várias pessoas desaparecem todos os anos. Existe certa... questão cultural em relação a isso. Muita gente acredita que se alguém desaparece, pode ser que tenha seus motivos. Que todo mundo tem o direito de desaparecer.

— Tudo bem. Mas com certeza não vão achar que foi isso o que aconteceu com o Ben. Porque tem mais... — Eu hesito, então decido correr o risco de contar a Nick sobre a mensagem de voz.

Uma longa pausa, enquanto ele digere.

— Essa outra pessoa — diz ele. — Você conseguiu ouvir a voz dela?

— Não. Acho que ela não disse nada. Só o Ben falou. — Penso no *que porra é essa?*. — Ele estava com medo. Nunca o ouvi daquele jeito. Deveríamos contar isso à polícia também, não acha? Reproduzir a mensagem para eles.

— Sim. Com certeza.

Caminhamos em silêncio por mais alguns minutos, Nick ditando o ritmo. E então, de repente, ele para diante de um edifício grande, moderno e muito feio, um contraste enorme com todos os prédios residenciais chiques que o circundam.

— Muito bem. Chegamos.

Olho para o edifício à nossa frente. Está escrito COMMISSARIAT DE POLICE em grandes letras pretas acima da entrada.

Engulo em seco. Em seguida, entro atrás de Nick. Espero junto à porta da frente enquanto ele fala em francês fluente com um homem na recepção.

Tento imaginar como deve ser ter a autoconfiança de Nick em um lugar como este, sentir-se no direito de estar ali. À minha esquerda, há três pessoas com roupas encardidas presas por algemas, o rosto manchado com algo que parece fuligem, gritando e brigando com os policiais que os seguram. Mais manifestantes? Sinto que tenho muito mais em comum com eles do que com o rapaz asseado e rico que me trouxe até aqui. Eu me sobressalto quando nove ou dez policiais usando equipamento de choque irrompem na recepção, passam por mim e saem para a rua, amontoando-se em uma viatura parada diante da delegacia.

O sujeito atrás da mesa acena com a cabeça para Nick e pega um telefone.

— Pedi para falar com um superior — diz Nick ao se aproximar de mim.
— Assim vamos ser realmente ouvidos. Ele está fazendo a ligação agora.

— Ah, ótimo — digo.

Agradeço a Deus por Nick, com seu francês fluente e sua desenvoltura de jovem da elite. Sei que se eu tivesse entrado aqui sozinha, teria sido despachada de novo... ou, pior, teria ido embora antes mesmo de falar com alguém.

O recepcionista se levanta e nos convida para entrar. Afasto meu desconforto em adentrar ainda mais este lugar. Ele nos conduz pelo corredor até um escritório com uma placa na porta dizendo COMMISSAIRE BLANCHOT e há um homem — de cinquenta e poucos anos, ao que parece — sentado atrás de uma grande mesa. Ele olha para nós. Cabelo curto e grisalho, rosto grande e quadrado, olhos pequenos e escuros. Levanta-se e aperta a mão de Nick; em seguida, ele se vira para mim, me olha de cima a baixo e indica as duas cadeiras diante de sua mesa.

— *Asseyez-vous*.

Claramente Nick mexeu alguns pauzinhos: o escritório e o ar de importância de Blanchot me dizem que ele é o mandachuva daqui. Mas há algo nesse homem que não me agrada. Não identifico o quê. Talvez seja a cara de pitbull, talvez tenha a ver com a maneira como olhou para mim há pouco. Não importa, digo a mim mesma. Eu não tenho que gostar dele. Só preciso que faça seu trabalho direito e encontre meu irmão. E não sou tão cega a ponto de não perceber que talvez esteja trazendo minha bagagem para toda essa situação.

Nick começa a falar com Blanchot em francês. Mal consigo entender uma palavra. Identifico o nome de Ben, acho, e eles olham algumas vezes para mim.

— Desculpe — diz Nick. — Sei que estávamos falando muito rápido. Eu queria deixar ele a par de tudo. Conseguiu entender alguma coisa? Ele não fala muito inglês, infelizmente.

Faço que não.

— Não teria feito muita diferença se vocês tivessem falado devagar.

— Não se preocupe, vou explicar. Eu relatei toda a situação a ele. E basicamente estamos lidando com aquilo que mencionei antes: o "direito de desaparecer". Mas estou tentando convencê-lo de que se trata de algo além disso. Que você, que nós estamos realmente preocupados com o Ben.

— Você contou a ele sobre o caderno? E sobre o que aconteceu esta madrugada?

Nick assente.

— Sim, contei tudo isso.

— E sobre a mensagem de voz? — Eu levanto o celular. — Está gravada aqui, posso reproduzir.

— Ótima ideia. — Nick diz algo ao *commissaire* Blanchot, depois se vira para mim e acena com a cabeça. — Ele gostaria de ouvir.

Entrego o celular a ele. Não gosto de como o sujeito o arranca de mim. *Ele está apenas fazendo o trabalho dele, Jess*, digo a mim mesma.

O homem reproduz a mensagem de voz através de um alto-falante e, mais uma vez, ouço a voz do meu irmão como nunca tinha ouvido. "*Que porra é essa?*" E então o som. O rangido estranho.

Olho para Nick. Ele está pálido. Parece estar tendo a mesma reação que eu tive; ou seja, meu pressentimento estava certo.

Blanchot desliga o som e acena com a cabeça para Nick. Como não falo francês, ou porque sou mulher — ou ambos —, parece que praticamente não existo para ele.

Cutuco Nick.

— Ele vai ter que fazer alguma coisa agora, né?

Nick engole em seco, então parece se recompor. Ele pergunta algo ao sujeito, em seguida se volta para mim.

— Sim. Acho que a mensagem ajudou. Com isso temos um bom argumento.

Pelo canto do olho, vejo Blanchot nos observando com uma expressão vazia.

E de repente tudo está encerrado, eles apertam as mãos de novo e Nick diz:

— *Merci, commissaire* Blanchot.

Eu digo "*merci*" também. Blanchot sorri para mim e tento ignorar a inquietação que sei que provavelmente tem menos a ver com esse sujeito do que com tudo o que ele representa. Então, somos conduzidos de volta ao corredor, e Blanchot fecha a porta.

— O que você acha? — pergunto a Nick, enquanto saímos da delegacia.

— Ele levou a sério?

Nick faz que sim.

— Levou, no fim das contas. Acho que a mensagem de voz foi determinante — diz ele, com a voz rouca. Ainda parece pálido e nauseado com o que acabou de ouvir na gravação. — E não se preocupe, eu dei meus dados de contato, não os seus. Assim que tiver alguma notícia, aviso a você.

Por um momento, de volta à rua, Nick fica imóvel. Eu o observo cobrir os olhos com a mão e respirar fundo, trêmulo. E penso: temos alguém que se preocupa com Ben. Talvez eu não esteja tão sozinha nesta história quanto pensei.

SOPHIE
Cobertura

Estou arrumando o apartamento para a social. No último domingo de cada mês, Jacques e eu recebemos todos na nossa cobertura. Abrimos alguns dos melhores vinhos que guardamos na adega. Mas esta noite vai ser diferente. Temos muito o que discutir.

Despejo o vinho no decantador, arrumo as taças. Poderíamos contratar pessoas para fazer isso. Mas Jacques nunca quis estranhos neste apartamento que pudessem bisbilhotar seus assuntos privados. Acho ótimo. Embora suponha que, com funcionários, eu tivesse me sentido menos sozinha aqui ao longo dos anos. Quando coloco o decantador na mesa baixa da sala de estar, eu o vejo na poltrona à minha frente: Benjamin Daniels, exatamente como estava sentado quase três meses atrás. Uma das pernas cruzada sobre a outra, o tornozelo apoiado no joelho. Uma taça de vinho na mão. Muito à vontade.

Eu o observei. Vi enquanto ele avaliava o apartamento, a riqueza do ambiente. Ou talvez tentasse encontrar um defeito nos móveis que escolhi com tanto cuidado quanto as roupas que visto: a poltrona Florence Knoll de meados do século XX, o tapete de seda persa sob seus pés. Para denotar classe, bom gosto, o tipo de linhagem que não se pode comprar.

Ele se virou e me pegou observando. Sorriu. Aquele sorriso dele: uma raposa entrando no galinheiro. Sorri de volta com frieza. Eu não ia ser constrangida. Ia ser a anfitriã perfeita.

Ele perguntou a Jacques sobre sua coleção de rifles antigos.

— Vou te mostrar. — Jacques pegou um: uma rara honra. — Está vendo essa baioneta? Dá para atravessar um homem com ela.

Ben disse todas as coisas certas. Comentou sobre a conservação, sobre os detalhes de latão. Meu marido: um homem que não se deixa encantar facilmente. E ainda assim estava encantado. Dava para ver.

— O que você faz, Ben? — perguntou ele, servindo-lhe uma taça.

Uma noite quente de fim de verão...Vinho branco teria sido melhor. Mas Jacques queria exibir a safra.

— Sou escritor — respondeu Ben.

— Ele é jornalista — disse Nick, ao mesmo tempo.

Observei o rosto de Jacques atentamente.

— Que tipo de jornalista? — perguntou ele casualmente.

Ben deu de ombros.

— O que mais faço são críticas de restaurantes, novas exposições, esse tipo de coisa.

— Ah... — Jacques se recostou na poltrona. Soberano de todos os inquiridos. — Bom, será um prazer sugerir alguns restaurantes para você avaliar.

Ben sorriu; aquele sorriso fácil e carismático.

— Isso seria muito útil. Obrigado.

— Gostei de você, Ben — disse Jacques, direto ao ponto. —Você me lembra um pouco de mim mesmo quando tinha a sua idade. Entusiasmo. Avidez. Eu também tinha esse ímpeto. Não se pode dizer o mesmo de alguns jovens de hoje em dia.

Antoine e sua esposa Dominique chegaram nesse momento, vindos do apartamento no primeiro andar. A camisa de Antoine estava sem um dos botões: aberta, a pele macia aparecendo. Dominique, por sua vez, fizera o que poderia ser descrito como um esforço. Usava um vestido de malha tão fino que colava em cada curva definida do seu corpo. *Mon Dieu*, dava para ver seus mamilos. Havia algo de Bardot nela: a curvatura taciturna da boca, os olhos escuros e apáticos. Eu me peguei pensando que toda a voluptuosidade ia se dissipar, se transformar em gordura (basta olhar para Bardot, aquela pobre filha da mãe), uma abominação para tantos homens franceses. A gordura neste país é vista como sinal de fraqueza, até mesmo de estupidez. Pensar nisso me fez sentir um prazer perverso.

Reparei nela olhando para Ben. De cima a baixo, praticamente *se atirando* nele. Imagino que tenha achado que foi sutil; para mim, parecia uma prostituta barata, provocando, em busca de um cliente. Ele retribuiu o olhar. Duas pessoas atraentes reparando uma na outra. Aquele *frisson*. Ela se voltou para Antoine. Observei sua boca se curvar em um sorriso enquanto falava com ele. Mas o sorriso não era para o marido. Era para Ben. Algo cuidadosamente calculado.

Antoine estava bebendo demais. Ele esvaziou a taça e a estendeu para en-chê-la novamente. Seu hálito, mesmo a alguns metros de distância, era azedo. Ele estava passando vergonha.

— Alguém fuma? — perguntou Ben. — Vou sair para fumar um cigarro. Um péssimo hábito, eu sei. Será que posso usar o terraço?

— É por ali — falei a ele. — Passando a estante de livros, à esquerda, tem uma porta. Você vai ver os degraus.

— Obrigado. — Ele sorriu para mim, aquele sorriso encantador.

Esperei que as luzes automáticas se acendessem, o que seria o sinal de que ele havia encontrado o caminho para o terraço. Elas não se acenderam. Ele não deveria ter levado mais do que um ou dois minutos para subir a escada.

Enquanto os outros conversavam, eu me levantei para verificar. Não havia sinal dele no terraço nem na outra metade da sala que ficava depois da estante. Tive aquela sensação gélida e arrepiante de novo. A sensação de que uma ra-posa havia entrado no galinheiro. Andei na penumbra pelo corredor que leva aos outros cômodos do apartamento.

Então, eu o encontrei no escritório de Jacques, com as luzes apagadas. Ele estava olhando para alguma coisa.

— O que você está fazendo aqui?

Minha pele formigava de indignação. De medo também.

Ele se virou no escuro.

— Desculpe — disse. — Devo ter me confundido com as suas instruções.

— Elas foram muito claras. — Foi difícil continuar sendo educada, repri-mir a vontade de simplesmente expulsá-lo. — Era à esquerda — repeti. — Depois da porta. Na direção oposta.

Ele fez uma careta.

— Erro meu. Talvez eu tenha bebido demais daquele vinho maravilhoso. Mas já que estamos aqui, me fale sobre... essa fotografia. Estou fascinado.

O apartamento de Paris

Eu soube de imediato para qual foto ele estava olhando. Um grande retrato em preto e branco, um nu, pendurado diante da mesa do meu marido. O rosto da mulher virado de lado, seu perfil se dissolvendo nas sombras, os seios à mostra, o triângulo escuro dos pelos pubianos entre as coxas brancas. Eu tinha pedido a Jacques para se livrar daquilo. Era completamente inapropriado. Sórdido.

— Pertence ao meu marido — falei com frieza. — Aqui é o escritório dele.

— Então é aqui que o grande homem trabalha. E você, trabalha?

— Não.

Ele devia saber disso, com certeza. Mulheres na minha posição não trabalham.

— Mas você devia fazer alguma coisa antes de conhecer seu marido.

— Sim.

— Desculpe — disse ele, depois de a pausa ter se prolongado tanto que parecia uma presença física no ar entre nós. — É o jornalista em mim. Eu só... tenho curiosidade sobre as pessoas. — Ele deu de ombros. — Receio que seja incurável. Por favor, me perdoe.

Eu tinha pensado nisto quando o conheci: que ele usava seu charme como uma arma. Mas agora tinha certeza. Nosso novo vizinho era perigoso. Pensei nos bilhetes. Em meu chantagista misterioso. Teria sido coincidência eles terem chegado quase ao mesmo tempo — esse homem, com ar de sabichão, e as exigências de dinheiro, ameaçando revelar meus segredos? Se fosse o caso, eu não ia permitir. Não ia deixar que aquele estranho aleatório destruísse tudo que eu havia construído.

Consegui recuperar minha voz:

—Vou levá-lo até o terraço.

E o segui até ele passar pela porta certa. Ele se virou e me deu um sorriso e um breve aceno de cabeça. Eu não sorri de volta.

Voltei para a sala e me juntei aos outros. Alguns instantes depois, Dominique se levantou e anunciou que também ia fumar um cigarro. Talvez estivesse constrangida com o marido bebendo até cair no sofá. Ou talvez — pensei em como ela olhou para Ben ao chegar — fosse simplesmente sem-vergonha.

O braço de Antoine disparou: agarrou o pulso da esposa com força. A taça de vinho na mão dela oscilou, um respingo carmesim indo parar na malha clara do seu vestido.

— *Non* — disse ele. — *Tu ne feras rien de la sorte.*

Você não vai fazer nada disso.

Dominique olhou para mim então. Os olhos arregalados. De mulher para mulher. *Está vendo como ele me trata?* Desviei o olhar. Você fez suas escolhas, *chérie*, assim como eu fiz as minhas. Eu sabia o tipo de homem que meu marido era quando me casei com ele; tenho certeza de que o mesmo aconteceu com você. Se não... bem, você é ainda mais idiota do que eu pensava.

Observei-a se desvencilhar do marido e se afastar na direção do terraço. Imaginei os dois lá em cima, visualizei a cena se desenrolando. Os telhados de Paris se estendendo diante deles, as ruas iluminadas como luzinhas decorativas. Ela se curvando para a frente enquanto acendia o cigarro no dele. Seus lábios roçando a mão dele.

Eles voltaram pouco depois. Quando os viu, Antoine se levantou do assento onde estava jogado e cambaleou até Dominique.

—Vamos embora.

Ela balançou a cabeça.

— Não. Eu não quero.

Ele se inclinou para bem perto dela e sibilou alto o suficiente para que todos nós ouvíssemos:

— Nós vamos embora, sua vadiazinha. — *Petite salope*. E então se virou para Ben. — Fique longe da minha esposa, seu inglês maldito. *Comprends-tu?* Entendeu?

Como um último sinal de pontuação, ele gesticulou com a taça de vinho cheia, e eu não soube dizer se foi porque estava bêbado ou se foi propositalmente que ela voou de sua mão. Uma explosão de vidro. Vinho espalhado pela parede.

Tudo ficou imóvel e silencioso.

Ben se voltou para Jacques.

— Sinto muito, *monsieur* Meunier, eu...

— Por favor. — Jacques se levantou. — Não se desculpe. — Ele foi até Antoine. — Ninguém se comporta assim no meu apartamento. Você não é mais bem-vindo aqui. Saia. — Sua voz era fria, carregada de ameaça.

A boca de Antoine se abriu. Eu vi seus dentes manchados de vinho. Por um momento, pensei que ele fosse dizer algo imperdoável. Então se virou e olhou para Ben. Um olhar demorado que disse mais do que qualquer palavra.

O silêncio que se seguiu à saída deles ressoou como um diapasão.

★ ★ ★

Mais tarde, enquanto Jacques atendia a um telefonema, fui tomar banho no meu banheiro. Eu me vi quase distraidamente colocando o chuveirinho entre as pernas. A imagem que me veio à mente foi dos dois: Dominique e Ben, no jardim do terraço. Todas as coisas que poderiam ter acontecido entre eles enquanto o restante de nós conversava no andar de baixo. E enquanto meu marido berrava instruções — audíveis através da parede —, tive um orgasmo silencioso, a cabeça apoiada nos ladrilhos frios. A pequena morte, como chamam. *La petite mort.* E talvez isso fosse bem apropriado. Uma pequena parte de mim tinha morrido naquela noite. Outra parte ganhara vida.

JESS

É noite e estou de volta ao apartamento. Observando o pátio, olhando para cima e para baixo, para os quadrados iluminados das janelas dos vizinhos, tentando captar algum movimento.

Mandei algumas mensagens perguntando se Nick conseguiu alguma informação com a polícia, mas ainda não tive retorno. Sei que é muito cedo, mas não me contive. Sou grata pela ajuda dele. É bom sentir que tenho um aliado. Mas ainda não acredito que a polícia vá fazer algo. E estou começando a ficar inquieta de novo. Não posso simplesmente continuar sentada aqui esperando notícias.

Visto meu casaco e saio do apartamento, sem ideia do que fazer, mas sabendo que preciso fazer *alguma coisa*. Enquanto estou tentando decidir como agir, ouço vozes altas ecoando lá de cima pela escada. Não resisto e vou atrás. Começo a subir, passando pelo apartamento de Mimi, no quarto andar, e escuto por um momento atrás da porta dela: silêncio. As vozes devem estar vindo da cobertura. Ouço um homem falando por cima das outras vozes, mais alto que o restante. Mas ouço as demais vozes agora também, embora todas pareçam estar falando ao mesmo tempo. No entanto, não entendo nenhuma palavra. Outro lance de escada e estou no último andar, com a porta da cobertura à minha frente e, à esquerda, a escada de madeira que leva aos antigos aposentos dos empregados.

Eu me aproximo da porta da cobertura, estremecendo a cada rangido das tábuas do assoalho. Tomara que as pessoas lá dentro estejam muito distraídas com seja lá qual for a discussão para prestar atenção a qualquer coisa do lado de fora. Chego bem perto da porta, me abaixo e encosto o ouvido no buraco da fechadura.

O homem volta a falar, mais alto do que antes. Merda, é tudo em francês, claro. Tenho a impressão de ouvir o nome de Ben e fico tensa, esticando o pescoço para escutar melhor. Mas não entendo nenhuma...

— *Elle est dangereuse.*

Espere. Até eu adivinho o que isso significa: *Ela é perigosa.* Aperto mais a orelha no buraco da fechadura, atenta a qualquer outra coisa que consiga decifrar.

De repente, ouço um latido bem no meu ouvido. Cambaleio para longe da porta, quase caindo para trás, e me esforço para ficar de pé. Merda, preciso sair daqui. Não posso deixar que eles me vejam...

—Você.

Tarde demais. Eu me viro. Ela está parada à porta, Sophie Meunier, vestindo uma camisa de seda creme e calça preta, diamantes insanamente cintilantes nas orelhas, que poderiam muito bem ser minúsculos pingentes de gelo que ela fez brotarem ali de tão fria que está sua expressão. Há um cachorrinho cinza a seus pés — um whippet? — me encarando com olhos negros brilhantes.

— O que você está fazendo aqui?

— Eu ouvi vozes, então... — Paro de falar ao me dar conta de que ouvir vozes por trás da porta de outra pessoa não é exatamente uma boa desculpa para espionar.

Ben Fala Doce talvez tirasse aquilo de letra, mas não encontro uma maneira de me safar dessa situação apenas com a minha lábia.

Ela parece avaliar o que fazer comigo. Por fim, fala:

— Bem, já que está aqui, talvez possa se juntar a nós e beber alguma coisa.

— Hã...

Ela me observa, esperando uma resposta. Todos os meus instintos me dizem que entrar nesse apartamento é uma péssima ideia.

— Claro — digo. — Obrigada. — Olho para minhas roupas: tênis Converse, jaqueta surrada, calça jeans rasgada no joelho. — A minha roupa está boa?

Sua expressão mostra que ela não acha nada nem remotamente bom em nenhuma das peças que estou vestindo. Mas responde:

—Você está bem assim. Por favor, me acompanhe.

Entro com ela no apartamento. Sinto seu perfume, algo enjoativo e floral; embora, na verdade, seja apenas aroma de riqueza.

Lá dentro, olho para tudo espantada. O apartamento tem pelo menos o dobro do tamanho do de Ben, talvez mais. Um espaço aberto bem iluminado dividido ao meio por uma estante de livros enorme. As janelas do chão ao teto dão para os telhados e edifícios de Paris. Na escuridão, as janelas iluminadas dos prédios residenciais que nos rodeiam formam uma tapeçaria luminosa.

Quanto um apartamento como este deve custar? Muito dinheiro, imagino. Milhões? Provavelmente. Tapetes sofisticados no chão, enormes obras de arte moderna nas paredes: borrifos claros e listras coloridas, formas grandes e arrojadas. Há uma pintura pequena, perto de mim, de uma mulher segurando uma espécie de vaso, com uma janela atrás. Vejo a assinatura no canto inferior direito: Matisse. Certo. Puta merda. Não entendo muito de arte, mas até eu já ouvi falar de Matisse. E por toda parte, expostas em mesinhas, há pequenas estatuetas e delicados vasos de vidro. Aposto que até mesmo o menor deles me renderia mais do que ganhei em um ano inteiro naquele bar de merda. Seria tão fácil surrupiar um...

De repente, tenho a sensação de estar sendo observada. Levanto o rosto e encontro dois olhos. Pintados, não reais. Um grande retrato: um homem sentado em uma poltrona. Mandíbula e nariz marcados, cabelos grisalhos nas têmporas. Bonito, embora com a aparência um pouco cruel. É a boca, talvez, sua curvatura. O curioso é que ele é familiar. Tenho a impressão de já ter visto seu rosto, mas não me lembro de jeito nenhum onde. Será que é alguém razoavelmente famoso? Um político ou algo assim? Mas não tenho certeza se reconheceria um político qualquer, muito menos francês, afinal não sei nada sobre essas coisas. Então deve ser de outro lugar. Mas onde é que...

— Meu marido, Jacques — diz Sophie, atrás de mim. — Ele está viajando a negócios no momento, mas tenho certeza de que vai ficar... — uma pequena hesitação — ansioso para conhecer você.

Ele parece poderoso. Rico. Obviamente rico, basta dar uma olhada neste bendito lugar.

— O que ele faz?

— Ele trabalha com vinhos.

O APARTAMENTO DE PARIS

Isso explica os milhares de garrafas na adega. A *cave* também deve pertencer a ela e ao marido.

Em seguida, meus olhos são atraídos para uma estranha composição na parede oposta. De início, acho que é alguma instalação de arte abstrata. Mas, ao olhar novamente, percebo que é uma exibição de armas antigas. Cada uma com uma protuberância afiada em forma de lâmina presa à extremidade.

Sophie acompanha meu olhar.

— São da Primeira Guerra Mundial. Jacques gosta de colecionar antiguidades.

— Está faltando uma — observo.

— Sim. Está no conserto. Elas exigem mais manutenção do que você imagina. *Bon* — diz ela, secamente —, venha conhecer os outros.

Vamos na direção da estante de livros. Só nesse momento me dou conta da presença de pessoas logo atrás. Quando a contornamos, eu os vejo, um de frente para o outro, em dois sofás de cor creme. Mimi, do quarto andar, e — ah, não — Antoine, do primeiro. Ele me encara como se estivesse tão satisfeito em me ver quanto estou ao vê-lo. Imagino que seja o tipo de vizinho de quem se mantém distância, evitando que se meta em sua vida. Quando olho de novo, ele ainda está me encarando. Um calafrio percorre minha espinha.

É um grupo tão aleatório de pessoas, com nada em comum entre si além do fato de morarem perto uns dos outros: a estranha e quieta Mimi, que não deve ter mais de dezenove ou vinte anos; Antoine, um fracassado de meia-idade; e Sophie, com sua seda e seus diamantes. Sobre o que eles poderiam estar falando agora há pouco? Não parecia uma conversa educada e amistosa entre vizinhos. Sinto os olhos deles em mim, todos me observando como se eu fosse um espécime desconhecido levado para um laboratório. *Elle est dangereuse.* Tenho certeza de que não ouvi errado.

— Gostaria de uma taça de vinho? — oferece Sophie.

— Ah, sim. Obrigada.

Ela pega a garrafa e, enquanto o vinho é servido em uma taça, vejo a imagem dourada do castelo no rótulo e percebo que já a vi antes: é igual à da garrafa que peguei na adega lá embaixo.

Bebo um longo gole; estou precisando. Sinto os três me observando. São eles que detêm o poder nesta sala, o conhecimento; não gosto disso. Eu me sinto em desvantagem, encurralada. E então penso: foda-se. Um deles deve saber de alguma coisa sobre o que aconteceu com Ben. Esta é a minha chance.

— Ainda não tive notícias do Ben — digo. — Quer saber, estou realmente começando a achar que alguma coisa aconteceu com ele. — Quero arrancá-los de seu silêncio vigilante, então digo: — Quando fui falar com a polícia hoje...

Acontece tudo muito rápido, rápido demais para que eu veja como foi. Mas há uma comoção repentina e noto que a garota, Mimi, derramou sua taça de vinho. O líquido carmesim respingou no tapete e em uma das pernas do sofá.

Ninguém se move por um segundo. Talvez os outros dois estejam, como eu, observando o líquido escuro penetrar no tecido e se sentindo gratos por não terem sido eles.

O rosto da garota está lívido, vermelho como beterraba.

— *Merde* — diz ela.

— Está tudo bem — diz Sophie. — *Pas de problème.* — Mas sua voz é dura e fria como aço.

MIMI
Quarto andar

Putain. Quero ir embora daqui imediatamente, mas isso causaria outra cena, então não posso. Tenho que ficar sentada e aguentar todos me encarando. *Ela* me encarando. O ruído branco na minha mente se torna um chiado ensurdecedor.

De repente, sinto a náusea crescendo dentro de mim. Preciso sair da sala. É o único jeito. Sinto que não estou totalmente no controle de mim mesma. A taça de vinho... Nem ao menos sei se foi um acidente ou se fiz de propósito.

Dou um pulo do sofá. Ainda sinto que ela está me observando. Cambaleio pelo corredor e chego ao banheiro.

Controle-se, Mimi. *Putain de merde.* Controle-se, porra.

Vomito no vaso sanitário e em seguida me olho no espelho. Meus olhos estão rosados por causa dos vasos sanguíneos rompidos.

Por um momento, acredito realmente que o vejo surgindo atrás de mim. Aquele sorriso dele, que parecia um segredo compartilhado apenas por nós dois.

Eu poderia observá-lo por horas. Aquelas noites quentes do início do outono, enquanto ele trabalhava à sua mesa com todas as janelas abertas e eu ficava deitada na cama com o ventilador soprando ar frio em minha nuca e as luzes apagadas para que ele não me visse nas sombras. Era como vê-lo em um palco. Às vezes, ele andava pelo apartamento sem camisa. Uma vez, com apenas uma toalha enrolada na cintura, vi a sombra escura dos pelos em seu peito, aquela linha de pelos que formava um triângulo do abdome até embaixo da toalha: um homem, não um menino. Ele quase nunca se lembrava de fechar as venezianas. Ou talvez as deixasse abertas de propósito.

Peguei meu material de pintura. Ele era meu novo tema favorito. Eu nunca tinha pintado tão bem. Nunca havia preenchido a tela tão rápido. Normalmente, tinha que parar, avaliar, corrigir meus erros. Mas com ele não precisava. Imaginei que um dia, talvez, pedisse para ele posar para mim.

Às vezes eu ouvia sua música atravessar o pátio. Parecia que ele queria que eu ouvisse. Talvez até estivesse tocando para mim.

Certa noite, ele olhou para cima e me flagrou observando.

Meu coração parou. *Putain*. Eu o vinha observando havia tanto tempo que esqueci que ele também podia me ver. Foi muito constrangedor.

Mas então ele ergueu a mão para mim. Como fez naquele primeiro dia, quando o vimos chegando de Uber. Só que naquela ocasião ele estava apenas dizendo "oi", e era para Camille também; sobretudo para Camille, provavelmente, com seu biquíni minúsculo. Mas dessa vez foi diferente. Dessa vez era só para mim.

Ergui a mão em resposta.

Parecia um gesto particular entre nós dois.

E ele sorriu.

Sei que tenho tendência a ficar um pouco fixada. Um pouco obcecada. Mas eu tinha a impressão de que Ben também era obsessivo. Ele ficava sentado ali, digitando até meia-noite, às vezes mais tarde. Em algumas ocasiões, com um cigarro na boca. De vez em quando eu também fumava. Era quase como se estivéssemos fumando juntos. Eu o observava até meus olhos arderem.

Agora, no banheiro, jogo água fria no rosto, enxáguo a acidez do vômito da boca. Tento respirar.

Por que concordei em vir esta noite? Penso em Camille, colocando a pequena cesta de vime no braço, indo para a cidade mais cedo para se divertir com amigos, livre, leve e solta. Não presa aqui como eu, sem amigos e sozinha. Como eu queria trocar de lugar com ela.

De repente, eu o ouço falando. Tão claramente como se estivesse atrás de mim, sussurrando em meu ouvido, seu hálito quente na minha pele: "Você é forte, Mimi. Eu sei que é. Muito mais do que todos pensam."

JESS

Há um longo silêncio depois que Mimi desaparece. Bebo um gole do meu vinho.

— Então — digo, por fim —, como todos vocês...

Sou interrompida pelo som de uma batida na porta. A batida parece ecoar indefinidamente no silêncio. Sophie Meunier se levanta para atender. Antoine e eu somos deixados frente a frente. Ele me encara, impassível. Penso nele quebrando aquela garrafa em seu apartamento enquanto eu observava pelo olho mágico, e na violência do gesto. Penso naquela cena com a esposa dele no pátio.

E então, baixinho, ele sussurra para mim:

— O que você está fazendo aqui, garotinha? Ainda não entendeu o recado?

Bebo um gole da minha taça.

— Estou saboreando um pouco deste excelente vinho — digo a ele.

Não soa tão irreverente quanto eu esperava, pois minha voz vacila.

Gosto de achar que não há muitas coisas que me dão medo. Mas esse cara me causa arrepios.

— Nicolas. — Ouço Sophie dizer, usando a pronúncia francesa do nome. E então, em inglês: — Seja bem-vindo. Venha se juntar a nós. Quer beber alguma coisa?

Nick! Parte de mim se sente aliviada com a presença dele, por eu não estar mais sozinha com essas pessoas. Ao mesmo tempo, me pergunto o que ele está fazendo aqui.

Alguns instantes depois, ele contorna a estante de livros atrás de Sophie Meunier, segurando uma taça de vinho. Aparentemente, morar em Paris deu a ele mais estilo do que um britânico comum: está usando calça azul-marinho e camisa branca, aberta no pescoço e destacando com perfeição seu bronzeado. Seu cabelo dourado-escuro e ondulado está penteado para trás. Ele parece saído de um anúncio de perfume: lindo, reservado... Eu me forço a parar. O que estou fazendo... cobiçando esse cara?

— Jess — diz Sophie —, este é o Nicolas.

Nick sorri para mim.

— Oi. — Ele se volta para Sophie. — A Jess e eu já nos conhecemos.

Há uma pausa um pouco constrangedora. Isso é apenas algo que os ricos que moram em apartamentos como este fazem? Confraternizam? Eles não se parecem com nenhum dos vizinhos que já tive. Mas, pensando bem, não morei em vizinhanças muito boas.

Sophie abre um sorriso glacial.

— Por que não mostra para a Jess a vista do jardim no terraço, Nicolas?

— Claro. — Nick se vira para mim. — Jess, quer vir dar uma olhada?

Sinto que Sophie está tentando se livrar de mim, mas ao mesmo tempo é uma chance de falar com Nick sem que os outros escutem. Eu o sigo, passando pela estante e subindo outro lance de escada.

Ele abre uma porta.

— Você primeiro.

Tenho que passar por ele enquanto segura a porta aberta, perto o suficiente para sentir o perfume de sua colônia cara, o leve aroma de seu suor.

Uma lufada de ar gelado me atinge primeiro. Em seguida, o céu noturno, as luzes lá embaixo. A cidade se estendendo diante de mim como um mapa iluminado, as faixas reluzentes das ruas serpenteando em todas as direções, o brilho vermelho embaçado das lanternas traseiras dos carros... Por um segundo, tenho a sensação de ter dado um passo em pleno ar. Recuo. Não, não exatamente no ar. Mas não há muito me separando das ruas cinco andares abaixo além de uma grade de ferro de aparência frágil.

De repente, luzes começam a zumbir ao nosso redor; devem ter sido acionadas por algum sensor. Agora vejo arbustos e até árvores em enormes vasos de cerâmica, uma grande roseira que ainda ostenta algumas flores brancas, estátuas não muito diferentes daquela que se despedaçou no pátio.

Nick sobe em seguida. Como fiquei paralisada onde estava, olhando, não lhe dei nenhum espaço, de forma que ele fica parado bem perto de mim. Sinto o calor de sua respiração em minha nuca, um contraste nítido com o ar gelado. Tenho um impulso repentino e despropositado de me recostar nele. Qual seria a reação dele se eu fizesse isso? Será que se afastaria? Ao mesmo tempo, no entanto, sinto uma ânsia igualmente despropositada de mergulhar na noite. É como se eu pudesse nadar nela.

Quando está tão alto assim, você não tem vontade de pular?

— Tenho — responde Nick, e me dou conta de que devo ter falado aquilo em voz alta.

Eu me viro para ele. Mal consigo distingui-lo, apenas uma silhueta escura contrastando com o brilho das luzes atrás. Mas ele é alto. Assim tão perto, percebo nossa diferença de altura. Ele dá um passinho para trás.

Olho para o alto e percebo que há mais um andar acima de nós: janelas escuras, pequenas e empoeiradas, com hera enroscada nelas, como um cenário de conto de fadas. Não ficaria surpresa se visse um rosto fantasmagórico ali.

— O que tem ali?

Ele segue meu olhar.

— Ah, são as antigas *chambres de bonne*, onde ficavam os quartos dos empregados. — Deve ser para onde a escada de madeira leva. Então ele aponta de volta para a cidade. — A vista daqui é linda, não é?

— É incrível. Quanto você acha que custa um lugar como este? Alguns milhões? Mais que isso?

— Hum... não faço ideia.

Mas ele deve fazer alguma ideia; deve saber quanto vale seu apartamento. Isso provavelmente o deixa constrangido. Suspeito que ele seja educado demais para falar sobre essas coisas.

— Você teve alguma notícia? — pergunto. — Daquele cara da delegacia? Blanchot?

— Infelizmente, não. — É estranho não ver sua expressão. — Eu sei que é frustrante. Mas só se passaram algumas horas. Vamos dar um tempo.

Sinto uma onda de desespero. Claro que ele está certo, claro que faz pouco tempo. Mas não consigo conter o pânico por não estar mais perto de encontrar Ben. E por não estar mais perto de decifrar nenhuma dessas pessoas.

— Vocês todos parecem se dar muito bem — digo, tentando manter o tom leve.

Nick dá uma breve risada.

— Eu não diria isso.

— Mas vocês se reúnem com frequência? Nunca bebi com meus vizinhos. Consigo ouvi-lo dando de ombros.

— Não... não com muita frequência. Às vezes. Ei, você quer um cigarro?

— Ah, claro. Obrigada.

Ouço o clique do isqueiro e, quando a chama se acende, vejo seu rosto se iluminar. Seus olhos são buracos negros, vazios como os da estátua no pátio. Ele me passa o cigarro, e sinto o toque rápido e quente dos seus dedos, em seguida sua respiração no meu rosto quando me inclino para ele acender. O arrepio de algo no ar entre nós.

Dou uma tragada.

— Acho que a Sophie não gosta muito de mim.

Ele dá de ombros.

— Ela não gosta muito de ninguém.

— E o Jacques? Marido dela? Aquele no retrato enorme. Como ele é?

Nick faz uma careta.

— Um babaca, para ser sincero. E ela definitivamente está com ele só pelo dinheiro.

Quase engasgo com a fumaça do cigarro. Foi tão casual o comentário dele. Mas com uma ênfase real no "babaca". Eu me pergunto o que ele tem contra o casal. E se está claro que não é muito fã deles, que merda ele está fazendo vindo beber em seu apartamento?

— E aquele sujeito do apartamento de baixo? O Antoine? — pergunto.

— Não acredito que ela o tenha convidado. Fico surpresa até mesmo de ela deixar que ele se sente no sofá. E, quando cheguei, ele me disse para dar o fora daqui... Um poço de hostilidade.

Nick dá de ombros.

— Bem... não é desculpa, mas ele acabou de ser abandonado pela mulher.

— Sério? Se quer saber, acho que ela escapou de uma furada.

— Olha só — diz ele, apontando para trás de mim —, dá para ver a Sacré--Coeur ali.

Claramente ele não quer mais falar sobre os vizinhos. Observamos juntos a catedral: iluminada, parecendo flutuar sobre a cidade como um grande fantasma branco. E a distância... sim... ali... vejo a Torre Eiffel. Por alguns segundos, ela se acende como um fogo de artifício gigante e milhares de luzes em movimento brilham para cima e para baixo por toda a sua extensão. De repente, tenho noção de como esta cidade é enorme e desconhecida. Ben está lá fora em algum lugar, eu acho, eu espero... De novo, tenho aquela sensação de desespero.

Eu me dou uma chacoalhada mental. Tem de haver mais alguma coisa que eu possa descobrir, algum ângulo novo que não explorei. Eu me viro para Nick.

— O Ben nunca mencionou o que estava investigando, não é? — pergunto. — O que ele estava escrevendo? A tal matéria investigativa.

— Ele não me disse nada sobre isso. Até onde eu sabia, ainda estava trabalhando com críticas de restaurantes, esse tipo de coisa. Mas isso é típico dele, não é?

Penso ter ouvido um tom de amargura.

— Como assim?

— Bem, eu me pergunto se alguém realmente conhece o verdadeiro Benjamin Daniels. — *Vai querer dizer isso para mim?*, penso. Ainda assim, me pergunto o que exatamente Nick quis dizer. — De qualquer forma, é o que ele sempre quis fazer. — Parece diferente agora, mais melancólico. — Jornalismo investigativo. Isso ou escrever um romance. Eu me lembro de ele dizer que queria escrever alguma coisa que deixasse a mãe de vocês orgulhosa. Ele comentou isso durante a viagem.

— Você quer dizer aquela viagem que fizeram depois da faculdade? — A maneira como ele disse "a viagem" fez com que soasse importante. A viagem. Penso no protetor de tela. Algum instinto me diz para continuar explorando o assunto. — Como foi? Vocês viajaram por toda a Europa, não foi?

— Sim. — Seu tom muda de novo: mais leve, animado. — Passamos o verão inteiro viajando. Éramos quatro: dois outros caras, Ben e eu. Quer dizer, foi um perrengue. Trens sujos e sem ar-condicionado, banheiros entupidos. Dias, semanas, dormindo sentados em bancos de plástico duro, comendo pão velho, mal lavando nossas roupas. E então, quando conseguíamos lavá-las, tínhamos que usar lavanderias.

Ele parece empolgado. *Querido*, penso, *se você acha que isso é passar perrengue, não sabe a sorte que tem*. Visualizo seu apartamento minimalista: os alto-falantes Bang & Olufsen, o iMac, toda aquela riqueza furtiva. Eu meio que gostaria de odiá-lo por isso, mas não consigo. Há algo de melancólico nele. Eu me lembro da oxicodona no banheiro.

— Para onde vocês foram? — pergunto.

— Para tudo quanto é lugar. Um dia estávamos em Praga, no outro, em Viena, alguns dias depois, em Budapeste. Às vezes simplesmente passávamos uma semana indo à praia e frequentando casas noturnas todas as noites, como fizemos em Barcelona. E perdemos um fim de semana inteiro depois de uma intoxicação alimentar em Istambul.

Eu aceno com a cabeça, como se soubesse do que ele está falando, mas não tenho certeza se conseguiria apontar todos aqueles lugares em um mapa.

— Então era isso que o Ben estava fazendo — digo. — Parece bem diferente de um quarto e sala em Haringey.

— Onde fica Haringey?

Olho para ele, intrigada. Até pronunciou o nome errado. Mas é claro que um garoto rico como ele nunca teria ouvido falar desse lugar.

— Norte de Londres. É de onde nós somos, Ben e eu. Já naquela época, ele mal podia esperar para ir embora, viajar. Na verdade, isso me fez lembrar de uma coisa...

— O quê?

— Minha mãe, ela costumava nos deixar sozinhos muitas vezes, quando saía. Ela trabalhava por turnos e nos trancava em casa por volta das seis, para não nos metermos em confusão... Aquela área da cidade pode ser bem violenta... E nós ficávamos muito entediados. Mas o Ben tinha um globo terrestre antigo... Você sabe, um daqueles iluminados. Ele passava horas girando o globo, apontando os lugares aonde poderíamos ir. Descrevendo-os para mim: mercados de especiarias, mares turquesa, cidades no topo de montanhas... Só Deus sabe como ele sabia essas coisas. Na verdade, provavelmente inventou tudo. — Eu me desvencilho da lembrança. Acho que nunca falei com ninguém sobre isso. — Enfim. Parece que vocês se divertiram. A foto no seu descanso de tela era de Amsterdã, não era?

Eu olho para Nick, mas ele está encarando a noite. Minha pergunta fica pairando no ar frio do outono.

CONCIERGE

Portaria

Do pátio, observo o terraço. Vi as luzes se acenderem um tempo atrás. Agora noto alguém se aproximar da grade. Ouço o som de vozes, as notas tênues de música flutuando no ar. Um contraste com os sons vindos lá de fora, a algumas ruas de distância, o alarde das sirenes da polícia. Acabei de ouvir no rádio: os protestos estão recomeçando pra valer esta noite. Não que algum deles lá em cima saiba disso ou se importe com essas coisas.

O rádio foi um presente dele, na verdade. E há poucas semanas eu o vi lá no terraço também, fumando um cigarro com a mulher do bêbado do primeiro andar.

Quando a silhueta junto à grade se vira, percebo que é ela, a garota hospedada no apartamento dele. De alguma forma, ela teve acesso à cobertura. Será que foi convidada? Certamente, não. Se for parecida com o irmão, imagino que tenha se convidado.

Em poucos dias, ela teve acesso a partes deste prédio nas quais eu mesma nunca entrei, apesar de trabalhar aqui há anos. Isso era esperado. Não sou um deles, é claro.

Em todo o tempo em que trabalhei aqui, só me lembro do grande Jacques Meunier olhando para mim duas vezes, falando comigo uma única vez. Mas é claro que para um homem como ele eu mal sou humana. Sou algo praticamente invisível.

Mas essa garota também é uma intrusa. Tanto quanto eu... talvez até mais. Pelo visto, também gosta de ascender, como o irmão. De se insinuar. Será que ela sabe no que se meteu quando veio para cá? Acho que não.

Vejo outra silhueta aparecer atrás dela. É o jovem do segundo andar. Prendo a respiração. Ela está perto demais da grade. Só espero que saiba o que está fazendo. Subir tão alto, tão rápido... só aumenta a queda.

NICK

Segundo andar

Contar a Jess sobre a viagem trouxe tudo de volta, aquela animação. A euforia de se deslocar entre cidades diferentes, jogando rodadas intermináveis de pôquer com um baralho velho e surrado, bebendo latas de cerveja quente. Falando besteira, falando sobre assuntos profundos... geralmente uma mistura de ambos. Algo real. Só meu. Algo que o dinheiro não podia comprar. Foi por isso que aproveitei a chance de retomar a amizade com Ben, apesar de tudo. Não é a primeira vez que desejo voltar atrás, para aquela inocência.

Eu me contenho. Afinal, nem tudo foram flores. Nem tudo foi inocente, foi?

Nosso amigo Guy quase sofreu uma overdose em uma boate em Berlim, e nós o encontramos jogando água no rosto e tivemos que salvá-lo de basicamente se afogar.

Tivemos que subornar um agente ferroviário húngaro, porque nossos bilhetes haviam expirado e ele estava ameaçando nos jogar para fora do trem no meio de uma floresta de pinheiros.

Quase tivemos nosso pescoço cortado por uma gangue em um beco em Zagreb depois que eles roubaram todo o dinheiro que nos restava.

E teve Amsterdã.

Observo Jess tragando o cigarro. Lembro-me de Ben me contando sobre ela em uma cervejaria em Praga: "Minha meia-irmã Jess... Foi ela quem encontrou a nossa mãe. Era só uma criança. A porta do quarto estava trancada, mas eu tinha ensinado a ela a abrir fechadura com um pedaço de arame... Uma criança de oito anos nunca deveria ter que ver uma cena daquelas. Isso... *merda...*" Lembro que a voz dele falhou um pouco. "Isso ainda me consome, o fato de não estar lá naquela hora."

Eu me pergunto o que isso faria com uma pessoa. Observo Jess, me lembro de tê-la encontrado ontem, prestes a roubar aquela garrafa de vinho. Ou aparecendo neste apartamento hoje à noite, sem ser convidada. Há algo de inconsequente nela... parece capaz de fazer qualquer coisa. Imprevisível. Perigosa. E, depois de hoje de manhã, está claro que tem problemas com a polícia.

— Nunca saí do Reino Unido — diz ela, de repente. — A não ser para Paris, claro. E veja só como as coisas estão.

Eu a encaro.

— Como assim... Esta é a primeira vez que você viaja para o exterior?

— É. — Ela dá de ombros. — Não tive nenhum motivo para viajar antes. Nem dinheiro, para falar a verdade. Então... Como foi em Amsterdã?

Penso a respeito. O fedor dos canais no calor. Éramos um grupo de rapazes, então é claro que fomos direto para o bairro da luz vermelha. De Wallen, como é chamado. O brilho neon das vitrines: laranja, rosa-fúcsia. Garotas de lingerie pressionando-se contra o vidro, sinalizando que havia mais para ver se você estivesse disposto a pagar. E então uma placa: SHOW DE SEXO AO VIVO NO PORÃO.

Os outros quiseram ir; é claro que sim. Basicamente, ainda éramos garotos cheios de tesão.

Atravessamos um túnel, descemos algumas escadas. A luz foi ficando mais fraca. Uma pequena sala. Cheiro de suor azedo, fumaça de cigarro rançosa. Era difícil respirar, como se o ar estivesse ficando mais rarefeito, como se as paredes estivessem se fechando em torno de nós. Uma porta se abriu.

— Eu não posso fazer isso — falei, de repente.

Os outros olharam para mim como se eu tivesse perdido o juízo.

— Mas é isso o que se *faz* em Amsterdã — disse Harry. — É só por diversão. Não vai me dizer que um pouco de boceta te assusta? De qualquer maneira, essas coisas são permitidas aqui. Então não vamos nos meter em nenhuma encrenca, se é com isso que está preocupado.

O APARTAMENTO DE PARIS

145

— Eu sei — respondi. — Eu sei, mas é que... não consigo. Olha, eu vou... Eu vou dar uma volta... Encontro vocês depois.

Dava para ver que eles me achavam um marica, mas não me importei. Eu não podia fazer aquilo. E foi então que Ben olhou para mim. Mesmo que não tivesse como saber, senti que de alguma forma ele compreendia. Mas Ben era exatamente assim. Nosso líder de fato. O adulto do nosso pequeno grupo: de algum jeito, mais experiente do que o restante de nós. O que conseguia usar a lábia para entrar em qualquer boate, em qualquer albergue que estivesse supostamente lotado, e para sair de situações delicadas também: foi ele quem pagou o suborno. Fiquei com inveja disso. Não dá para aprender nem comprar esse tipo de charme. Mas eu havia me perguntado se talvez apenas um pouco daquela autoconfiança, daquela certeza, pudesse passar para mim.

—Vou com você, cara — disse ele.

Uivos de decepção dos outros.

—Vai ser estranho se formos só nós dois...

E:

— Qual é o problema de vocês? Porra, pelo amor de Deus.

Mas Ben passou o braço em torno dos meus ombros.

—Vamos deixar esses fracassados com suas emoções baratas — disse ele. — Que tal irmos até um café de maconha?

Saímos do lugar e imediatamente passei a respirar melhor. Fomos até um café a algumas ruas de distância e nos sentamos com nossos baseados já prontos.

Ele se inclinou para a frente.

—Você está bem, cara?

— Ahã... ótimo.

Traguei profundamente, ansioso para ser tomado pelo atordoamento da erva.

— Por que você ficou tão nervoso? — perguntou ele, um momento depois. — Com aquele lugar?

— Não sei. Não quero falar sobre isso. Se você não se importar.

Começamos com as mais fracas. Não pareceram fazer muito efeito no início. Mas quando a onda bateu, senti algo mudar. Na verdade, pensando agora, talvez não tenha sido tanto a maconha. E sim Ben.

— Olha. Eu entendo que você não queira falar. Mas se precisar desabafar, sabe? — Ele ergueu as mãos. — Não vou julgar.

Pensei naquele lugar, nas garotas. Eu o havia escondido por tanto tempo, meu pequeno segredo sombrio. Talvez aquilo fosse uma catarse. Respirei fundo. Dei uma longa tragada no baseado. E então desatei a falar. Depois que comecei, não queria mais parar.

Contei a ele sobre meu presente de aniversário de dezesseis anos. Meu pai tinha dito que estava na hora de eu me tornar um homem. O presente dele para mim. O melhor do melhor para seu filho. Ele queria me proporcionar uma experiência que eu nunca esqueceria.

Eu me lembro da escada que desci. De abrir aquela porta. De dizer a ele que eu não queria aquilo.

— O que foi? — Meu pai me encarou. — Acha que é bom demais para isso? Vai cuspir no prato que comeu? Qual é o seu problema, garoto?

Contei a Ben que fiquei lá. Porque tinha que ficar. E que saí daquele lugar como uma pessoa diferente; mal havia me tornado um homem. Aquele episódio tinha deixado uma marca.

De repente, tudo estava jorrando de mim, todos os meus segredos, coisas que eu nunca havia contado a ninguém, como uma cachoeira pútrida. E Ben ficou sentado ouvindo, na penumbra do café.

— Meu Deus — disse ele, com as pupilas dilatadas. — Isso é realmente doentio.

Eu me lembro disso com clareza.

— Não contei essas coisas a mais ninguém — falei. — Não... não conte aos outros, está bem?

— Seu segredo está seguro comigo — disse Ben.

Depois disso, passamos para os tipos de maconha mais fortes. Incentivando um ao outro. Foi então que bateu. Nós nos olhávamos e simplesmente ríamos, embora não soubéssemos por quê.

— Não conhecemos muito a cidade — digo a Jess, agora. — Então, não sou nenhum especialista. Mas se quiser indicação de um bom café de maconha, essa é uma informação que eu provavelmente posso te dar.

Se ao menos a noite tivesse acabado ali. Sem o que veio em seguida. Sem a escuridão. A água negra do canal.

O APARTAMENTO DE PARIS

JESS

— Espere aí — digo. — Você me contou que fazia mais de uma década que não via o Ben quando se encontraram de novo.

— É.

— E isso foi depois dessa viagem, certo?

— Sim. Eu não o via desde essa época.

Deixo isso no ar por um momento, esperando que ele continue, que explique o longo período de afastamento. Silêncio.

— Preciso fazer uma pergunta — digo. — Que diabos aconteceu em Amsterdã? — falo sobretudo em tom de brincadeira. Mas parece haver algo ali. Na mudança da voz dele quando falou sobre o assunto.

Por um instante, o rosto de Nick é uma máscara. Então ele parece se lembrar de sorrir.

— Ah. Coisas de garoto. Você sabe.

Uma rajada de vento gelado nos atinge, arrancando folhas dos arbustos e jogando-as no ar.

— Meu Deus! — digo, passando os braços em volta do corpo e quase morrendo de frio.

— Você está tremendo — comenta Nick.

— É, bem... Este casaco não é muito adequado para o frio. O que tem de melhor na *Primarni* — digo, imitando o sotaque francês, embora duvide muito que Nick vá entender a brincadeira com a Primark.

Ele estende a mão para mim, um movimento tão repentino que recuo subitamente.

— Desculpe! — diz ele. — Não queria te assustar. Tem uma folha no seu cabelo. Só um segundo, vou tirar.

— Provavelmente tem de tudo aí — digo, tentando fazer uma piada. — Comida, bitucas de cigarro, a merda toda.

Sinto o calor de sua respiração em meu rosto, seus dedos em meu cabelo enquanto ele desembaraça a folha.

— Pronto...

Ele me mostra: é uma folha seca de hera marrom. Seu rosto ainda está muito perto do meu. Tenho a impressão de que ele talvez esteja prestes a me beijar, porque a gente simplesmente sabe dessas coisas. Já faz muito tempo que não sou beijada por ninguém. E me vejo entreabrindo ligeiramente os lábios. Então, somos mergulhados na escuridão outra vez.

— Merda — pragueja Nick. — São os sensores... Estamos parados demais.

Ele move o braço e as luzes se acendem outra vez. Mas o que quer que estivesse acontecendo entre nós dois passou. Pisco para afastar os pontos de luz dos meus olhos. Onde eu estava com a cabeça? Estou tentando encontrar meu irmão desaparecido. Não tenho tempo para isso.

Nick dá um passo para trás.

— Bom — diz ele, sem me encarar. — Vamos voltar lá para baixo?

Nós descemos para o apartamento.

— Ei — digo —, acho que vou procurar o banheiro.

Preciso me recompor.

— Quer que eu te mostre onde fica? — oferece Nick.

Percebo que ele claramente está familiarizado com o apartamento, apesar de ter dito que não vem aqui com frequência.

— Não, eu me viro. Obrigada.

Ele volta para junto dos outros. Eu avanço por um corredor pouco ilumi-nado. Tapete espesso sob meus pés. Mais obras de arte penduradas nas paredes. Abro as portas pelo caminho: não sei exatamente o que estou procurando, mas sei que preciso encontrar alguma coisa que me dê mais informações so-bre essas pessoas, ou sobre qual era a ligação de Ben com elas.

O apartamento de Paris

Encontro dois quartos: um muito masculino e impessoal, como imagino que devam ser os quartos de um hotel de negócios elegante, e o outro, mais feminino. Parece que Sophie e Jacques Meunier dormem em quartos separados. Interessante, embora talvez não surpreendente. Anexo ao quarto de Sophie há um guarda-roupas do tamanho de um cômodo, com fileiras de sapatos de salto alto e botas em tons sóbrios de preto, marrom e caramelo, cabides com vestidos e camisas de seda, pilhas de suéteres que parecem caros, intercalados com papel de seda. Em um canto há uma penteadeira ornamentada com uma cadeira delicada, de aparência antiga, e um espelho grande. Achei que só as Kardashian e personagens de filmes tinham quartos como esse.

Também encontro o banheiro, grande o suficiente para uma aula de ioga, com uma enorme banheira de imersão revestida de mármore e duas pias. A porta seguinte se abre para o vaso sanitário; se você é rico, suponho que não faça xixi no mesmo recinto onde toma banho com óleos perfumados. Uma rápida olhada nos armários, mas não encontro nada além de alguns sabonetes embrulhados em um papel muito chique, de alguma marca chamada Santa Maria Novella. Surrupio uns dois.

A sala diante do banheiro parece um escritório. Cheira a couro e madeira velha. Uma enorme escrivaninha antiga com tampo de couro vinho ocupa o centro do ambiente. Há uma grande imagem em preto e branco diante dela, que de início penso ser uma imagem abstrata, mas então, de repente — como se olhasse por um olho mágico —, percebo que é na verdade uma foto do torso de uma mulher: seios, umbigo, pelos pubianos em forma de "v" entre as pernas. Encaro a imagem por um momento, surpresa. Parece algo muito estranho para se pendurar no escritório, mas imagino que se possa fazer o que quiser quando se trabalha de casa.

Tento abrir as gavetas da escrivaninha. Estão trancadas, mas esse tipo de fechadura é muito fácil de arrombar. Consigo abrir a primeira em mais ou menos um minuto. A primeira coisa que encontro são algumas folhas de papel. Aparentemente, está faltando a primeira folha, porque estão numeradas com "2" e "3" na parte inferior. Parece uma lista de preços. Não, contas. Vinhos, eu acho, pois está escrito "Safra" no topo de uma coluna. O número de garrafas compradas: nunca mais do que quatro, pelo que eu noto. Um preço ao lado de cada vinho. Meu Deus. Algumas dessas garrafas parecem custar mais de mil euros. E parece ter o nome de uma pessoa ao lado de cada uma das entradas. Quem gasta tanto dinheiro assim com vinho?

Enfio a mão bem no fundo da gaveta para ver se há mais alguma coisa lá dentro. Meus dedos se fecham em torno de algo pequeno e com textura de couro. Puxo o objeto para fora. É um passaporte. Muito antigo, ao que parece. Na frente há um desenho circular dourado e algumas letras que parecem estrangeiras. Russo, talvez? Também tem um estilo antigo. Abro e encontro uma foto em preto e branco de uma jovem. Tenho a mesma sensação de quando olhei para aquele retrato sobre a lareira. De que conheço essa pessoa de algum lugar... embora não consiga identificá-la. As bochechas e os lábios carnudos, o cabelo comprido, selvagem e ondulado, as sobrancelhas modeladas em meias-luas finas. De repente, eu me dou conta. Algo no formato da boca, na inclinação do queixo. É Sophie Meunier, só que cerca de trinta anos mais jovem. Olho para a capa do passaporte novamente. Então ela é na verdade russa ou algo assim, e não francesa. Que estranho.

Fecho a gaveta. Quando faço isso, alguma coisa cai da mesa com um baque. Merda. Eu pego; não quebrou, graças a Deus. Um porta-retratos com moldura de prata. Uma fotografia elegante, formal. Não sei como não a notei antes; eu devia estar muito focada nas gavetas. Há várias pessoas nela. Reconheço o homem primeiro. É Jacques Meunier, marido de Sophie: o sujeito da pintura. E lá está Sophie Meunier ao lado dele, em alguma época entre sua idade atual e a que tinha na foto do passaporte, exibindo o que provavelmente era para ser um sorriso, mas que saiu como uma careta fria. E também três crianças. Franzo a testa, semicerrando os olhos para ver os rostos, e aproximo a foto, tentando enxergá-la melhor sob a luz fraca. Dois adolescentes — meninos — e uma garotinha.

O garoto que parece mais novo tem cabelos dourados. Eu já o vi. E então me lembro. Eu o vi em uma fotografia no apartamento de Nick, ao lado de um barco à vela, a mão de um homem em seu ombro. O garoto mais novo é Nick.

Espere. Espere aí, isso não faz sentido. Exceto pelo fato de que, de repente, faz um sentido terrível. O garoto mais velho de cabelo escuro e cara fechada, já quase um rapaz... acho que é Antoine. E a garotinha de cabelo escuro... Olho a foto mais de perto. Há algo de familiar em sua expressão assustada. É Mimi. As pessoas nessa foto são...

É então que ouço meu nome sendo chamado. Há quanto tempo estou aqui? Largo a foto na mesa com um estrépito, minhas mãos de repente inábeis. Eu me esgueiro pela sala até a porta e espreito o corredor pela fresta. A

O APARTAMENTO DE PARIS

porta no fim do corredor ainda está fechada, mas assim que olho ela começa a se abrir. Enquanto ainda há tempo de não ser vista, atravesso o corredor depressa e entro no banheiro.

Ouço Nick me chamando:

— Jess?

Abro a porta do banheiro novamente e saio com minha melhor expressão de surpresa inocente. Meu coração martela em algum lugar perto da minha garganta.

— Oi! — digo. — Tudo bem?

— Ah — diz Nick. — Eu só... Bem, Sophie me pediu para ver se você não tinha se perdido. — Ele abre aquele sorriso de cara legal, e eu penso que não sei nada sobre esse homem.

— Não. Está tudo bem. — Por mais inacreditável que seja, minha voz soa quase normal. — Já estava voltando.

Eu sorrio.

E o tempo todo estou pensando: *Eles são uma família, eles são uma família.* O gentil Nick, a gélida Sophie, o bêbado Antoine e a calada e intensa Mimi.

Que porra é essa?

SOPHIE
Cobertura

Todos foram embora. Minha mandíbula está rígida com o esforço de manter uma máscara de serenidade. Aquela garota aparecendo aqui atrapalhou completamente meus planos para a noite. Não consegui nada do que queria com os outros.

A garrafa de vinho está aberta na mesa. Bebi muito mais do que se Jacques estivesse aqui. Ele ficaria horrorizado se me visse bebendo bem mais que uma taça. Mas passei muitas noites sozinha aqui ao longo dos anos. E imagino que não seja diferente das outras mulheres da minha posição social. Deixadas às voltas com seus apartamentos enormes enquanto o marido está fora com amantes ou preso no trabalho.

Quando me casei com Jacques, entendi que era uma troca. Minha juventude e beleza em troca da riqueza dele. Com o passar dos anos, como acontece nesse tipo específico de contrato, meu valor apenas diminuiu enquanto o dele aumentou. Eu sabia no que estava me metendo e, no geral, não me arrependo da minha escolha. Mas talvez não tivesse contado com a solidão, com as horas vazias. Olho para Benoit dormindo em sua caminha no canto. Não surpreende que tantas mulheres como eu tenham cachorros.

Ficar sozinha, no entanto, é melhor do que a companhia dos meus enteados. Eu vejo como Antoine e Nicolas olham para mim.

Pego a garrafa e despejo o restante em uma taça. O líquido chega até a borda. Eu bebo. É um bordô muito refinado, mas não tem um gosto tão bom assim. A acidez faz o fundo da garganta e minhas narinas arderem como se fosse vômito.

Abro outra garrafa e começo a beber também. Tomo direto do gargalo dessa vez, virando o vidro na vertical. O vinho desce rápido demais para eu conseguir engoli-lo, então começo a tossir. Minha garganta queima, em carne viva. O vinho escorre pelo meu queixo, pelo pescoço. O líquido frio é estranhamente refrescante. Sinto-o penetrar a seda da minha camisa.

Eu o encontrei no pátio, na manhã seguinte à noite em que bebemos todos juntos, conversando com Camille, a colega de apartamento de Mimi, em uma área com sol. Jacques certa vez me disse que aprovava aquela garota morando com nossa filha. Uma boa influência. Nada a ver com os lábios rosados, o delicado nariz arrebitado, os seios pequenos e firmes, tenho certeza.

Ela se inclinava na direção de Benjamin Daniels como um girassol em um campo provençal se inclina na direção do sol, a blusa xadrez Vichy escorregando dos ombros bronzeados, o short branco tão curto que dava para ver metade de cada nádega bronzeada sob a bainha. Os dois juntos eram lindos, assim como ele e Dominique eram lindos; impossível não enxergar isso.

— *Bonjour, madame Meunier* — trinou Camille.

Um breve aceno enquanto ela passava o peso de uma perna para a outra. O *"madame"* bem calculado, sem dúvida para que eu sentisse toda a força cruel de sua juventude. O celular dela tocou. Ela leu o que quer que tenha chegado, um sorriso se formando como se tivesse recebido uma mensagem secreta de um amante. Levou os dedos aos lábios. Aquilo tudo era uma encenação para ele, talvez: destinada a seduzir, intrigar.

— Tenho que ir — disse ela. — *Salut*, Ben!

Em seguida, se virou e soprou um beijo para ele.

E então ficamos apenas eu e Benjamin Daniels no pátio. E a concierge, é claro. Eu tinha certeza de que ela estava assistindo a tudo de sua casinha.

— Você deixou isso aqui lindo — disse ele.

Como ele sabia que era tudo obra minha?

— O jardim não está dos melhores — confessei a ele. — Nesta época do ano, tudo está quase morrendo.

— Mas eu adoro as cores exuberantes. Me diga, o que são aquelas ali?

— Dálias. Agapantos.

Ele me perguntou sobre vários canteiros. Parecia genuinamente interessado, embora eu soubesse que estava apenas tentando me agradar. Mas não o impedi. Estava gostando de contar a ele — contar a alguém — sobre o oásis que eu havia criado. Por um momento, quase esqueci minhas suspeitas a seu respeito.

E então ele se virou para mim.

— Faz tempo que eu queria lhe perguntar... Seu sotaque me intriga. Você é originalmente da França?

— Como assim?

Eu me esforcei para não perder o controle da minha expressão, sentindo a máscara cair.

— Percebi que nem sempre você usa o artigo definido. E as suas consoantes são um pouco mais fortes que as de um nativo. — Ele fez um gesto unindo o polegar e o indicador. — Só um pouco. De onde você é, na verdade?

— Eu... — Por um instante, não consegui falar.

Ninguém jamais havia comentado sobre meu sotaque, nem mesmo os franceses; nem mesmo os parisienses, que são os mais esnobes do mundo. Eu tinha começado a me gabar de tê-lo eliminado de vez. De que meu disfarce estava completo, era infalível. Naquele momento, no entanto, me dei conta de que, se Ben havia percebido, e ele nem sequer era francês, outras pessoas deviam ter percebido também, é claro que sim. Era uma rachadura, uma fenda na armadura que deixava transparecer meu antigo eu. Tudo que eu havia cuidadosamente adotado, tudo que havia me esforçado tanto para aprimorar... Com aquela simples pergunta, ele estava dizendo: *Você não me engana.*

— Não gosto dele — comentei com Jacques, mais tarde. — Não confio nele.

— O que é que você quer dizer com isso? Fiquei bem impressionado com ele ontem à noite. Dá para sentir ambição nele. Talvez seja uma boa influência para os trastes dos meus filhos.

O que eu poderia dizer? *Ele comentou sobre o meu sotaque? Não gosto de como ele parece estar sempre nos observando? Não gosto do sorriso dele?* Pareciam argumentos muito frágeis.

— Não quero ele aqui — afirmei. Foi a única coisa que me ocorreu. — Acho que você deveria pedir que ele fosse embora.

O apartamento de Paris

— É mesmo? — disse Jacques, de maneira bastante amável. Amável demais. — Agora você vai me dizer quem eu posso ou não permitir na minha própria casa?

E esse foi o fim da conversa. Eu sabia que não deveria dizer mais nada sobre o assunto. Não por enquanto. Teria que pensar em outra maneira de livrar este lugar de Benjamin Daniels.

Na manhã seguinte, um novo bilhete chegou:

Eu sei quem você é, Sophie Meunier. Conheço os segredos vergonhosos que se escondem sob essa carinha burguesa. Podemos manter isso apenas entre nós, ou o restante do mundo também pode ficar sabendo. Peço apenas uma pequena taxa pelo meu silêncio.

A quantia que meu chantagista estava pedindo havia dobrado.

Suponho que alguns milhares de euros deviam parecer uma ninharia para alguém que mora em um apartamento que vale vários milhões. Mas o apartamento está no nome de Jacques. O dinheiro, retido nas contas de Jacques, em seus investimentos, seus negócios. O nosso arranjo sempre foi à moda antiga; em nenhum momento tive um centavo além daquilo que me foi entregue para as despesas da casa e para os gastos com meu guarda-roupa. Antes de me tornar parte deste mundo, eu não fazia ideia de como o dinheiro que move suas engrenagens é invisível. Fica tudo guardado, investido, com ou sem liquidez, muito pouco disponível em dinheiro vivo.

Mesmo assim, não contei a Jacques. Eu sabia que ele ia reagir mal, o que só pioraria as coisas. Eu sabia que, se contasse a ele, tornaria isso real, desenterraria o passado. E isso só reforçaria o desequilíbrio de poder que existia entre mim e meu marido. Não, em vez disso, ia encontrar uma maneira de pagar. Ainda me sentia capaz de lidar com aquilo sozinha. Escolhi uma pulseira de diamantes dessa vez: um presente de aniversário.

Na manhã seguinte, obedientemente deixei mais um maço de notas imundas em um envelope creme embaixo do degrau solto.

Estou me olhando no espelho do outro lado da sala. A mancha carmesim do vinho se espalhando. Fico paralisada com a visão. O vermelho penetrando na seda clara da camisa. Como sangue derramado.

Arranco a camisa. Ela se rasga facilmente. Os botões de madrepérola explodem do tecido, saltitando para os cantos da sala. Em seguida, a calça. A lã fina e macia é justa, aderente. Um momento depois, estou no chão, me debatendo para tirá-la do corpo. Estou suando. Ofegante como um animal.

Olho para mim mesma de lingerie comprada a um preço elevado pelo meu marido, mas raramente vista por ele. Observo este corpo, privado de tanto prazer, ainda tão torneado pelos anos de dieta. Meu colo um xilofone, a forquilha de osso da minha pelve. Um dia, meu corpo foi marcado por curvas e firmeza. Algo que despertava luxúria ou desdém. Algo para ser tocado. Com grande esforço, transformei-o em algo a ser escondido, sobre o qual se deve colocar roupas adequadas a uma mulher da minha posição.

Meus lábios estão manchados de vinho. Meus dentes também. Eu abro bem a boca.

Encarando a mim mesma no espelho, dou um grito silencioso.

JESS

Dei minhas desculpas para sair da cobertura o mais rápido que pude. Eu só queria ir embora dali. Por um momento, sentindo que todos me observavam, me perguntei se algum deles tentaria me impedir. Até abrir a porta, pensei que poderia sentir a mão de alguém em meu ombro. Desci rapidamente para o apartamento de Ben, a nuca formigando.

Eles são uma família. Eles são uma família. E este não é o apartamento de Ben, não de verdade. Nesse instante, estou sentada aqui, dentro do lar de uma família. Por que diabos Ben não me contou isso? Não pareceu importante? Ele não sabia?

Penso em como fiquei impressionada com o francês fluente de Nick na delegacia. Claro que ele é fluente: é sua língua materna. Tento me lembrar da nossa primeira conversa. Em nenhum momento, pelo que me recordo, ele me disse que era inglês. Depois de toda aquela conversa sobre Cambridge, simplesmente presumi... e ele não me corrigiu.

Embora ele *tenha* mentido para mim sobre uma coisa. Fingiu que seu sobrenome era Miller. Por que escolheu esse sobrenome em particular? Eu me lembro dos resultados que encontrei quando o procurei na internet. Será que ele escolheu esse sobrenome simplesmente porque é muito genérico? Vou até a estante de livros de Ben, pego seu dicionário de francês-inglês cheio de orelhas, folheio a letra "M". Eis o que encontro:

meunier (mønje, jɛR) **masculine noun**: miller

Miller = Meunier. Ele me deu uma tradução do seu sobrenome, que é também uma palavra comum, moleiro.

Mas tem uma coisa que não entendo. Se Nick tem segundas intenções, intenções escusas, por que estava tão disposto a ajudar? Por que foi até a delegacia comigo falar com o *commissaire* Blanchot? Não faz sentido. Talvez ele tenha outro motivo mais inocente para esconder tudo isso de mim. Talvez eles sejam apenas uma família extremamente reservada, por serem tão ricos. Ou vai ver acham que eu sou uma completa idiota...

Um arrepio percorre meu corpo quando penso neles esta noite, bebendo juntos. Observando-me como um animal no zoológico. Penso em como não fazia sentido que um grupo tão aleatório de pessoas escolhesse se reunir. Em como eles pareciam não ter nada em comum. Mas uma família... é diferente. Você não precisa ter nada em comum com a sua família; o que os une é a ligação de sangue. Quer dizer, imagino que seja assim. Nunca tive uma família de fato. E me pergunto se foi por isso que não descobri a verdade. Porque não consegui ler os sinais, as pequenas pistas importantes. Não sei como funcionam as famílias.

Coloco o dicionário de volta na estante. Ao fazer isso, uma folha de papel se desprende e cai no chão. Imagino que seja uma das páginas do dicionário, que está caindo aos pedaços, até pegá-la. Levo um instante para descobrir por que a reconheço. Tenho certeza de que é a primeira folha das contas que encontrei na gaveta da escrivaninha na cobertura. Sim, tem o número "1" no fim da página. E contém as mesmas coisas: as safras, os preços pagos, os sobrenomes das pessoas que compraram os vinhos, tudo com um pequeno "M" na frente. Mas o interessante é o que está impresso no topo da folha de papel. O símbolo de uma explosão de fogos de artifício em relevo dourado. Igual ao estranho cartão de metal que Ben tinha na carteira, o mesmo que emprestei a Theo ontem. Outra coisa interessante é que Ben — com os mesmos garranchos do seu caderninho — escreveu algo na margem:

Números não fazem sentido. Os vinhos certamente custam muito menos do que esses preços.

O APARTAMENTO DE PARIS

Então, embaixo, sublinhado duas vezes: *Perguntar a Irina.*

Meu coração se acelera um pouco. Isso é uma conexão. Algo importante. Mas que diabos vou fazer para descobrir o que isso significa? E quem é Irina?

Pego meu celular e tiro uma foto. Usando o wi-fi de Nick de novo, eu a envio para Theo.

Encontrei isso nas coisas do Ben. Alguma ideia?

Penso em nosso encontro no café. Não tenho certeza se confio totalmente no cara. Não estou nem mesmo convencida de que ele vá me responder. Mas ele é de fato a única pessoa que me resta...

Meu polegar paira sobre o celular. Fico imóvel. Acabei de ouvir alguma coisa. O som de algo arranhando a porta da frente do apartamento. Eu me pergunto brevemente se é o gato antes de perceber que ele está esparramado no sofá. Sinto um aperto no peito. Tem alguém lá fora tentando entrar.

Eu me levanto. Sinto necessidade de procurar alguma coisa com a qual me defender. Eu me lembro da faca muito afiada na cozinha de Ben, a com os caracteres japoneses. Vou até lá e a pego. Então me aproximo da porta. E a abro com um gesto rápido.

—Você.

É a velha. A concierge. Ela dá um passo para trás. Ergue as mãos. Acho que está segurando alguma coisa no punho direito. Não identifico o que é; seus dedos estão cerrados com muita força.

— Por favor... *Madame...* — Sua voz é rouca, como se estivesse enferrujada por falta de uso. — Por favor... Eu não sabia que a senhora estava aqui. Pensei...

Ela para de forma abrupta, mas percebo seu olhar involuntário para cima.

—Você achou que eu ainda estava lá em cima, não é? Na cobertura. — Então ela está de olho na minha movimentação por aqui. — Aí pensou... o quê? Que podia vir até aqui bisbilhotar? O que é isso na sua mão? Uma chave?

— Não, *madame...* não é nada. Juro.

Mas não abre os dedos para me mostrar.

Algo me ocorre.

— Foi *você* ontem à noite? Entrando aqui escondida? Fuxicando o apartamento?

— Por favor. Eu não sei do que a senhora está falando.

Ela está se encolhendo para trás. E de repente não me sinto nada bem com isso. Posso não ser grande, mas ela é ainda menor do que eu. É uma idosa. Abaixo a faca, pois não tinha percebido que a estava apontando para ela. Estou um pouco chocada comigo mesma.

— Olha, me desculpe. Está tudo bem.

Quão perigosa ela pode realmente ser? Uma velhinha como ela?

Sozinha de novo, avalio minhas opções. Eu poderia confrontar Nick sobre tudo isso, ver o que ele diz. Perguntar a ele o que achava que estava fazendo ao me dar um sobrenome falso. Forçá-lo a se explicar. Mas logo rejeito essa opção. Tenho que fingir que não sei de nada. Se ele souber que descobri seu segredo — o segredo deles —, isso vai me transformar em uma ameaça para ele e para o que quer que possa estar tentando esconder. Se ele achar que ainda não sei de nada, talvez eu possa continuar investigando, invisível bem à vista de todos. Quando encaro as coisas dessa forma, meu novo conhecimento me dá certo poder. Desde o início, desde que pisei neste prédio, os outros tinham todas as cartas na mão. Agora eu tenho minha própria carta. Apenas uma, mas talvez seja um ás. E vou usá-lo.

MIMI
Quarto andar

Quando volto para o apartamento, a única coisa que quero é ir para o meu quarto e puxar as cobertas sobre a cabeça, me afundar na escuridão com *Monsieur* Gus, o pinguim, e dormir por dias. Estou exausta depois de beber lá em cima, do esforço que aquilo me custou. Mas quando tento abrir a porta da frente, encontro o caminho bloqueado por engradados de cerveja, garrafas de bebida e MC Solaar retumbando nos alto-falantes.

— *Qu'est-ce qui se passe?* — grito. — O que está acontecendo?

Camille surge vestindo uma cueca samba-canção e uma camisola de renda, o cabelo loiro sujo preso no topo da cabeça em um coque desgrenhado, segurando um baseado aceso.

— Nossa festa de Halloween! — diz ela, sorrindo. — É hoje à noite.

— Festa?

Ela me olha como se eu tivesse enlouquecido.

— É. Lembra? Nove e meia, lá embaixo, na *cave*, para ter um clima sinistro... Depois talvez a gente possa trazer algumas pessoas para cá, para o pós. Você disse que seu pai devia estar fora esta semana.

Putain. Esqueci completamente. Será que concordei com isso? Se concordei, parece que foi há séculos. Não posso receber pessoas aqui, não consigo lidar...

— Não podemos dar uma festa. — Tento parecer firme, assertiva. Mas minha voz sai baixa e estridente.

Camille olha para mim. Em seguida, dá uma risada.

— Rá! Você está brincando, é claro. — Ela se aproxima e bagunça meu cabelo, dá um beijo na minha bochecha, cheirando a maconha e perfume Miss Dior. — Mas por que esse bico, *ma petite chou*? — Então se afasta e me olha direito. — Espere. *Es-tu sérieuse?* Mas que *merda*, Mimi! Você acha que posso simplesmente cancelar agora, às, o quê, oito e meia? — Ela está me encarando, olhando para mim de verdade, como se fosse a primeira vez. — Qual é o seu problema? O que está acontecendo?

— *Rien* — respondo. *Nada.* — Tudo bem. Só estava brincando. Eu... hum... mal posso esperar pela festa, na verdade.

Mas estou cruzando os dedos às costas como fazia quando era criança, mentindo. Camille está olhando atentamente para mim agora; não consigo sustentar o olhar dela.

— Só não dormi bem ontem à noite — digo, transferindo o peso de um pé para o outro. — Olha, eu... Tenho que me arrumar. — Sinto minhas mãos tremendo. Cerro-as em punhos. Quero encerrar essa conversa logo. — Preciso resolver minha fantasia.

Isso a distrai, graças a Deus.

— Eu contei que vou vestida como uma das aldeãs de *Midsommar*? — pergunta ela. — Encontrei um vestido camponês vintage incrível no mercado de pulgas... e vou jogar um monte de sangue falso nele também... Vai ficar muito maneiro, *non*?

—Vai — digo, com a voz rouca. — Muito maneiro.

Corro para me trancar no quarto, em seguida me recosto na porta e respiro fundo. As paredes índigo me envolvem como um casulo escuro. Olho para o teto, onde, quando era pequena, colei várias estrelinhas que brilham no escuro e tento me lembrar da criança que costumava olhar para elas antes de adormecer. Então observo o meu pôster de Cindy na parede oposta e sei que é apenas minha imaginação, mas de repente ela parece diferente: de olhos arregalados e assustados.

Sempre adorei essa época do ano, especialmente o Halloween. A chance de mergulhar na escuridão depois de toda a alegria entediante e todo o calor do verão. Mas nunca gostei de festas, mesmo nos meus melhores momentos. Fico tentada a me esconder aqui. Olho para o espaço imerso em sombras sob a cama. Talvez eu possa me enfiar ali como fazia quando criança — quando papai estava com raiva, por exemplo — e esperar que tudo acabe...

Mas não adianta. Isso só vai deixar Camille mais desconfiada, mais persistente. Sei que não tenho opção a não ser dar as caras na festa e ficar tão bêbada a ponto de não lembrar nem meu nome. Com um delineador velho e espesso, tento desenhar uma teia de aranha preta na bochecha para que Camille não diga que não me esforcei, mas minhas mãos estão tremendo tanto que não consigo segurar o pincel com firmeza. Então acabo fazendo um risco torto dos olhos até a bochecha, como se tivesse chorado lágrimas negras, rios de fuligem.

Quando me olho no espelho de novo, dou um passo para trás. É meio assustador: minha aparência transparece o que sinto por dentro.

CONCIERGE
Portaria

Ela me flagrou. Não é do meu feitio ser tão desleixada. Bem, agora só me resta observar, esperar e tentar novamente quando surgir a oportunidade.

Estou de volta à minha casinha. O interfone no portão toca sem parar. Toda vez eu hesito. Esse é meu pequeno quinhão de poder. Eu poderia impedir a entrada deles, se quisesse. Seria muito fácil repelir os convidados da festa. É claro que não faço isso. Na verdade, observo-os passando aos montes pelo pátio com suas fantasias. Jovens e bonitos; mesmo os que não são de fato bonitos são atraentes por sua juventude. Têm toda a vida pela frente.

Um grito alto; um dos rapazes pula nas costas de outro. Seu comportamento revela a verdade: são crianças, no fundo, apesar do corpo desenvolvido. Minha filha tinha a idade deles quando veio para Paris. É difícil acreditar, ela parecia tão adulta, tão focada, em comparação a esses jovens. Mas é isso que ser pobre faz com você: encurta sua infância, fortalece sua ambição.

Conversei com Benjamin Daniels sobre ela.

No auge da onda de calor de setembro, ele bateu na minha porta. Quando atendi, desconfiada, ele me entregou uma caixa de papelão. Na lateral havia a fotografia de um ventilador elétrico.

— Não estou entendendo, *monsieur.*

Ele sorriu para mim. Tinha um sorriso tão cativante...

— *Un cadeau.* Um presente para você.

Eu o encarei, tentando recusar.

— *Non, monsieur...* É muito generoso da sua parte. Não posso aceitar. O senhor já me deu o rádio...

— Ah, mas isso foi de graça! Juro. Dois pelo preço de um na Mr. Bricolage. Comprei um para o apartamento e agora tenho esse sobrando. Não preciso dele, sinceramente. E imagino que esteja muito abafado aí dentro — observou ele com um aceno de cabeça para meu cubículo. — Quer que eu instale para você?

Ninguém nunca entra na minha casa. Nenhum dos outros jamais esteve aqui. Por um momento, hesitei. Mas *estava* abafado lá dentro. Deixo todas as janelas fechadas para manter minha privacidade, e isso tornou o ar cada vez mais parado e quente até parecer que eu estava dentro de um forno. Então abri a porta e o deixei entrar. Ele me mostrou as diferentes funções do ventilador, me ajudou a posicioná-lo de forma que pudesse ficar sentada diante do vento enquanto observava pelas venezianas. Dava para vê-lo olhando ao redor. Reparando na cômoda minúscula, na cama dobrável, na cortina que leva ao banheiro. Tentei não sentir vergonha; eu sabia que pelo menos estava tudo arrumado e limpo. E então, quando estava saindo, ele perguntou sobre as fotos na minha parede.

— Quem é essa? Que criança linda.

— Essa é minha filha, *monsieur.* — Uma nota de orgulho maternal; já fazia um tempo que eu não sentia isso. — Quando era mais nova. E aqui, um pouco mais velha.

— As fotos são todas dela?

— São.

Ele estava certo. Ela tinha sido uma criança linda, tanto que em nossa antiga cidade, em nossa terra natal, as pessoas me paravam na rua para dizer isso. E, às vezes — porque é assim na nossa cultura —, faziam sinal contra o mau-olhado, me diziam para ter cautela, pois ela era bonita demais e só atrairia infortúnios se eu não tomasse conta. Se ficasse orgulhosa demais, se não a escondesse.

— Qual é o nome dela?

— Elira.

— Foi ela quem veio para Paris?

— Foi.

— E ela ainda mora aqui também?

— Não, não mais. Mas eu vim para cá atrás dela; e fiquei depois que ela se foi.

— Ela deve ser... o que... atriz? Modelo? Bonita assim...

— Ela era uma dançarina muito boa — falei, sem conseguir resistir. De repente, ao ouvir seu interesse, tive vontade de falar sobre ela. Já fazia muito tempo que não contava sobre minha família. — Foi isso que ela veio fazer em Paris.

Eu me lembrei do telefonema, um mês depois. Não se usava muito e--mail naquela época, nem mensagens de texto. Eu esperava semanas por uma ligação que era interrompida pelo bipe nos avisando que as moedas estavam acabando.

— Encontrei um lugar, mamãe. Posso dançar lá. Vão me pagar um bom dinheiro.

— E você tem certeza de que esse lugar é direito? Que é seguro?

Ela riu.

— Sim, mamãe. Fica em uma parte boa da cidade. Só vendo as lojas para acreditar! Pessoas elegantes vão lá, gente rica.

Vejo um dos convidados cambalear até o canteiro de flores mais próximo, o que acabou de ser replantado, e se aliviar ali mesmo na terra. *Madame* Meunier ficaria horrorizada se soubesse, embora eu suspeite que ela tenha assuntos mais urgentes com que se preocupar agora. Normalmente, a ideia de seu precioso canteiro sendo encharcado de urina me proporcionaria um prazer sombrio. Mas esta não é uma circunstância normal. Estou mais aflita com essa invasão do prédio.

Essas pessoas não deveriam estar aqui. Não agora. Não depois de tudo que aconteceu neste lugar.

JESS

Ando de um lado para outro pelo apartamento. Imaginando se eles ainda estão lá em cima, na cobertura, bebendo vinho, rindo da minha estupidez.

Abro as janelas para tentar respirar um pouco de ar fresco. Ao longe, ouço o tênue lamento das sirenes da polícia. Paris parece uma cidade em guerra consigo mesma. Mas, fora isso, tudo está assustadoramente silencioso. Ouço cada rangido das tábuas do assoalho sob meus pés, até mesmo o ruído das folhas secas no pátio.

Então, um grito quebra o silêncio. Paro de andar, o corpo todo tenso. Veio lá de fora...

Em seguida, outra voz se junta ao grito e de repente há uma balbúrdia no pátio: gritos e algazarra. Abro as venezianas e vejo um monte de adolescentes passando pelo portão, atravessando o pátio e entrando no prédio principal, carregando bebidas, gritando e rindo. Claramente há alguma festa acontecendo. Quem é que está dando uma festa aqui? Vejo os chapéus pontudos e as capas esvoaçantes, as abóboras carregadas debaixo do braço, e a ficha cai. Deve ser Halloween. É meio difícil acreditar que existe um mundo, um tempo passando, além do mistério deste apartamento e do desaparecimento de Ben. Se eu ainda estivesse em Brighton, estaria vestida como uma "gata sexy", servindo Jägerbombs em despedidas de solteiro de caras vindos de Londres. Não faz muito mais de quarenta e oito horas que deixei essa vida, mas ela já me parece tão distante, como se tivesse sido muito tempo atrás.

Vejo um garoto parar e fazer xixi em um dos canteiros de flores enquanto seus amigos observam, gargalhando. Fecho as venezianas, esperando que isso ajude a bloquear um pouco o barulho.

Fico sentada por um momento, os sons do lado de fora das janelas abafados, mas ainda audíveis. Algo acabou de me ocorrer. Há uma chance de alguém nessa festa conhecer Ben; ele está morando aqui há alguns meses, afinal. Talvez eu possa descobrir algo mais sobre essa família. E, francamente, qualquer coisa é melhor do que ficar sentada aqui, me sentindo cercada e espionada, sem saber o que eles podem estar planejando para mim.

Não tenho fantasia, mas com certeza posso improvisar com alguma coisa daqui. Entro no quarto e enquanto o gato me observa com curiosidade, sentado sobre as patas traseiras na cômoda de Ben, tiro o lençol da cama. Pego uma faca na gaveta, faço buracos para os olhos e, em seguida, jogo o lençol sobre a cabeça. Vou até o banheiro para dar uma olhada, tentando não tropeçar nas pontas. Não vou ganhar nenhum concurso de fantasia, mas agora estou a caráter, e ainda por cima disfarçada. Para falar a verdade, é muito melhor do que uma maldita gatinha sexy, a fantasia piranhuda mais básica de Halloween.

Abro a porta do apartamento e escuto. Parece que eles estão indo para o porão. Desço a escada em espiral, seguindo a música e o fluxo de convidados pelos degraus que levam à *cave*, as batidas do grave cada vez mais altas, até que as sinto vibrando dentro do meu crânio.

O APARTAMENTO DE PARIS

NICK
Segundo andar

Estou no meu terceiro cigarro da noite. Só comecei a fumar quando voltei para cá; o gosto me enoja, mas preciso do efeito estabilizador da nicotina. Todos aqueles anos de vida saudável e agora olhe só para mim: tragando um Marlboro como um homem que se afoga tomando o último fôlego. Olho para baixo da minha janela enquanto fumo e observo os adolescentes cruzando o pátio aos montes. Quase a beijei esta noite, no terraço. Aquele momento, estendendo-se entre nós dois. Até que pareceu a única coisa que fazia sentido.

Meu Deus. Se as luzes não tivessem se apagado e me arrancado do meu transe, eu a teria beijado. E onde estaria agora?

A irmã dele. *Irmã* dele.

Onde eu estava com a cabeça?

Entro no banheiro. Apago o cigarro na pia, fazendo-o soltar um chiado úmido. Olho no espelho.

Quem você pensa que é?, meu reflexo me pergunta, silenciosamente. Mais importante: *quem* ela *pensa que você é?*

O bom moço. Ávido por ajudar. Preocupado com o amigo.

É isso que ela vê, não é? Foi nisso que você a deixou acreditar.

Sabe, li em algum lugar que sessenta por cento das pessoas não passam mais de dez minutos sem mentir. Pequenos deslizes: para passarmos uma impressão melhor e parecermos mais atraentes para os outros. Mentiras inocentes para evitar ofender. Portanto, não é como se eu tivesse feito algo fora do comum. É apenas humano. Mas, de fato, o importante a enfatizar é que na verdade eu não menti para ela. Não totalmente. Só não disse toda a verdade.

Não é minha culpa que ela tenha presumido que eu era britânico. Faz sentido. Aperfeiçoei muito bem meu sotaque e minha fluência ao longo dos anos; fiz um grande esforço nesse sentido quando estava em Cambridge e não queria ser conhecido como "o cara francês". Achatando minhas vogais. Endurecendo minhas consoantes. Aperfeiçoando uma cadência londrina. Sempre foi motivo de orgulho para mim, ficava emocionado quando britânicos me confundiam com um deles, assim como ela fez.

A segunda coisa que Jess presumiu foi que as pessoas neste prédio nada mais são do que vizinhas umas das outras. Isso foi ela sozinha, honestamente. Eu apenas não a impedi. Para falar a verdade, gostei de ela ter acreditado nele: Nick Miller. Um cara normal, que nada tem a ver com este lugar além do aluguel que paga.

Pois bem. Alguém pode dizer que nunca desejou que sua família fosse menos constrangedora ou diferente de alguma forma? Que nunca se perguntou como seria se livrar de todos aqueles problemas familiares? Toda aquela bagagem. Sendo que essa família tem muito mais bagagem do que a maioria.

Tive notícias do meu pai esta noite, aliás. *Tudo bem, filho? Lembre-se de que estou contando com você para cuidar das coisas por aí.* A palavra "filho" era afetuosa para ele. Deve realmente querer que eu cumpra suas ordens. Mas meu pai é especialista em fazer com que os outros cumpram suas ordens. A segunda parte é um clássico dele, claro. *Ne merde pas.* Não estrague tudo.

Penso naquele jantar, durante a onda de calor. Todos nós convocados para o terraço. A luz arroxeada, as lanternas brilhando entre as figueiras, o aroma quente de suas folhas. Os postes de luz se acendendo abaixo de nós. O ar denso feito uma sopa, como se tivéssemos que engoli-lo em vez de inspirá-lo.

Papai em uma das extremidades da mesa, minha madrasta ao lado dele com uma blusa de seda verde-água e diamantes, tão fria quanto a noite estava quente, o perfil voltado para o horizonte como se ela estivesse em outro lugar... ou desejasse estar. Eu me lembro de quando papai nos apresentou a Sophie. Eu devia ter uns nove anos. Ela pareceu muito glamorosa, misteriosa.

Na outra extremidade da mesa estava Ben: ao mesmo tempo convidado de honra e bezerro cevado. Papai o havia convidado pessoalmente. Ele tinha causado uma bela impressão no dia em que foi beber conosco.

— Ei, Ben — disse meu pai, aproximando-se com uma nova garrafa de vinho. — Me diga o que acha desse. Está claro que você tem um paladar excelente. Isso é uma daquelas coisas que não se pode aprender, não importa quanto vinho se beba.

Olhei para Antoine, já em sua segunda garrafa, e me perguntei se ele havia percebido a indireta. Nosso pai nunca diz nada sem querer. Antoine é seu suposto protegido, quem trabalhou para ele desde que saiu da escola. Mas também é o bode expiatório de papai, ainda mais do que eu, especialmente porque teve que aguentar todas as críticas nos anos em que estive ausente.

— Obrigado, Jacques. — Ben sorriu e estendeu a taça.

Enquanto servia uma torrente carmesim em uma das taças Lalique da minha mãe, papai colocou a mão de maneira paternal no ombro de Ben. Juntos, eles representavam uma naturalidade que papai e eu nunca tivéramos e, ao observá-los, senti uma inveja ridícula. Antoine teve a mesma sensação. Vi quando fechou a cara.

Mas talvez isso pudesse funcionar a meu favor. Se meu pai gostava tanto de Ben, alguém que eu havia convidado para nossa casa, nossa família, talvez houvesse alguma maneira de ele finalmente me aceitar, eu, seu filho. Uma coisa patética de se esperar, mas é a verdade. Sempre tive que correr atrás de migalhas no quesito afeto paterno.

— Estou vendo sua expressão rabugenta, Nicolas — disse meu pai, usando a palavra francesa *maussade* e se voltando de repente para mim do seu jeito enervante.

Pego em flagrante, engoli o vinho rápido demais, tossi e senti a amargura queimar minha garganta. Eu nem gosto particularmente de vinho. Talvez uma ou outra variedade biodinâmica, não as coisas pesadas do velho mundo.

— Incrível — continuou ele. — A mesma expressão da sua santa e falecida mãe. Nada nunca era bom o suficiente para ela.

Ao meu lado, senti Antoine tensionar o corpo.

— É a porra do vinho dela que você está servindo — murmurou ele, baixinho.

Minha mãe era de uma família tradicional: sangue antigo, vinho antigo produzido em uma grande propriedade, o Château Blondin-Lavigne. A adega com milhares de garrafas foi parte de sua herança, deixada para meu pai após a morte dela. E desde que ela se foi, meu irmão, que nunca a perdoou por nos deixar, se empenhou em beber tantas quanto fosse possível.

— O que foi que você disse, meu garoto? — perguntou papai, voltando-se para Antoine. — É alguma coisa que gostaria de compartilhar com o restante de nós?

Um silêncio se alastrou perigosamente. Mas Ben o quebrou com a sutil precisão de um primeiro violino iniciando seu solo:

— Isso está delicioso, Sophie. — Estávamos comendo o prato favorito do meu pai (é claro): filé malpassado, batatas salteadas frias e salada de pepino. — Essa é a melhor carne que já comi.

— Não fui eu que preparei — disse Sophie. — Veio do restaurante.

Nada de filé para ela, apenas salada de pepino. E percebi que ela não olhou para Ben, mas para um ponto bem ao lado do ombro direito dele. Ben não a tinha conquistado, ao que parecia. Ainda não. Mas percebi que Mimi lançava olhares furtivos para ele quando achava que ninguém estava vendo, quase errando o alvo na hora de levar o garfo à boca. Dominique, a esposa de Antoine, olhou para ele com um sorrisinho no rosto, como se preferisse Ben à refeição diante dela. E o tempo todo Antoine segurava a faca com a qual cortava o bife como se planejasse enfiá-la entre as costelas de alguém.

— Ora, você conhece Nicolas desde que eram crianças — disse meu pai a Ben. — Ele já produziu alguma coisa naquele lugar ridículo?

Aquele lugar ridículo é Cambridge, uma das melhores universidades do mundo. Mas o grande Jacques Meunier não precisara de uma educação universitária, e veja aonde ele havia chegado. Um homem bem-sucedido por esforço próprio.

— Ou apenas desperdiçou meu dinheiro suado? — perguntou papai, se virando para mim. — Você é muito bom nisso, não é, meu garoto?

Essa doeu. Algum tempo atrás, investi parte desse "dinheiro suado" em uma start-up de saúde em Palo Alto. Qualquer pessoa que soubesse o mínimo já tinha ouvido os rumores: uma gota de sangue, o futuro do sistema de saúde. Usei a maior parte do dinheiro que papai me deu quando fiz dezoito anos. Ali estava uma chance de provar meu valor para ele; provar que minhas avaliações em meu campo de atuação eram tão boas quanto as dele...

— Não posso falar sobre o quanto ele se esforçou na universidade — disse Ben, com um sorriso irônico para mim, e foi um alívio que ele tivesse quebrado a tensão. — Fizemos cursos diferentes. Mas praticamente gerenciamos o jornal universitário juntos, e nosso grupo passou um verão viajando. Não foi, Nick?

Fiz que sim. Tentei retribuir seu sorriso fácil, mas de repente tive a sensação de avistar um predador na grama alta. Ben continuou:

— Praga, Barcelona, Amsterdã...

Não sei se foi coincidência, mas nossos olhos se encontraram nesse momento. Sua expressão era impossível de decifrar. De imediato, eu quis que ele calasse a boca. Com um olhar, tentei transmitir isso. *Para. Já chega.* Aquele não era o momento de falar de Amsterdã. Meu pai nunca podia descobrir.

Ben desviou o olhar, interrompendo o contato visual. E foi então que percebi o quão imprudente eu tinha sido ao convidá-lo para nossa casa.

Nesse instante, ouvimos um som tão alto que parecia que o prédio em si estava desabando sob nós. Levei alguns segundos para perceber que era um trovão e, imediatamente depois, um raio iluminou o céu violeta. Papai parecia furioso. Ele podia controlar tudo o que acontecia neste lugar, mas nem mesmo ele podia determinar o comportamento da natureza. As primeiras gotas começaram a cair. O jantar estava terminado.

Graças a Deus.

Lembrei-me de respirar novamente. Mas alguma coisa havia mudado.

Mais tarde naquela noite, Antoine invadiu meu quarto.

— Papai e seu amigo inglês. Unha e carne, não é? Você sabe que seria a cara dele, não é? Nos deserdar e deixar tudo para algum maldito estranho aleatório?

— Isso é loucura — retruquei.

E era. Mas, quando ele disse isso, senti a ideia se enraizando. Seria o tipo de coisa que papai faria. Sempre dizendo a nós dois, seus filhos, como éramos inúteis. Como éramos uma decepção para ele. Mas Ben faria isso?

O que sempre fizera do meu amigo uma pessoa intrigante era o fato de ele ser indecifrável. Você podia passar horas, dias, na companhia dele — podia viajar pela Europa com ele — e nunca ter certeza de quem era o verdadeiro Benjamin Daniels. Ele era um camaleão, um enigma. Eu não fazia ideia, na verdade, de quem eu havia convidado para viver sob nosso teto, de quem eu havia trazido para o seio da minha família.

Abro o armário embaixo da pia, pego o frasco de antisséptico bucal e despejo um pouco do líquido no copinho. Quero me livrar do gosto desagradável do tabaco. A porta do armário ainda está aberta. Lá estão os pequenos frascos de pílulas em fileiras bem organizadas. Seria tão fácil... Muito mais eficaz do que os cigarros. Seria muito bom me sentir um pouco menos... presente neste exato momento.

O fato é que, enquanto estava fingido para Jess, quase consegui fingir para mim mesmo que eu era um adulto normal, morando sozinho, cercado pelos aparatos do meu sucesso. Um apartamento pelo qual pagava um aluguel. Coisas que havia comprado com meu dinheiro suado. Porque eu quero ser esse cara, quero mesmo. Tentei ser esse cara. Não um fracassado de trinta e poucos anos forçado a voltar para a casa do pai porque perdeu até o último centavo do seu dinheiro.

Acredite em mim: por mais que eu tenha tentado me enganar, não faz diferença ter uma fechadura na porta da frente e um interfone próprio. Ainda estou sob o teto dele; ainda estou infectado por este lugar. E regrido estando aqui. Por isso fugi e passei uma década do outro lado do mundo. Por isso eu era tão feliz em Cambridge. Por isso fui direto ao encontro de Ben naquele bar quando ele entrou em contato, apesar do que aconteceu em Amsterdã. Por isso o convidei para morar aqui. Achei que sua presença poderia tornar minha pena aqui mais suportável. Que sua companhia poderia me ajudar a reviver aquela época.

Então não tive más intenções quando a deixei pensar que eu era outra pessoa, outra coisa. Um pequeno faz de conta inofensivo, nada mais sinistro do que isso.

Sinceramente.

JESS

As vozes são um chiado em meio à música. Não acredito que tanta gente esteja amontoada aqui embaixo; deve haver bem mais de cem pessoas. Teias de aranha falsas foram penduradas no teto, e velas, espalhadas pelo chão, iluminando as paredes ásperas. O cheiro da cera queimando impregna o espaço apertado e sem ventilação. O reflexo das chamas bruxuleantes dá a impressão de que a pedra está se movendo, se contorcendo, como se estivesse viva.

Tento me misturar à multidão. Minha fantasia é de longe a pior. A maioria dos convidados caprichou na produção. Uma freira em um hábito branco encharcado de sangue beija uma mulher que pintou todo o corpo seminu de vermelho e usa um par de chifres retorcidos de diabo. Um médico da peste negra, vestido da cabeça aos pés com uma capa preta e um chapéu, levanta o bico longo e curvo de sua máscara para dar uma tragada no cigarro e, em seguida, solta a fumaça pelo buraco dos olhos. Uma pessoa alta, com um smoking e uma enorme cabeça de lobo, bebe um coquetel pelo canudo. Para onde quer que eu olhe, há Rasputins, anjos da morte, demônios e vampiros. E algo curioso: o ambiente faz com que todos pareçam mais sinistros do que na superfície, sob iluminação adequada. Até mesmo o sangue falso, de alguma forma, parece mais real aqui.

Estou tentando descobrir como me inserir em um desses grupos de pessoas e iniciar uma conversa sobre Ben. Também preciso desesperadamente de uma bebida.

De repente, sinto o lençol ser arrancado da minha cabeça. Um caubói com cara de caveira levanta as mãos:

— Opa!

Ele deve ter tropeçado na barra do tecido. Merda, o lençol já está imundo com a sujeira do chão molhado pela cerveja derramada. Eu o amasso em uma bola suja. Vou ter que me virar sem o disfarce. Há tantas pessoas aqui que dificilmente vão me reconhecer.

— Ah, *salut*!

Eu me viro e vejo uma garota incrivelmente bonita usando uma enorme coroa de flores e um vestido de camponesa branco esvoaçante respingado de sangue. Levo um tempo para reconhecê-la: é a colega de apartamento de Mimi. Camille: é esse o nome dela.

— É você! — diz ela. — Você é a irmã do Ben, não é?

Lá se vão minhas chances de me camuflar.

— Hum. Espero que não tenha problema eu ter vindo. Ouvi a música...

— *Plus on est de fous, plus on rit*, sabe? Quanto mais gente melhor! Ei, uma pena que o Ben não esteja aqui. — Ela faz um beicinho. — Aquele cara parece adorar uma festa!

— Então você conhece meu irmão?

Ela franze o minúsculo nariz sardento.

— Ben? *Oui, un peu*. Um pouquinho.

— E todos gostam dele? Os Meunier, digo. A família?

— Mas é claro. Todo mundo adora ele! Acho que Jacques Meunier gosta muito, inclusive. Talvez até mais do que dos próprios filhos. Ah... — Ela se interrompe, como se tivesse se lembrado de alguma coisa. — O Antoine. Ele não gosta do Ben.

Eu me lembro da cena no pátio naquela primeira manhã.

— Você acha que pode ter acontecido alguma coisa... bem, entre meu irmão e a mulher do Antoine?

O sorriso desaparece.

— O Ben e a Dominique? *Jamais*. — Há certa indignação na resposta dela. — Eles flertaram. Mas não passou disso.

Tento uma abordagem diferente.

— Você disse que viu o Ben na sexta-feira conversando com a Mimi na escada?

Ela assente.

— Que horas foi isso? O que quero dizer é... você o viu depois disso? Você o viu naquela noite?

Uma pequena hesitação. Então:

— Eu não estava aqui naquela noite — diz ela. Agora parece ver alguém por cima do meu ombro. — *Coucou, Simone!* — Vira-se para mim. — Tenho que ir. Divirta-se!

Um pequeno aceno com a mão. A festeira despreocupada parece estar de volta. Mas quando perguntei sobre a noite em que Ben desapareceu, ela não pareceu tão despreocupada. De repente, pareceu muito ansiosa para encerrar a conversa. E por um momento pensei ter visto sua máscara cair. O vislumbre de alguém totalmente diferente por baixo.

MIMI
Quarto andar

Quando finalmente chego à *cave*, já tem gente demais amontoada lá. Não sou boa com multidões, para dizer o mínimo, nem com pessoas invadindo meu espaço. Henri, amigo de Camille, trouxe sua mesa de som e um alto-falante enorme e colocou "La Femme" para tocar no volume máximo. Camille está recebendo os recém-chegados na entrada com seu figurino de *Midsommar* — a coroa de flores balançando na cabeça quando ela pula e joga os braços em volta das pessoas.

— Ah, *salut*, Gus, Manu... *coucou*, Dédé!

Ninguém presta muita atenção em mim, embora esta seja minha casa. Eles vieram por causa de Camille; são todos amigos dela. Sirvo dez centímetros de vodca em um copo e começo a beber.

— *Salut*, Mimi.

Olho para baixo. *Merde*. É LouLou, uma das amigas de Camille. Ela está sentada no colo de um cara, com a bebida em uma das mãos, o cigarro na outra. Está vestida de gata com uma faixa na cabeça com orelhas de renda preta e um vestido de seda com estampa de leopardo caindo do ombro. Cabelo castanho comprido emaranhado como se ela tivesse acabado de sair da cama e o batom borrado, mas de uma forma sexy. A perfeita parisiense. Como uma personagem daquela série idiota *Emily em Paris*. Ou como aquelas cretinas do Instagram com suas alpargatas Bobo e delineador de gatinho lançando um olhar de "me coma" para as lentes. É essa a aparência que as pessoas esperam de garotas francesas. Bem diferente de mim, com meu mullet cortado em casa e espinhas em torno da boca.

— Faz um tempão que não vejo você. — Ela gesticula com o cigarro; também é uma daquelas garotas que acende um cigarro do lado de fora de cafés, mas não traga de verdade, só fica segurando e deixa a fumaça se espalhar por toda parte enquanto gesticula com suas lindas mãozinhas. Cinza quente cai no meu braço. — *Eu* me lembro — diz ela, arregalando os olhos. — Foi naquele bar do parque... em agosto. *Mon Dieu*, nunca tinha visto você daquele jeito. Estava *louca*. — Uma risadinha fofa para Mimi, a esquisita.

Nesse momento, a música muda. E mal posso acreditar, mas é aquela música. "Heads Will Roll", dos Yeah Yeah Yeahs. Parece coisa do destino. E de repente sou levada de volta àquele dia.

Estava muito calor para ficarmos em casa, então sugeri a Camille que fôssemos a um bar, o Rosa Bonheur, no Parc des Buttes-Chaumont. Eu não tinha contado a Camille, mas sabia que Ben talvez estivesse lá. Ele estava escrevendo um artigo sobre o bar; eu o ouvira conversando com seu editor pelas janelas abertas do apartamento.

Depois que ele me emprestou aquele disco dos Yeah Yeah Yeahs, pesquisei no Google sobre a vocalista, Karen O. Tentei me vestir como ela e, ao fazer isso, me senti outra pessoa. Passei a tarde cortando meu cabelo para deixá-lo curto e irregular. E naquela noite vesti meu figurino de Karen O: regata branca fina, lábios pintados de vermelho, delineador preto. No último momento, tirei o sutiã.

— *Uau!* — Camille suspirou quando saí do quarto. — Você parece tão... diferente. Ai, meu Deus... Dá para ver seus *nénés!* — Ela sorriu. — Para quem é tudo isso?

— *Va te faire foutre.* — Mandei ela se foder porque estava com vergonha. — Não é para ninguém.

E era quase nada em comparação com o que ela estava usando: um vestido dourado de malha solta que terminava logo abaixo da *chatte* dela.

Lá fora, as ruas estavam tão quentes que dava para sentir o asfalto em chamas através da sola dos sapatos e o ar tremeluzia com poeira e fumaça de escapamento. E então a coincidência mais horrível: no exato momento em que estávamos saindo do prédio, lá estava papai, vindo na direção oposta. Apesar do calor, senti meu corpo inteiro gelar. Eu quis morrer. Soube o instante preciso em que ele me viu; sua expressão mudando perigosamente.

— *Salut* — disse Camille, com um breve aceno.

Ele sorriu para ela; sempre um sorriso para Camille, como todos os outros caras do planeta. Com uma jaqueta abotoada por cima do vestido, não dava para ver que ela estava praticamente nua. Eu já percebi que ela sabe ser exatamente o que os homens querem. Com papai, sempre foi muito recatada, muito inocente, toda *"oui, monsieur"* e *"non, monsieur"* com a cabeça baixa e um olhar angelical.

Papai se virou de Camille para mim.

— O que você está vestindo? — perguntou ele, com os olhos faiscando.

— Eu... — balbuciei. — Está tão quente, então pensei...

— *Tu ressembles à une petite putain.* — Foi o que ele disse. Eu me lembro com clareza porque foi como se as palavras estivessem sendo queimadas em minha pele; ainda sinto a ardência. *Você parece uma vadiazinha.* Ele nunca tinha falado assim comigo. — E o que você fez com o seu cabelo?

Levantei a mão e toquei minha nova franja estilo Karen O.

— Tenho vergonha de você. Está me ouvindo? Nunca mais se vista assim. Vá trocar de roupa.

Seu tom me assustou. Eu assenti.

— *D'accord, papa.*

Nós o seguimos de volta para o prédio. Mas assim que ele entrou na cobertura, Camille agarrou minha mão e nós saímos correndo até chegar ao metrô, e eu tentei esquecer aquilo, tentei ser apenas mais uma garota de dezenove anos despreocupada, saindo para curtir a noite.

O parque parecia uma selva, não parte da cidade: vapor subia da grama, dos arbustos, das árvores. Havia uma multidão em torno do bar. Aquela agitação, aquela energia selvagem. Eu sentia a batida da música lá no fundo, sob as minhas costelas, vibrando por todo o meu corpo. Havia pessoas vestindo bem menos roupa do que eu, menos até do que Camille: garotas com biquínis minúsculos que provavelmente tinham passado o dia se bronzeando nas Paris Plages, as praias artificiais que montam nas margens do rio Sena durante o verão. O ar cheirava a suor, protetor solar, grama quente e seca e à doçura pegajosa dos coquetéis.

Bebi meu primeiro Aperol Spritz como se fosse limonada. Ainda estava me sentindo mal por causa da expressão de papai. *Uma vadiazinha.* Como ele

O APARTAMENTO DE PARIS

cuspiu as palavras. Bebi o segundo depressa também. A essa altura não estava mais me importando muito.

A garota na mesa de som aumentou o volume da música e as pessoas começaram a dançar. Camille pegou minha mão e me arrastou para a multidão. Encontramos alguns amigos nossos — quer dizer, dela — da Sorbonne. Pílulas circulavam em um saquinho de plástico. Mas não sou dessas. Eu bebo, mas nunca uso drogas.

— *Allez, Mimi* — disse LouLou, depois de colocar a pílula na língua e engoli-la. — *Pourquoi pas?* — *Vamos, Mimi. Por que não?* — Só metade.

E talvez eu realmente tivesse me transformado em outra pessoa, porque peguei a pequena metade da pílula que ela me ofereceu. Mantive na língua por um segundo, deixando que se dissolvesse.

Depois disso, tudo ficou embaçado. De repente eu estava dançando, bem no meio da multidão, e queria continuar para sempre colada a todos aqueles corpos suados, aqueles desconhecidos. Parecia que todos estavam sorrindo para mim, o amor simplesmente transbordando deles.

Havia pessoas dançando em cima das mesas. Alguém me colocou em cima de uma. Não me importei. Eu era uma pessoa diferente, uma pessoa nova. Mimi tinha desaparecido. Foi maravilhoso.

E então a música começou: "Heads Will Roll". No mesmo momento, olhei e o encontrei. Ben. Lá embaixo, no meio da multidão. Camiseta cinza-claro e calça jeans, apesar do calor. Uma garrafa de cerveja na mão. Parecia saído de um filme. Eu havia passado tanto tempo observando-o em seu apartamento, observando-o do outro lado da mesa durante o jantar, que era muito estranho vê-lo no mundo real, cercado de desconhecidos. Eu tinha começado a sentir que ele pertencia a mim.

E então Ben se virou — como se a pressão do meu olhar tivesse sido suficiente para ele saber que eu estava lá —, ergueu a mão e sorriu para mim. Uma corrente elétrica percorria meu corpo. Fui na direção dele. Mas de repente estava caindo; tinha me esquecido da mesa, e o chão vinha me encontrar...

— Mimi. Mimi? Com quem você veio?

Eu não via os outros. Todos os rostos que pareciam estar sorrindo antes não estavam mais. Eu via o olhar deles e escutava risos, parecia estar cercada por uma matilha de animais selvagens, dentes rangendo, olhos fixos. Mas ele estava ali, e senti que ia me proteger.

— Acho que você precisa de um pouco de ar.

Ele estendeu a mão. Eu a segurei. Foi a primeira vez que ele me tocou. Eu não queria soltar, mesmo depois que já estava de pé. Nunca mais queria soltar a mão dele. Até suas mãos eram lindas, dedos compridos e elegantes. Eu queria colocá-los na boca, sentir o gosto de sua pele.

O parque estava escuro, muito escuro, longe das luzes e dos sons do bar. Tudo estava a um milhão de quilômetros de distância. Quanto mais nos afastávamos, mais parecia que nada era real. Só ele. O som de sua voz.

Fomos até o lago. Ele fez menção de se sentar em um banco, mas eu vi uma árvore bem perto da água, as raízes se espalhando abaixo da superfície.

— Aqui — falei.

Ele se sentou ao meu lado. Senti seu cheiro: suor limpo e frutas cítricas.

Ele me deu uma garrafa de água Evian. De repente, eu estava com sede, muita sede.

— Não beba demais — disse ele. — Calma... já chega. — Ele tirou a garrafa de mim. Ficamos sentados em silêncio por um tempo. — Como está se sentindo? Quer voltar e encontrar seus amigos?

Não. Balancei a cabeça. Eu não queria. Queria ficar ali no escuro, com a brisa quente movendo as árvores altas acima de nós e a água do lago batendo nas margens.

— Não são meus amigos.

Ele pegou um cigarro.

— Quer um? Acho que talvez ajude...

Peguei um cigarro e o coloquei entre os lábios. Quando ele ia me passar o isqueiro, pedi:

— Acende pra mim.

Amei ver seus dedos manipulando o isqueiro, como se ele estivesse lançando um feitiço. A ponta acendeu, brilhante. Eu traguei a fumaça.

— *Merci* — falei.

De repente, as sombras sob a árvore mais próxima pareceram se mover. Havia alguém lá. Não... duas pessoas. Emaranhadas. Ouvi um gemido. Em seguida um sussurro:

— *Je suis ta petite pute.* — *Eu sou sua putinha.*

Normalmente, eu teria desviado o olhar. Teria ficado muito constrangida. Mas não conseguia tirar os olhos deles. A pílula, a escuridão, ele sentado tão perto — isso acima de tudo — afrouxaram algo dentro de mim. Afrouxaram minha língua.

— Eu nunca fiz isso — sussurrei, olhando para o casal debaixo da árvore.

E me vi contando a ele meu segredo mais constrangedor. Enquanto Camille levava para casa um cara diferente por semana, e às vezes garotas também, eu nunca tinha de fato feito sexo com ninguém. Só que naquele momento não me senti envergonhada; eu parecia capaz de dizer qualquer coisa.

— Papai é muito rígido. — Pensei em como ele havia olhado para mim mais cedo. *Uma vadiazinha.* — Ele disse uma coisa horrível hoje à noite... sobre como eu estava vestida. E às vezes tenho a sensação de que ele tem vergonha, de que na verdade não gosta muito de mim. Ele me olha, fala comigo, como se eu fosse uma... uma impostora ou algo do tipo. — Não achei que estivesse explicando muito bem. Eu nunca tinha dito nada daquilo a ninguém. Mas Ben prestava atenção e acenava com a cabeça, e, pela primeira vez, me senti ouvida.

Então ele falou:

—Você não é mais uma garotinha, Mimi. É uma mulher adulta. Seu pai não pode mais controlar você. E isso que você acabou de descrever... como ele faz você se sentir... use isso como motivação. Use como inspiração para sua arte. Todos os verdadeiros artistas são renegados. — Eu o encarei. Ele havia falado de maneira tão intensa. Parecia ser por experiência própria. — Sou adotado — confessou, por fim. — Na minha opinião, famílias são superestimadas.

Continuei olhando para ele, sentado tão perto na escuridão. Fazia sentido. Era parte da conexão entre nós, a que senti desde a primeira vez em que o vi. Nós dois éramos renegados.

— E quer saber? — disse ele, sua voz ainda diferente do normal. Mais áspera. Mais urgente. — Não importa de onde você veio. Que tipo de merda pode ter acontecido com você no passado. O que importa é quem você *é*. E o que faz com as oportunidades que a vida te apresenta.

E então ele colocou a mão suavemente no meu braço. Um toque leve. A ponta dos dedos quente na minha pele. A sensação pareceu viajar do meu braço direto até o centro de mim. Ele poderia ter feito qualquer coisa comigo ali mesmo no escuro, e eu teria sido sua.

Até que ele sorriu.

— Ficou bonito, aliás.

— *Quoi?*

— Seu cabelo.

Ergui a mão para tocá-lo. Senti o cabelo grudado na testa por causa do suor. Ele sorriu para mim.

— Combina com você.

E foi nesse momento. Eu me inclinei para a frente, segurei seu rosto com as duas mãos e o beijei. Eu queria mais. E meio que montei nele, tentei me sentar no seu colo com as pernas abertas.

— Ei. — Ele riu, recuando, afastando-me delicadamente, limpando a boca. — Ei, Mimi. Eu gosto muito de você pra isso.

Então eu entendi. Não ali, não daquele jeito; não da primeira vez. A primeira vez entre nós tinha que ser especial. Perfeita.

Talvez você possa dizer que foi a pílula. Mas foi naquele momento que me apaixonei por ele. Achava que já tinha me apaixonado uma vez, mas não deu certo. Agora eu sabia como a anterior tinha sido um alarme falso. Agora eu entendia. Eu estava esperando por Ben.

A música termina e o encanto se quebra. Estou de volta à *cave*, cercada por um bando de imbecis com fantasias idiotas de Halloween. Está tocando Christine and the Queens, todos gritando com o refrão. Pessoas esbarrando em mim ao passar, me ignorando, como sempre.

Espere. Acabei de ver um rosto na multidão. Um rosto que não deveria estar nesta festa.

Putain de merde.

O que é que *ela* está fazendo aqui?

JESS

Ando pela *cave*, me enfiando na multidão de rostos mascarados e corpos se contorcendo. A festa está ficando louca; tenho certeza de que vi um casal encostado em uma parede fazendo sexo, ou quase isso, e um pouco mais adiante um grupinho cheirando cocaína. Eu me pergunto se a sala repleta de vinhos foi trancada. Acho que um grupo tão grande de pessoas poderia causar um belo estrago naquelas prateleiras.

— *Veux-tu un baiser du vampire?* — me pergunta um cara.

Reparo que ele está vestido de Drácula, com uma capa de plástico e caninos falsos; é uma fantasia quase tão ruim quanto meu traje de fantasma.

— É... desculpe, o quê? — digo, me virando para ele.

— Um Beijo do Vampiro — diz ele em inglês, com um sorriso largo. — Eu perguntei se você quer um.

Por um momento me questiono se ele está sugerindo que nos beijemos. Então olho para baixo e percebo que está segurando um copo cheio de um líquido vermelho brilhante.

— O que tem nele?

— Vodca, grenadine... talvez um pouco de Chambord. — Ele dá de ombros. — Basicamente vodca.

— Ah, sim. Aceito.

Estou precisando de um pouco de coragem líquida.

Ele me entrega o copo. Eu bebo um gole e... meu Deus, é ainda mais deprimente do que parece, o choque metálico da vodca camuflado pelo licor adocicado de framboesa. Tem gosto de algo que poderíamos servir no Copacabana, e isso não é um elogio. Mas vale a pena pela vodca, mesmo que na verdade eu a preferisse pura. Dou outro grande gole, dessa vez preparada para a quantidade de açúcar.

— Eu não conheço você — diz ele, soando quase mais francês agora que está falando inglês. — Qual é o seu nome?

— Jess. E o seu?

—Victor. *Enchanté*.

— Er... obrigada. — Vou direto ao ponto: — Ei, você conhece o Ben? Benjamin Daniels. Do terceiro andar?

Ele faz uma careta.

— *Non, désolé.* — Parece genuinamente chateado por ter me decepcionado. — Gostei do seu sotaque — acrescenta. — É legal. Você é de Londres, *non*?

— Sou — respondo. Não é exatamente verdade, mas, por outro lado, de onde eu sou de fato?

— E você é amiga da Mimi?

— É... sim, acho que podemos dizer que sim.

Na verdade, eu a encontrei precisamente duas vezes e ela nunca pareceu muito feliz em me ver, mas não vou entrar em detalhes.

Ele ergue as sobrancelhas, surpreso, e me pergunto se cometi algum erro.

— É que... a maioria das pessoas aqui é amiga da Camille. Ninguém conhece muito bem a Mimi. Ela... como se diz? É mais na dela. Meio intensa. Um pouco... — Ele faz um gesto que acho que quer dizer "pirada".

— Eu não a conheço *tão* bem assim — acrescento, depressa.

— Algumas pessoas não entendem por que a Camille é amiga da Mimi. Mas acho que basta dar uma olhada no apartamento da Mimi para saber. A Mimi tem pais ricos. Você entende? — Ele aponta para o apartamento. — Nesta parte da cidade? Extremamente caro. Isso é que é *berço de ouro*. — Ele tenta pronunciar as duas últimas palavras com um sotaque americano.

Em outras circunstâncias, eu poderia quase sentir pena de Mimi. Pelo fato de as pessoas acharem que alguém só é sua amiga por causa do seu dinheiro. Isso é cruel. Quer dizer, nunca passei por isso, mas ainda assim.

— Então o que você é? — pergunta ele.

— Como assim? — Um segundo, e então me dou conta de que ele está se referindo à minha fantasia. — Ah, sim. — Merda. Olho para a minha roupa: calça jeans e um suéter velho cheio de bolinhas. — Bem, eu era um fantasma, mas agora sou só uma ex-bartender cansada das merdas dos outros.

— *Quoi?* — Ele franze a testa.

— É... hã, um lance dos britânicos. Acho que não dá para traduzir.

— Ah, tá. — Ele assente. — Legal.

Tenho uma ideia. Se Camille e Mimi estão aqui, não há ninguém lá em cima, no apartamento. Eu poderia dar uma olhada.

— Ei — digo. — Victor... Pode me fazer um favor?

— É só pedir.

— Eu preciso muito fazer xixi. Mas acho que não tem um, é... *toilette* aqui embaixo.

Ele fica subitamente desconfortável. Está claro que os garotos franceses ficam tão envergonhados com esses assuntos quanto seus colegas britânicos.

— Você poderia perguntar à Camille se podemos pegar a chave do apartamento emprestada? — Abro meu sorriso mais sedutor, aquele que eu reservava aos clientes que davam boas gorjetas no bar. Uma sacudidela de leve no cabelo. — Eu agradeceria muito.

Ele sorri.

— *Bien sûr.*

Bingo. Talvez Ben não seja o único charmoso da família.

Eu tomo meu drinque enquanto espero. Agora estou começando a gostar. Ou talvez seja a vodca fazendo efeito. Victor volta alguns minutos depois, segurando uma chave.

— Maravilha — digo, estendendo a mão.

— Eu vou com você — diz ele, com um sorriso.

Droga. Eu me pergunto aonde ele acha que vai chegar com isso. Mas talvez me ajude a parecer menos suspeita se formos juntos.

Sigo Victor para fora da *cave*, subindo a escada escura. Pegamos o elevador — sugestão dele — e acabamos imprensados um contra o outro, pois mal há espaço para uma pessoa. Sinto seu hálito de cigarro e vodca, uma combinação não de todo desagradável. E ele não é feio. Na verdade, é bonito demais para o meu gosto; sua mandíbula parece um cutelo. Além disso, ele é praticamente uma criança.

Tenho um flashback repentino de Nick e eu algumas horas atrás, no terraço. Daquele momento, depois que ele tirou a folha do meu cabelo, quando não se afastou tão rápido quanto deveria. Aquela fração de segundo, pouco antes de as luzes se apagarem, quando eu estava convencida de que ele ia me beijar. O que teria acontecido se não tivesse escurecido de repente? Se eu não tivesse ido bisbilhotar o apartamento e encontrado aquela foto? Será que teríamos ido para o apartamento dele, para a cama dele...

— Sabe, eu sempre quis ficar com uma mulher mais velha — diz Victor, sério, me trazendo de volta ao mundo real.

Vai com calma, cara, penso. *Além disso, tenho só vinte e oito anos.*

O elevador para no quarto andar com um rangido. Victor destranca a porta do apartamento. Há um monte de garrafas e engradados de cerveja empilhados na sala; devem ser suprimentos extras para a festa.

— Ei — digo. — Por que você não prepara mais alguns drinques para a gente enquanto vou fazer xixi? Dessa vez, mais vodca, por favor, e menos daquela coisa vermelha.

Depois da sala principal há um corredor com várias portas. O layout me lembra um pouco a cobertura, só que tudo aqui é mais apertado e, em vez de obras de arte originais nas paredes, há pôsteres descascados: CINDY SHERMAN: CENTRE POMPIDOU e uma lista de shows de alguém chamado DINOS. O primeiro quarto que encontro é uma completa bagunça: roupas espalhadas no chão, lingerie de renda em tons pastel e sapatos com sutiãs e calcinhas fio dental enroladas na ponta dos saltos. Uma penteadeira coberta de maquiagem, cerca de vinte batons amassados sem a tampa. O ar está tão impregnado de perfume e fumaça de cigarro que me dá uma dor de cabeça instantânea. Em uma das paredes, há um pôster enorme de Harry Styles vestindo um tutu e, na outra, Dua Lipa de smoking. Penso em Mimi e sua cara fechada, sua franja irregular grunge. Com certeza essa não é a vibe dela. Fecho a porta.

O quarto seguinte só pode ser de Mimi. Paredes escuras. Gravuras grandes e raivosas em preto e branco nas paredes — uma delas de uma mulher esquisita com olhar vazio —, muitos tomos imponentes sobre arte na estante. Um toca-discos com uma pilha de vinis em uma caixa especial ao lado. O que está na vitrola é dos Yeah Yeah Yeahs: "It's Blitz!"

Eu me esgueiro até a janela. Descubro que Mimi tem uma visão perfeita da sala de Ben, do outro lado do pátio. Vejo a mesa, o sofá dele. Interessante.

O APARTAMENTO DE PARIS

Penso nela deixando cair a taça de vinho mais cedo, quando mencionei Ben. Ela está escondendo alguma coisa, eu sei.

Abro o armário e vasculho as gavetas de roupas. Nada importante. Está tudo extremamente organizado, de maneira quase obsessiva. O problema é que não sei o que estou procurando, e suspeito que não tenha muito tempo até que Victor comece a se perguntar por que estou demorando tanto.

Fico de joelhos e tateio embaixo da cama. Minha mão encontra o que parece um tecido enrolado em algo mais duro, talvez madeira, e sei que encontrei alguma coisa significativa. Seguro o volume e o puxo. Um pedaço de tecido cinza se abre e revela uma pilha irregular de telas de pintura, retalhadas e rasgadas em pedaços. Tanta desordem e caos em comparação com o resto do quarto.

Observo mais atentamente o tecido no qual as telas foram embrulhadas. É uma camiseta cinza com "Acne" escrito na etiqueta, igual às do armário do Ben. Tenho certeza de que é uma das camisetas dele. Tem até o cheiro de sua colônia. Por que Mimi guarda seu material de arte enrolado em uma camiseta do Ben? Pior ainda, por que ela tem uma camiseta dele?

— Jessie? — chama Victor. — Você está bem, Jessie?

Merda. Parece que ele está se aproximando.

Tento encaixar de volta alguns pedaços de tela o mais rápido que consigo. É como montar um quebra-cabeça completamente caótico. Por fim, junto peças suficientes do primeiro para ver a imagem. Eu me afasto. A semelhança é muito grande. Ela conseguiu capturar até mesmo o sorriso dele, que os outros dizem ser charmoso, mas que eu sem dúvida diria que o faz parecer um idiota bajulador. Ali está ele, bem na minha frente. Ben. Um retrato perfeito.

Exceto por uma diferença terrível e aterrorizante. Levo a mão à boca. Seus olhos foram removidos.

— Jessie? — chama Victor novamente. — *Où es-tu*, Jessie?

Monto a próxima imagem, e a seguinte. Meu Deus. São todas dele. Há até mesmo uma de Ben deitado e... caramba, isso é muito mais do meu irmão do que eu precisava ver. Em todas as pinturas, os olhos foram destruídos, perfurados ou arrancados com alguma coisa.

Tive a sensação de que Mimi estava mentindo sobre não conhecê-lo na primeira vez em que nos falamos. Suspeitei que ela estava escondendo alguma coisa assim que sua taça de vinho caiu no chão do apartamento de Sophie Meunier. Mas não esperava nada assim. A julgar por essas imagens — a julgar pela pintura da nudez —, ela conhece meu irmão muito bem. E tem sentimentos fortes o suficiente por ele para ter causado danos tão sérios às pinturas: aqueles rasgos no tecido só poderiam ter sido feitos com alguma coisa muito afiada, ou com muita força... ou ambos.

Eu me levanto, mas, ao fazer isso, algo estranho acontece. É como se o quarto inteiro se inclinasse com o meu movimento. Epa. Eu me apoio na mesinha de cabeceira. Tento piscar para afastar a tontura. Dou um passo para trás e acontece de novo. Enquanto estou de pé, tentando recuperar o equilíbrio, parece que o chão está rolando sob meus pés e tudo ao meu redor é feito de gelatina, as paredes desabando.

Saio cambaleando do quarto. Tenho que manter as mãos estendidas para os lados para não cair. E então Victor aparece no fim do corredor.

— Jessie... aí está você. O que estava fazendo?

Ele vem na minha direção pelo corredor escuro. Sorri, e seus dentes são muito brancos, como os de um vampiro de verdade. A única maneira de eu sair é passando por ele, que está bloqueando minha fuga. Mesmo com meu cérebro derretendo, eu sei o que é isso. Ninguém trabalha em vinte bares sórdidos diferentes sem saber. A bebida que um cara oferece a você, o drinque que é tudo menos de graça. Eu nunca, nunca caio nessa merda. O que é que eu estava pensando? Como posso ter sido tão idiota? São sempre os bonitos, os aparentemente inofensivos, os supostos caras legais.

— Que porra tinha naquela bebida, Victor? — pergunto.

E então tudo fica escuro.

Segunda-feira

MIMI

Quarto andar

É de manhã. Estou sentada na varanda observando a luz se infiltrar no céu. O baseado que roubei de Camille não me ajudou a relaxar: só está me deixando enjoada e ainda mais inquieta. Eu... Eu sinto que estou presa no meu próprio corpo. Como se quisesse rasgar minha pele com as mãos.

Saio correndo do apartamento e desço a escada tortuosa até a *cave*, desejando não encontrar ninguém no caminho. A *cave* está cheia de detritos da festa de ontem à noite: vidro quebrado, bebidas derramadas e acessórios das fantasias das pessoas deixados para trás, como perucas, tridentes de demônio e chapéus de bruxa. Normalmente gosto daqui, do escuro e do silêncio; é mais um lugar perfeito para quando sinto vontade de me esconder. Mas agora também não consigo ficar aqui, porque dou de cara com a Vespa dele encostada na parede.

Eu não olho — não consigo olhar — para ela enquanto puxo minha bicicleta do suporte ao lado.

Ele sempre saía naquela Vespa. Eu queria saber sobre a vida dele, queria segui-lo pela cidade, ver aonde ia, o que fazia, com quem se encontrava, mas era impossível porque ele ia naquela motocicleta para todo lugar. Então, um dia, desci até a *cave* e fiz um pequeno furo na roda dianteira com a lâmina superafiada do meu estilete de cortar lona. Melhor assim. Ele não poderia usá-la por alguns dias. Só fiz isso porque o amava.

Naquela tarde, eu o vi sair a pé. Meu plano tinha funcionado. Fui atrás dele até o metrô e entrei no vagão seguinte. Ele desceu em uma parte horrível da cidade. O que é que ele tinha ido fazer lá? Saiu da estação e se sentou em um desses lugares encardidos que vendem kebab. Eu me sentei em um bar de narguilé do outro lado da rua, pedi um café turco e tentei dar a impressão de que me encaixava no meio de todos aqueles caras velhos fumando tabaco com aroma de rosas. Percebi que Ben estava me obrigando a fazer coisas que eu normalmente nunca faria. Ele estava me tornando uma pessoa corajosa.

Mais ou menos dez minutos depois, uma garota chegou e se juntou a ele. Era alta e magra, a cabeça coberta pelo capuz do casaco, que só baixou quando se sentou diante de Ben. Senti o estômago revirar quando vi o rosto dela. Mesmo do outro lado da rua, dava para ver que era linda: cabelo castanho--escuro com uma franja bem definida que parecia muito melhor do que meu corte caseiro, maçãs do rosto de modelo. E jovem; provavelmente da minha idade. Sim, as roupas eram péssimas: uma jaqueta de couro aparentemente falso, aquele moletom com capuz por baixo e uma calça jeans barata, mas de alguma forma suas roupas a faziam parecer ainda mais bonita em contraste. Enquanto os observava juntos, eu sentia o coração doer, como um carvão quente queimando dentro da minha caixa torácica.

Esperei que ele a beijasse, tocasse seu rosto, sua mão, acariciasse seu cabelo — qualquer coisa —, esperei pela dor mais aguda que eu sabia que viria quando o visse fazer isso. Mas nada aconteceu. Eles simplesmente ficaram sentados lá, conversando. Percebi que parecia uma conversa formal. Como se na realidade eles não se conhecessem muito bem. De fato, não havia nada entre os dois sugerindo que pudessem ser amantes. Por fim, ele entregou algo para ela. Tentei ver o que era. Parecia um celular ou uma câmera, talvez. Então ela se levantou e foi embora, e ele também. Seguiram em direções diferentes. Eu ainda não sabia por que ele estava conversando com ela, ou o que lhe entregara, mas estava tão aliviada que achei que fosse chorar. Ben não tinha me traído. Eu sabia que não deveria ter duvidado dele.

Mais tarde, de volta ao meu quarto, pensei naquela noite no parque, em como tínhamos compartilhado o cigarro. Nós dois no escuro à beira do lago. O gosto da boca dele quando o beijei. Pensei nisso quando me deitei na cama

O apartamento de Paris

à noite, os dedos explorando. E sussurrei as palavras que ouvi na escuridão perto do lago: *Je suis ta petite pute*. Eu sou sua putinha.

Era isso, eu sabia. Tinha sido por esse motivo que eu havia esperado tanto. Eu era diferente de Camille. Não saía simplesmente transando com caras aleatórios. Precisava ser algo verdadeiro. *Un grand amour*. Eu achava que já tinha me apaixonado. Henri, o professor de artes da minha escola, Les Soeurs Servantes du Sacré-Coeur. Eu soube que tínhamos uma conexão desde o início. Ele havia sorrido para mim na primeira aula, me dito que eu era talentosa. Mas depois, quando enviei as pinturas que tinha feito dele, ele me chamou no canto e disse que não eram apropriadas, por mais que eu tivesse me dedicado tanto a elas para acertar as proporções, o tom, exatamente como ele havia nos ensinado. E quando as enviei para a esposa dele, cortadas em pedacinhos, eles fizeram uma reclamação formal. E então... bem, não quero falar disso. Ouvi dizer que os dois foram dar aula em outra escola, no exterior.

Eu não sabia onde essa parte de mim vinha se escondendo. A parte que podia se apaixonar. Na verdade, eu sabia. Eu a vinha mantendo trancada a sete chaves. Bem lá no fundo. Morrendo de medo de ficar vulnerável de novo por causa desse tipo de fraqueza. Mas eu estava pronta agora. E Ben era diferente. Ben seria leal a mim.

Lá embaixo, na *cave*, desvio os olhos da Vespa dele. Sinto que há um cinturão de metal em torno das minhas costelas me impedindo de inspirar ar suficiente. E em meus ouvidos segue aquele barulho horrível, o ruído branco, a tempestade. Eu só preciso fazê-lo parar.

Tiro a bicicleta do suporte e a levo para cima. Sinto a pressão crescendo dentro de mim enquanto a puxo pelo pátio e pelos paralelepípedos... até a rua principal, onde o tráfego da hora do rush matinal passa ruidosamente. Eu me sento com um pulo no selim, olho depressa para ambos os lados em meio às lágrimas que embaçam meus olhos e pedalo direto para a rua.

Ouvem-se freios guinchando. O som de uma buzina. De repente, estou caída de lado na pista, as rodas girando. Sinto meu corpo inteiro ferido e dilacerado. Meu coração acelerado.

Foi por pouco.

— Sua vadia burra! — grita o motorista da van, colocando metade do corpo para fora da janela e gesticulando para mim com seu cigarro. — Que porra é essa que você estava fazendo? Onde estava com a merda da cabeça para atravessar a rua sem olhar?

Grito de volta, meu linguajar ainda pior que o dele. Eu o chamo de *un fils de pute*, filho da puta, *un sac à merde*, um saco de merda... Mando ele se foder. Digo que ele é um merda no volante.

De repente, o portão do prédio se abre com um estrondo e a concierge vem correndo. Nunca vi aquela mulher se mover tão rápido. Ela sempre parece muito velha e encurvada. Mas talvez se movimente com mais agilidade quando não tem ninguém olhando. Porque está sempre presente quando menos se espera. Surgindo dos cantos e saindo das sombras, sempre à espreita. Não sei nem por que temos uma concierge. A maioria dos prédios não tem mais. Deveríamos ter simplesmente instalado um sistema de interfones moderno. Seria muito melhor do que tê-la por perto, bisbilhotando todo mundo. Não gosto de como ela nos observa. Especialmente de como me observa.

Sem dizer nada, ela estende as mãos e me ajuda a levantar. É muito mais forte do que eu poderia imaginar. Então me olha de perto; intensamente. Sinto que está tentando me dizer alguma coisa. Desvio o olhar. Isso me faz pensar que ela sabe de algo. Talvez saiba de tudo.

Eu afasto as mãos dela.

— *Ça va* — digo. *Estou bem.* — Posso me levantar sozinha.

Meus joelhos ainda ardem, como se eu fosse uma criança que tropeçou no parquinho. E a corrente da minha bicicleta se soltou. Mas nada além disso.

Poderia ter terminado muito diferente. Se eu não tivesse sido tão covarde. Porque a verdade é que eu *estava* olhando. Essa era a ideia.

Eu sabia exatamente o que estava fazendo.

Foi por pouco. Mas não o suficiente.

SOPHIE
Cobertura

Desço a escada com Benoit trotando em meus calcanhares. Ao passar pelo terceiro andar, faço uma pausa. Sinto a presença dela lá dentro, atrás da porta, como algo venenoso no coração deste lugar.

Com ele, foi igual. Sua presença perturbava o equilíbrio do prédio. Eu tinha a impressão de vê-lo por toda parte depois daquele jantar no terraço: na escada, atravessando o pátio, conversando com a concierge. Nós nunca falamos com a concierge, a não ser para dar instruções. Ela é uma funcionária, esse tipo de separação deve ser respeitado. Uma vez eu até o vi entrando atrás dela em sua casinha. Sobre o que estariam conversando lá dentro? O que será que ela estaria contando a ele?

Quando o terceiro bilhete chegou, não foi deixado na caixa do correio. Foi enfiado por baixo da porta do apartamento, em um momento que, imagino eu, meu chantagista sabia que Jacques não estaria em casa. Eu tinha voltado da *boulangerie* com a quiche favorita dele, que compro todas as sextas-feiras desde que me lembro. Quando vi o bilhete, deixei cair a caixa. A massa se espatifou no chão. Meu corpo estremeceu; eu sabia que devia ser medo, mas por um instante pareceu quase animação. E isso foi igualmente perturbador.

Fazia tanto tempo que eu era invisível, que havia perdido qualquer valor. Mas aqueles bilhetes, por mais que me amedrontassem, me davam a sensação, pela primeira vez em muito tempo, de que eu era vista.

Eu sabia que não podia ficar no prédio nem mais um minuto.

Lá fora, as ruas ainda estavam esbranquiçadas por causa do calor, o ar tremulando. Nos cafés, os turistas se aglomeravam nas mesas da calçada e suavam enquanto tomavam seus *thés glacés* e *citrons pressés*, se perguntando por que não se sentiam refrescados. Mas no restaurante estava escuro e fresco, como em uma gruta subaquática, bem como eu sabia que estaria. Paredes com painéis escuros, toalhas de mesa brancas, enormes pinturas penduradas. Eles me deram a melhor mesa, é claro — a Meunier SARL lhes fornece safras raras há anos —, e o ar-condicionado soprou uma nuvem gelada nas costas da minha camisa de seda enquanto eu bebia minha água mineral.

— *Madame Meunier.* — O garçom se aproximou. — *Bienvenue.* O de sempre?

Todas as vezes que comi lá com Jacques, pedi a mesma coisa. Salada de endívia com nozes e pequenos pedaços de roquefort. Uma mulher envelhecida é uma coisa; uma mulher gorda é outra.

Mas Jacques não estava lá.

— *L'entrecôte* — respondi.

O garçom olhou para mim como se eu tivesse pedido um pedaço de carne humana. O bife sempre foi a escolha de Jacques.

— Mas, *madame*, está tão *quente*. Talvez as ostras... Temos umas *pousses en claire* maravilhosas... Ou um salmão cozido *sous vide*...

— O bife — repeti. — Bem malpassado.

A última vez que comi bife foi quando um ginecologista, anos atrás, me prescreveu para aumentar a fertilidade; os médicos daqui ainda recomendam carne vermelha e vinho para tratar muitas doenças. Meses comendo como um homem das cavernas. Como não funcionou, veio a humilhação dos tratamentos. As injeções nas nádegas. Os olhares de vaga repugnância de Jacques. Eu tinha herdado dois enteados. Que obsessão era aquela em ter um filho? Eu não podia explicar que simplesmente queria alguém para amar. Um amor incondicional, sem reservas, correspondido. É claro que os tratamentos não funcionaram. E Jacques se recusava a adotar. A papelada, o escrutínio sobre seus negócios; ele não toleraria isso.

O bife chegou, e eu o cortei. Observei o sangue escorrer da incisão, ralo e rosa-claro. Foi nesse momento que levantei a cabeça e o vi: Benjamin Daniels, no canto do restaurante. Ele estava de costas para mim, embora eu visse seu reflexo no espelho que cobria a parede. Havia algo de elegante no contorno de suas costas, na maneira como ele se sentava, com as mãos nos bolsos. A postura de alguém muito confortável consigo mesmo.

Senti a pulsação acelerar. O que ele estava fazendo ali?

Ele ergueu a cabeça e me flagrou observando-o pelo espelho. Mas suspeitei que ele soubesse que eu estava lá o tempo todo, apenas esperando que eu o notasse. Seu reflexo ergueu o copo de cerveja.

Desviei o olhar. Bebi um gole da minha água mineral.

Alguns segundos depois, uma sombra cobriu a mesa. Olhei para cima. Aquele sorriso insinuante. Ele vestia uma camisa de linho amarrotada e short, as pernas nuas e bronzeadas. Suas roupas eram totalmente inadequadas para a formalidade do restaurante. E ainda assim ele parecia muito relaxado ali. Senti ódio dele por isso.

— Olá, Sophie — disse ele.

Eu me arrepiei com a familiaridade, então lembrei que havia pedido a ele para não me chamar de "*madame*". Mas ele falou meu nome de um jeito que parecia uma transgressão.

— Posso? — Ele indicou a cadeira.

Fazer qualquer coisa que não fosse concordar seria uma grosseria. Meneei a cabeça para mostrar que não me importava nem um pouco com o que ele fizesse.

Foi a primeira vez que fiquei tão perto dele. Então me dei conta de que ele não era bonito, não no sentido tradicional. Suas feições não eram uniformes. A autoconfiança, o carisma: era isso que o tornava atraente.

— O que você está fazendo aqui? — perguntei.

— Estou escrevendo uma crítica sobre o restaurante. Jacques sugeriu isso no jantar. Ainda não comi, mas já estou impressionado com o espaço... o clima, a arte.

Olhei para o quadro que ele estava admirando. Uma mulher de constituição vigorosa, quase masculina, ajoelhada. Braços e pernas fortes, mandíbula forte. Nada elegante a seu respeito, apenas uma força selvagem. A cabeça jogada para trás, uivando para a lua como um cachorro. As pernas abertas, a saia arregaçada... era quase sexual. Se você chegasse perto o suficiente para cheirá-lo, imagino que não sentiria cheiro de tinta, mas de sangue. De repente, tive plena consciência do suor que provavelmente havia encharcado a seda nas minhas axilas durante a caminhada até ali, meias-luas de umidade escondidas no tecido.

— O que você acha? — perguntou ele. — Eu adoro Paula Rego.

— Não sei se concordo — respondi.

Ele apontou para o meu lábio.

—Você tem um pouco... bem aqui.

Levei a ponta do guardanapo à boca e limpei delicadamente. Quando o afastei, vi que o espesso linho branco estava manchado de sangue. Eu encarei o tecido.

Ele tossiu.

— Eu sinto... Olha, eu só queria dizer que espero não termos começado com o pé esquerdo. No outro dia... quando comentei sobre o seu sotaque. Espero não ter soado grosseiro.

— *Mais non*. Por que pensaria isso?

— Olha, eu estudei francês em Cambridge, sabe, sou fascinado por essas coisas.

— Não fiquei ofendida — disse a ele. — *Pas du tout*. — *De jeito nenhum*.

Ele sorriu.

— Que alívio. Gostei muito do jantar no terraço da cobertura. Foi muita gentileza sua me convidar.

— Eu não convidei você — retruquei. — Foi ideia do Jacques.

Talvez isso tenha soado grosseiro. Mas também era verdade. Nenhum convite podia ser feito sem a autorização de Jacques.

— Pobre Jacques, então — disse ele, com um sorriso pesaroso. — O tempo naquela noite! Nunca vi ninguém tão furioso. Até pensei que ele fosse enfrentar a tempestade, como Lear. A cara que ele fez!

Eu ri. Foi inevitável. Deveria ter ficado chocada, ofendida. Ninguém fazia piada à custa do meu marido. Mas foi a surpresa. E ele tinha feito uma imitação muito precisa da expressão indignada de Jacques.

Tentando recuperar a compostura, peguei minha água e bebi um gole. Mas me senti leve como não me sentia havia muito tempo.

— Me conte — disse ele —, como é ser casada com um homem como Jacques Meunier?

Eu me engasguei com a água. Comecei a tossir, os olhos lacrimejando. Um dos garçons correu para oferecer ajuda, mas eu o dispensei com um gesto. A única coisa na qual conseguia pensar era: o que Ben sabia? O que Nicolas teria contado a ele?

— Desculpe. — Ele abriu um breve sorriso. — Acho que minha pergunta saiu da maneira errada. Às vezes me atrapalho um pouco com o francês. O que eu quis dizer foi: ser casada com um empresário tão bem-sucedido, como é isso?

Não respondi. O olhar que dirigi a ele como resposta dizia: *você não me dá medo.* Mas eu estava com medo. Era ele quem enviava os bilhetes, eu tinha certeza disso agora. Era ele quem recolhia os envelopes de dinheiro que eu deixava embaixo do degrau solto.

— Eu só quis dizer que, se um dia quiser dar uma entrevista, eu tenho muito interesse em conversar com você. Poderia contar como é administrar um negócio tão bem-sucedido...

— O negócio não é meu.

— Ah, tenho certeza de que não é verdade. Certamente você deve...

— Não. — Eu me debrucei na mesa para enfatizar o que dizia, batendo com a unha na toalha para marcar cada palavra. — Eu não tenho nada a ver com os negócios. *Comprenez-vous? — Entendeu?*

— Certo. Está bem. — Ele olhou para o relógio. — A oferta continua de pé. Pode ser... mais um artigo sobre estilo de vida. Sobre você como parisiense por excelência, algo assim. Sabe onde me encontrar. — Ele sorriu.

Eu apenas o encarei. Talvez você não entenda com quem está lidando. Tive que fazer certas coisas para chegar aonde estou. Sacrifiquei muita coisa. Passei por cima de pessoas. Você não é nada comparado a tudo isso.

— Enfim — disse ele, se levantando. — É melhor eu ir. Tenho uma reunião com meu editor. Nos vemos por aí.

Quando tive certeza de que ele tinha ido embora, chamei o garçom.

— O 1998.

Ele arregalou os olhos. Parecia prestes a oferecer uma alternativa a um vinho tinto tão pesado naquele calor. Então viu minha expressão. Assentiu, saiu apressado e voltou com a garrafa.

Enquanto bebia, me lembrei de uma noite no início do meu casamento. Na Opéra Garnier, onde assistimos a *Madame Butterfly* sob o teto pintado por Chagall, bebemos champanhe gelado no bar no intervalo e eu esperei que Jacques me mostrasse os famosos relevos da lua e do sol pintados em ouro puro nos tetos abobadados das pequenas câmaras em cada extremidade. Mas ele estava mais interessado em apontar para pessoas, clientes. Ministros de determinados departamentos governamentais, empresários, profissionais importantes da mídia francesa. Alguns deles até eu reconheci, embora não me conhecessem. Mas todos conheciam Jacques. Retribuíam seus acenos de cabeça com pequenos cumprimentos tensos.

Eu sabia exatamente com que tipo de homem estava me casando. Entrei naquele casamento sem qualquer ilusão. Sabia o que tinha a ganhar. Não, nosso casamento nem sempre seria perfeito. Mas que casamento é? E ele me deu minha filha, no fim das contas. Eu perdoaria qualquer coisa por isso.

Agora, paro por um momento à porta do apartamento do terceiro andar. Olho fixamente para o número 3 de latão. Lembro-me de estar neste mesmo lugar semanas atrás. Eu havia passado o resto da tarde no restaurante, bebendo sozinha toda aquela garrafa da safra de 1998 enquanto os garçons sem dúvida me observavam, horrorizados. *Madame Meunier enlouqueceu*. Enquanto bebia, pensava em Benjamin Daniels e em sua impertinência, nos bilhetes, no terrível poder que exerciam sobre mim. Minha raiva desabrochou. Pela primeira vez em muito tempo, me senti viva de verdade. Como se eu fosse capaz de qualquer coisa.

Voltei para o prédio no fim da tarde, subi a escada, parei neste mesmo lugar e bati na porta dele.

Benjamin atendeu rapidamente, antes que eu tivesse a chance de mudar de ideia.

— Sophie — disse ele. — Que surpresa agradável.

Ele estava vestindo camiseta e calça jeans; os pés descalços. Havia música tocando no toca-discos atrás dele, um disco girando preguiçosamente. Uma cerveja aberta em sua mão. Pensei que talvez ele estivesse com alguém lá dentro, o que eu nem sequer havia considerado.

— Entre — disse ele.

Eu o segui para dentro do apartamento. De repente, tive a sensação de estar invadindo uma propriedade alheia, o que era um absurdo. Aquela era a minha casa, ele era o intruso.

— Quer beber alguma coisa? — ofereceu ele.

— Não. Obrigada.

— Por favor... estou com um vinho aberto. — Ele gesticulou para a garrafa de cerveja. — Não é certo... eu beber e você não.

De alguma forma, ele já havia conseguido me desestabilizar sendo tão cortês, tão charmoso. Eu deveria estar preparada para isso.

— Não — falei. — Não quero. Essa não é uma visita social.

Além do mais, minha cabeça ainda rodava por causa do vinho que eu tinha bebido no restaurante.

Ele fez uma careta.

— Desculpe — disse. — Se for por causa do que aconteceu no restaurante, das perguntas, sei que foi presunção da minha parte. Passei dos limites.

— Não é isso. — Meu coração estava acelerado. Minha raiva havia me levado até ali, mas agora eu estava com medo. Dar voz àquilo traria o assunto à luz, finalmente se tornaria real. — É você, não é?

Ele franziu a testa.

— Eu o quê?

Ele não esperava por isso, pensei. Agora era a vez dele de ficar na defensiva. Isso me deu a confiança de que eu precisava para continuar:

— Os bilhetes.

Ele ficou confuso.

— Bilhetes?

—Você sabe do que estou falando. Os bilhetes, as exigências de pagamento. Eu vim dizer que é melhor você não me ameaçar. Sou capaz de praticamente qualquer coisa para me proteger. Eu não... não vou pensar duas vezes.

Ainda consigo ouvir sua risada estranha e pesarosa.

— *Madame Meunier*... Sophie... Sinto muito, mas realmente não faço ideia do que você está falando. Que bilhetes?

— Os que você tem deixado para mim — respondi. — Na minha caixa de correio. Por debaixo da minha porta.

Observei o rosto dele muito atentamente, mas vi apenas confusão. Ou ele era um excelente ator, o que não me surpreenderia, ou o que eu estava dizendo de fato não fazia nenhum sentido para ele. Seria verdade? Eu o observei, sua expressão perplexa, e percebi, contra a minha vontade, que acreditava nele. Mas não fazia sentido. Se não tinha sido ele, então quem seria?

— Eu...

A sala pareceu se inclinar um pouco: uma combinação do vinho que eu havia bebido e dessa nova constatação.

— Quer se sentar um pouco? — perguntou ele.

E eu me sentei, porque de repente não sabia se conseguiria ficar de pé.

Ele me serviu uma taça de vinho sem perguntar dessa vez. Eu estava precisando. Peguei a taça que ele me ofereceu e tentei não segurar a haste com tanta força a ponto de quebrá-la.

Ele se sentou ao meu lado. Olhei para ele, para aquele homem que tinha sido uma pedra no meu sapato desde que chegara, que havia ocupado tanto espaço em meus pensamentos. Que tinha feito com que eu me sentisse vista — com todo o desconforto que isso implicava — justo quando achei que tinha ficado invisível para sempre. Ser invisível era seguro, mesmo que ocasionalmente solitário. Mas eu me esquecera de como era empolgante ser vista.

Eu estava em transe, talvez. Todo o vinho que havia bebido antes de ir até lá confrontá-lo. A pressão que andava se acumulando dentro de mim havia semanas conforme meu chantagista me provocava. A solidão que vinha crescendo havia anos em segredo e em silêncio.

Então me inclinei na direção dele e o beijei.

Quase imediatamente, me afastei. Não acreditava no que tinha feito. Levei a mão ao rosto e toquei minha bochecha quente.

Ele sorriu para mim. Eu nunca tinha visto aquele sorriso. Aquilo era novo. Algo íntimo e secreto. Algo só para mim.

— Eu... eu preciso ir. — Larguei a taça de vinho e, ao fazer isso, derrubei a garrafa de cerveja dele no chão. — Ah, *mon Dieu*. Desculpe...

— Não estou nem aí para a cerveja.

E então ele tomou meu rosto entre as mãos, me puxou e me beijou.

O cheiro dele, com sua estranheza, a sensação esquisita dos seus lábios nos meus, a perda do meu autocontrole: tudo isso foi uma surpresa. Mas não o beijo em si; no fundo, não. Em alguma parte de mim, eu já sabia que o desejava.

— Desde aquele primeiro dia — disse ele, como se ecoasse meus pensamentos —, quando a vi no pátio, eu quis saber mais sobre você.

— Isso é ridículo — falei, porque era. Mas o que tornava menos ridículo era como ele olhava para mim.

— Não é. Eu estava esperando para fazer isso desde aquela noite no seu coquetel. Quando estávamos só nós dois no escritório do seu marido...

Pensei na indignação que eu tinha sentido ao encontrá-lo ali, olhando para aquela foto. O medo. Mas o medo e o desejo estão muito enredados um no outro, afinal.

— Que absurdo — falei. — E quanto a Dominique?

— Dominique? — Ele ficou genuinamente confuso.

— Eu vi vocês dois juntos naquele dia.

Ele riu.

— Ela poderia devorar uma estátua com os olhos. E foi conveniente para mim distrair seu marido do fato de que eu estava cobiçando a mulher dele.

Ele estendeu a mão e me puxou novamente.

— Isso não pode acontecer...

Mas acho que ele sentiu a falta de convicção na minha voz, porque sorriu.

— Odeio dizer isso. Mas já *está* acontecendo.

—Temos que tomar cuidado — sussurrei alguns minutos depois, enquanto começava a desabotoar minha camisa.

Revelando a lingerie que tinha custado uma fortuna, mas que raramente era vista por outros olhos que não os meus. Revelando meu corpo, privado de tanto prazer, mantido e cuidado para um homem que mal olhava para ele.

Ele ficou de joelhos diante de mim, como se estivesse a meus pés, me venerando. Puxou minha calça justa de lã para baixo, encontrando a renda fina da minha calcinha com os lábios e abrindo a boca de encontro ao meu corpo.

NICK
Segundo andar

Não dormi bem ontem à noite, e não apenas por causa do som grave da música da festa na *cave* reverberando pela escada a noite toda. No banheiro, coloco mais dois comprimidos azuis na mão. Só eles me mantêm funcionando agora. Engulo.

Perambulo pelo apartamento. Quando passo pelo iMac, a tela se ilumina. Será que encostei nele? Se sim, não percebi. Mas lá está. A foto com Ben. Fico paralisado diante dela. Atraído da mesma forma, suponho, que uma pessoa que se automutila é atraída pela lâmina sobre a pele do próprio pulso.

Tudo mudou depois daquele jantar no terraço. Alguma coisa estava diferente. Não gostei de como papai deixou claro seu favoritismo por Ben. Não gostei de como Ben desviou os olhos dos meus quando contou sobre nossa viagem pela Europa. Também me incomodou bastante que ele estivesse muito ocupado toda vez que eu sugeria que saíssemos para beber alguma coisa. Tinha que sair correndo para encontrar seu editor, avaliar algum restaurante novo. Evitando minhas ligações, minhas mensagens, evitando meu olhar quando nos cruzávamos na escada.

Não era para ser assim. Não tinha sido isso que eu havia planejado quando ofereci a ele o apartamento. Fora ele quem entrara em contato comigo. Seu e-mail trouxera o passado de volta à tona. Eu havia assumido um risco enorme ao convidá-lo para cá. Achei que tínhamos um acordo tácito.

Vou para trás do meu iMac e passo as mãos na parede. Sinto a rachadura fina no gesso. Há uma segunda escada aqui. Escondida. Antoine e eu brincávamos nela quando éramos crianças. Nós a usávamos para nos escondermos do papai também, nos dias em que seu humor estava perigoso. Tenho vergonha de admitir isso, mas algumas vezes a usei para observar Ben, espiar seu apartamento, sua vida. Queria descobrir o que ele estava planejando. Imaginava o que ele tanto escrevia em seu laptop, o que o mantinha tão ocupado, para quem estaria ligando do seu celular. Eu me esforçava para ouvir as palavras, mas não conseguia nada.

Embora me esnobasse, ele parecia ter tempo para os outros moradores daqui. Eu os encontrei na *cave* uma tarde quando desci para lavar roupa. Ouvi a risada, primeiro. Então a voz de papai:

— É claro que quando herdei o negócio da mãe deles estava tudo uma bagunça. Tive que torná-lo lucrativo. É preciso ser criativo quando se tem um negócio de vinhos. Especialmente se a propriedade não está mais produzindo e tudo vai virar vinagre em breve. A gente tem que encontrar maneiras de diversificar.

— O que está acontecendo aqui? — perguntei. — Uma degustação particular?

Eles saíram da adega feito dois colegiais pegos em flagrante. Papai segurando uma garrafa e duas taças. Quando Ben sorriu, vi que seus dentes estavam manchados de vinho. Estava segurando uma das poucas garrafas *magnum* restantes da safra de 1996. Um presente do meu pai, aparentemente.

— Nicolas — disse papai devagar. — Suponho que você tenha vindo para estragar a festa.

Nada de *Gostaria de se juntar a nós, filho? Quer uma taça?* Durante todo o tempo em que morei sob o teto dele, meu pai nunca sugeriu que nós dois fizéssemos nada parecido com aquela degustação de vinhos íntima dos dois. Foi como um dedo na ferida. A primeira traição propriamente dita. Eu contara a Ben que tipo de homem meu pai era de verdade. Será que Ben tinha esquecido?

Ben sorri para mim da foto no protetor de tela. E lá estou eu sorrindo ao lado dele, como o idiota que eu era. Julho, Amsterdã. O sol em nossos olhos.

Conversar com Jess trouxe tudo de volta. Aquela noite que Ben e eu passamos no café de maconha. Eu contando a ele tudo sobre meu aniversário, sobre o "presente" do papai. Como tinha sido catártico. Eu me sentira purificado, expurgado de tudo.

Depois, Ben e eu saímos pelas ruas escuras. Ficamos andando sem rumo, conversando. Eu não tinha certeza de para onde estávamos indo; acho que ele também não fazia ideia. Em algum momento ao longo do caminho, deixamos a parte turística da cidade e as multidões para trás: aqueles canais eram mais tranquilos, menos iluminados. Casas antigas e elegantes com janelas compridas pelas quais dava para ver as pessoas lá dentro conversando e bebendo taças de vinho, jantando, um sujeito digitando em uma escrivaninha. Pessoas realmente moravam ali.

Não dava para ouvir nada além da água batendo nas margens de pedra. Água negra, negra como tinta, as luzes das casas dançando nela. E o cheiro, como musgo e mofo. Um cheiro antigo. Nenhuma nuvem nauseante de maconha para atravessar. Eu estava farto do cheiro de maconha. Cansado, também, da multidão de corpos, do ruído das conversas das pessoas. Estava enjoado até dos outros dois caras: sua voz, o fedor de suas axilas, seus pés suados. Havíamos passado tempo demais juntos naquele verão. Eu ouvira todas as piadas e histórias que eles tinham para contar. Com Ben era diferente, de alguma forma, embora eu não soubesse dizer ao certo por quê.

Aquele silêncio: senti vontade de bebê-lo como se fosse um copo de água gelada. Parecia mágico... E contar a Ben todas aquelas coisas sobre meu pai... Sabe quando a gente come algo estragado e depois de vomitar se sente vazio, mas ao mesmo tempo limpo, quase melhor do que antes de uma maneira que não dá para definir?

— Obrigado — falei de novo. — Por ouvir. Você não vai contar para ninguém, vai? Para os outros caras?

— Não, claro que não. É nosso segredo, cara. Se você quiser.

Estávamos caminhando por uma parte do canal ainda mais escura; acho que alguns dos postes tinham parado de funcionar. O silêncio era mortal.

Há momentos na vida que parecem acontecer de forma tão natural que a sensação é de que foram roteirizados com antecedência. Aquele momento foi assim. Não me lembro de nenhuma decisão consciente de me aproximar dele. Mas, quando me dei conta, eu o estava beijando. Definitivamente fui eu quem dei o primeiro passo, sei disso, mesmo que tenha sido como se meu corpo tivesse se movido antes de o meu cérebro se dar conta do que eu ia fazer.

Eu já havia beijado muitas pessoas. Quer dizer, garotas. Sempre garotas. Em festas, ou bêbado depois de um jantar formal, ou em sociais da faculdade. Tinha dado uns amassos. E não havia sido desagradável. Mas nunca me pareceu mais íntimo ou excitante do que, não sei, um aperto de mão. Não me enojava, exatamente, mas durante todo o tempo em que estava acontecendo eu pensava em logísticas: se eu estava usando os dedos e a língua da forma certa, me sentindo um pouco nauseado com a quantidade de saliva sendo compartilhada. Parecia que eu estava praticando um esporte, um esporte no qual talvez estivesse tentando me aprimorar. Nunca tinha parecido algo empolgante, que fazia minha pulsação acelerar.

Mas aquilo, aquilo foi diferente. Era tão natural quanto respirar. Era estranho como a boca dele parecia firme em comparação com a suavidade da boca das garotas que eu havia beijado; eu achava que não haveria diferença. E, de algum jeito, parecia a coisa certa a fazer. Como se fosse a coisa pela qual eu estava esperando, o que fazia sentido.

Segurei a corrente em seu pescoço, aquela que tinha visto tantas vezes aparecer e desaparecer sob a gola da sua camisa, aquela com o santinho pendurado. Dei um pequeno puxão, trazendo-o para mais perto de mim.

E então estávamos nos movendo para trás, mergulhando na escuridão. Eu o empurrei para algum canto escondido, fiquei de joelhos na frente dele; mais uma vez, todos os movimentos foram fluidos, como se tudo tivesse sido escrito antes, como se estivesse destinado a acontecer. Abri sua braguilha e coloquei-o na boca, quente e duro, o cheiro secreto de sua pele. Meus joelhos doíam contra os paralelepípedos ásperos. E mesmo que nunca tivesse me permitido pensar nisso, eu devia ter pensado, em algum lugar do meu inconsciente, algum pensamento mais profundo, escondido até de mim mesmo, porque eu sabia exatamente o que estava fazendo.

Ele sorriu, depois. Um sorriso sonolento, preguiçoso e chapado.

Para mim, no entanto, depois daquela onda de euforia, houve uma queda brusca. O efeito da maconha nunca tinha passado daquela forma. Meus joelhos doíam, minha calça jeans tinha ficado úmida de alguma coisa no chão onde me ajoelhei.

— Merda. Merda... Não sei o que aconteceu. Merda. Eu só estou... Estou muito chapado.

Mentira. Eu estava chapado, sim. Mas nunca tinha me sentido tão lúcido na vida. Também nunca tinha me sentido tão vivo, elétrico, conectado, tantas coisas diferentes.

— *Cara* — disse Ben, com um sorriso. — Não precisa se preocupar. Nós dois estávamos um pouco bêbados, muito chapados. — Ele gesticulou ao nosso redor, dando de ombros. — E ninguém viu nada.

Eu não acreditava em como ele estava relaxado com tudo aquilo. Mas talvez no fundo eu soubesse disso a respeito dele, desse lado de Ben. Certa vez, ouvi alguém em Cambridge descrevê-lo como "onívoro"; fiquei sem entender o que significava.

— Não conte para ninguém — pedi. Fiquei tonto de medo, de repente. — Olha, você não entende. Isso... tem que ficar só entre nós. Se de alguma forma vazasse... Olha, meu pai, ele não entenderia.

A possibilidade de ele descobrir foi um soco no estômago, me deixou sem fôlego só de pensar. Eu visualizava o rosto dele, ouvia sua voz. Ainda me lembrava do que ele tinha respondido quando falei que não queria aquele presente de aniversário, o que havia naquele quarto: *Qual é o seu problema, filho? Você é bicha?* O nojo na voz dele.

Ele realmente pode me matar, pensei. Se suspeitar. É provável que preferisse isso a ter um filho como eu. No mínimo, ia me deserdar. E embora eu não soubesse como me sentia de aceitar o dinheiro dele, ainda não estava pronto para renunciar a isso.

Depois de Amsterdã, decidi que nunca mais queria ver Benjamin Daniels. Nós nos afastamos. Tive várias namoradas. Passei quase uma década nos Estados Unidos, não olhei para trás. Sim, houve alguns caras lá: a liberdade proporcionada por milhares de quilômetros de terra e água, por mais que eu ainda tivesse a sensação de ouvir a voz do meu pai em minha mente todas as vezes. Mas nada sério.

Isso não significa que não pensei naquela noite depois. De certa forma, sei que tenho pensado nisso desde então, mesmo tentando evitar. E todos aqueles anos depois: o e-mail de Ben. Tinha que significar alguma coisa, ele entrando em contato daquela maneira, do nada. Não podia ser só uma retomada de contato casual.

Só que, depois daquele jantar no terraço, quando ele impressionou tanto papai, eu mal o vi ou falei com ele, a não ser de passagem. Ele tinha tempo até para a concierge, pelo amor de Deus, mas não para mim, seu velho amigo. Ele estava instalado aqui praticamente sem pagar aluguel. Tinha conseguido o que precisava e depois pulado fora. Comecei a me sentir usado. E quando pensava em como ele era evasivo toda vez que eu me aproximava, também me sentia um pouco amedrontado, embora não soubesse por quê. Pensei nas palavras de Antoine sobre papai nos deserdar sem pensar duas vezes. Tinha parecido loucura na época. Mas agora... Comecei a sentir que não queria Ben por perto, no fim das contas. Passei a querer retirar o convite. Mas não sabia como fazer isso, como desfazer isso. Ele sabia demais. Poderia usar muitas coisas contra mim. Eu precisava encontrar outra maneira de fazê-lo ir embora.

A contagem do temporizador deve ter acabado, pois a tela do meu iMac escurece. Não importa. Ainda consigo ver a foto. Sou assombrado por ela há mais de uma década.

Penso em como quase beijei a irmã dele ontem à noite. A semelhança repentina, impressionante e maravilhosa com ele quando ela virava ligeiramente a cabeça, ou franzia a testa, ou ria. E também a semelhança com o momento: a escuridão, a quietude. Nós dois separados do resto do mundo por apenas uma pausa.

Aquela noite em Amsterdã. Foi a pior coisa que já fiz, a mais vergonhosa.

E foi a melhor coisa que já me aconteceu.

Era assim que eu costumava encarar, pelo menos. Até ele vir morar aqui.

JESS

Acordo na escuridão. Sinto um peso enorme no peito, um gosto horrível na boca, a língua seca e pesada, como se não me pertencesse. Por longos instantes, tudo o que aconteceu comigo antes parece um completo vazio. É como olhar para a frente e ver apenas um buraco negro.

Tateio ao redor, tentando distinguir onde estou. Parece que estou deitada em uma cama. Mas que cama? De quem?

Merda. O que aconteceu comigo?

Aos poucos, me lembro: a festa. A bebida nojenta. Victor, o vampiro.

E então vejo algo que reconheço. Pequenos números verdes brilhando na escuridão. É o despertador de Ben. De alguma forma, estou de volta ao apartamento. Pisco para enxergar melhor os números. 17:38. Mas não pode ser. Já entardeceu. Isso significa que dormi — meu Deus — o dia inteiro.

Tento me sentar. Vejo dois olhos enormes, brilhantes e com pupilas estreitas a alguns centímetros do meu nariz. O gato está sentado em cima mim: esse é o peso que senti no peito. Ele começa a pressionar as garras no meu pescoço como se tivesse pequenos ferrões. Eu o afasto, fazendo-o pular da cama. Olho para mim mesma. Estou completamente vestida, graças a Deus. E me lembro agora, em flashes de memória: foi Victor quem me trouxe até aqui depois que desmaiei no apartamento de Mimi. Ele não era o predador que estupra garotas em festas que de repente pensei que pudesse ser. Na verdade, parecia assustado com meu estado e foi embora o mais rápido que pôde. Acho que pelo menos tentou ajudar.

Um lampejo de memória. Encontrei alguma coisa ontem à noite. Algo que parecia importante. Mas a princípio tudo o que aconteceu só volta em fragmentos nebulosos e desconexos. Há grandes pedaços faltando, como buracos em um quebra-cabeça. Sei que meus sonhos foram um pouco psicodélicos. Lembro-me da imagem de Ben gritando comigo através de uma vidraça; mas eu não via o rosto dele com clareza, o vidro parecia distorcido. Ele tentava me alertar sobre alguma coisa, mas eu não ouvia o que ele estava dizendo. E, de repente, vi seu rosto claramente, mas era muito, muito pior. Porque ele não tinha olhos. Alguém os havia arrancado.

Então me lembro das pinturas debaixo da cama de Mimi. Cacete. Foi isso que encontrei ontem à noite. Aqueles rasgos nas telas, como se ela as tivesse despedaçado em um ataque de fúria. Os cortes, os buracos onde deveriam estar os olhos. E a camiseta de Ben, enrolada nelas.

Eu me arrasto para fora da cama, cambaleando pelo quarto. Minha cabeça lateja. Posso ser pequena, mas não sou fácil de derrubar e uma bebida não é suficiente para me deixar nesse estado. Pode não ter sido Victor, mas tenho certeza de uma coisa: alguém me drogou de propósito.

Um trinado alto, tão alto em meio ao silêncio que me sobressalto. Meu celular. O nome de Theo pisca na tela.

Eu atendo.

— Alô?

— Descobri o que é o cartão. — Sem firulas, sem preâmbulos.

— O quê? — pergunto. — Do que você está falando?

— O cartão que você me deu. O de metal, com os fogos de artifício. Eu descobri o que é. Olha, pode me encontrar quinze para as sete? Em... mais ou menos uma hora? Na estação de metrô Palais-Royal; podemos ir andando de lá. Ah, e tente se arrumar da forma mais elegante que conseguir.

— Eu não...

Mas ele já desligou.

MIMI

Quarto andar

Fui eu quem batizou a bebida dela ontem à noite. Foi muito fácil. Tinha ketamina rolando na festa, e eu consegui um pouco, misturei o pó na bebida até dissolvê-lo e pedi a um dos amigos de Camille que oferecesse o drinque para a inglesa ruiva. Ele ficou muito feliz com a tarefa: ela é bem bonita, acho.

Não tive escolha. Não podia permitir sua presença na festa. Mas não significa que não me sinta mal pelo que fiz... Passei a vida tomando muito cuidado com drogas, tirando aquela noite no parque. Então, drogar outra pessoa sem ela saber... Não foi legal. Não é culpa dela ter cometido o erro de vir para este lugar. Essa é a pior parte. Ela provavelmente nem é uma má pessoa.

Mas sei que eu sou.

Camille sai do quarto vestindo uma camisola de seda, anéis escuros de maquiagem borrada ao redor dos olhos. É a primeira vez que ela sai do quarto hoje.

— Ei. A noite foi loucaaaaa. As pessoas curtiram muito, não acha? — Ela me olha atentamente. — *Putain*, Mimi, você está péssima. O que aconteceu com os seus joelhos?

Ainda sinto dor da queda no asfalto na frente daquela van; a concierge insistiu em passar um pouco de antisséptico nas escoriações.

Ela sorri.

— Alguém teve uma noite daquelas, *non*?

Dou de ombros.

— *Oui*. Acho que sim. — Na verdade, foi provavelmente uma das piores noites da minha vida. — Mas eu não... dormi bem.

Não dormi nada.

Ela me olha com mais atenção.

— Ahhh. Foi *esse* tipo de não dormir?

— Como assim?

Eu gostaria que ela parasse de olhar para mim de forma tão intensa.

—Você sabe o que eu quero dizer! O cara misterioso?

Meu coração de repente bate rápido demais.

— Ah. Não. Não foi nada disso.

— Espera. — Ela sorri para mim. —Você acabou não me contando. Funcionou?

— O que você quer dizer com funcionou?

Sinto como se ela estivesse me cercando, o cheiro de Miss Dior e fumaça de cigarro subitamente insuportável. Preciso que ela saia de perto de mim.

— As coisas que nós compramos, Mimi! — Ela ergue as sobrancelhas. — Você não pode ter esquecido. Foi só, tipo, duas semanas atrás!

Já parece que aconteceu com outra pessoa. Eu me vejo como a personagem de um filme, batendo na porta do quarto de Camille. Ela está sentada na cama, pintando as unhas dos pés, o quarto fedendo a esmalte e maconha.

— Quero comprar lingerie — falei para ela.

Mamãe sempre comprou todas as minhas lingeries. Nós íamos juntas, a cada estação, à Eres, e ela comprava três conjuntos simples para mim: preto, branco, bege. Mas eu queria algo diferente. Algo que eu mesma tivesse escolhido. Mas não tinha ideia de onde ir. E sabia que Camille teria.

Ela ergueu as sobrancelhas.

— Mimi! O que deu em você? Visual novo e agora... *lingerie*? Quem é ele? — Ela abriu um sorriso malicioso. — Ou ela? *Merde*, você é tão misteriosa que nem sei se prefere garotas. — Um sorrisinho astuto. — Ou talvez você seja como eu e depende do humor?

Será que ela realmente não sabia quem era? Para mim parecia tão óbvio. Não só que eu gostava dele, mas que nós dois tínhamos uma conexão especial. Parecia óbvio para o mundo exterior, para todos que nos viam.

— Venha — disse ela, pulando da cama e tirando os divisores de espuma que tinha colocado entre os dedos. — Nós vamos agora mesmo.

Ela me arrastou para a Passage du Désir em Châtelet. É uma sex shop — de uma rede — em uma rua comercial grande e movimentada, bem ao lado de lojas de sapatos e roupas, talvez porque aqui é a França, e trepar é, tipo, motivo de orgulho nacional. A gente vê casais carregados de sacolas nos braços, trocando sorrisos secretos, mulheres entrando a passos largos na hora do almoço para comprar vibradores. Eu nunca tinha entrado em uma loja daquelas. Na verdade, toda vez que passava por uma das lojas dessa rede, corava ao ver as vitrines e desviava o olhar.

Eu tinha a sensação de que todo mundo lá dentro estava olhando para mim, se perguntando o que aquela virgem fracassada e corada de vergonha estava fazendo em meio a todas aquelas roupas de látex e tubos de lubrificante. Baixei a cabeça, tentando me esconder atrás da minha franja nova. Tive visões horríveis de papai passando, de alguma forma me vendo ali dentro e me arrastando para fora pelo cabelo, me chamando de *une petite salope* na frente de todo mundo na rua.

Camille pegou caixas com coisas chamadas "kits amorosos": conjuntos de lingerie e cintas-ligas por dez euros. Mas fiz que não; não eram sofisticados o suficiente. Ela pegou um enorme dildo rosa brilhante com obscenas veias salientes e o balançou diante de mim.

— Talvez você devesse comprar um *desses* enquanto estamos aqui.

— Coloque isso de volta — sibilei, quase morrendo de vergonha. Sim, também temos essa expressão em francês: *mourir de honte*.

— Masturbação é saudável, *chérie* — disse Camille, bem mais alto do que o necessário. Ela estava se divertindo, dava para perceber. — Sabe o que não é saudável? *Não* se masturbar. Aposto que naquela escola para onde seu pai te mandou diziam que era pecado.

Contei a Camille sobre a escola, mas não por que tive que sair.

— *Va te faire foutre* — retruquei, dando um empurrão nela.

— Ah, mas é exatamente isso que você precisa fazer. Ir *se* foder.

Eu a arrastei para fora de lá. Entramos em uma loja mais elegante, onde as vendedoras com coque e batom vermelho perfeito me olharam com desdém. Minha camisa masculina, meus coturnos, minha franja cortada em casa. Um segurança nos seguiu. Normalmente, isso bastaria para me fazer ir embora. Mas eu precisava fazer aquilo. Por ele.

— Eu também quero comprar umas coisas — disse Camille, segurando uma cinta de seda diante do corpo.

—Você tem mais coisas do que esta loja inteira.

— *Oui*. Mas quero algo mais sofisticado, sabe?

— Para quem? — perguntei.

— Uma pessoa nova.

Ela exibiu um sorriso misterioso. Aquilo era estranho. Camille nunca faz mistério sobre nada. Se tem algum cara novo em cena com quem ela está transando, em geral o mundo inteiro já sabe mais ou menos trinta minutos depois da primeira trepada.

— Me conta — pedi.

Mas ainda assim ela se recusou a dizer. Não gostei dessa nova e misteriosa Camille. Mas eu estava entusiasmada demais com a emoção da minha compra para pensar muito sobre isso. Eu não podia esperar.

Ao lado de prateleiras de brinquedos sexuais de grife, demos uma olhada em cabides de renda e seda, apalpando os tecidos. A lingerie tinha que ser perfeita. Algumas eram exageradas: calcinhas com abertura, fivelas e tiras, couro. Outras Camille rejeitou como "coisas que sua *maman* compraria": flores e seda em tons pastel de rosa, pistache, lavanda.

Então:

— Encontrei a lingerie certa para você.

Ela a ergueu para mim. Era o conjunto mais caro de todos os que tínhamos visto até então. Renda preta e seda tão fina que mal dava para senti-la entre os dedos. Chique, mas ainda assim sexy. Adulta.

Em um trocador com cortinas de veludo, experimentei o conjunto. Segurei o cabelo no alto e semicerrei os olhos. Estava menos envergonhada. Nunca tinha me visto assim. Achei que ia me sentir estúpida, desajeitada. Achei que me preocuparia com meus seios pequenos, minha leve barriguinha, minhas pernas arqueadas.

Mas não. Em vez disso, eu me imaginei me revelando a ele. Imaginei sua expressão. Imaginei ele me despindo.

Je suis ta petite pute.

Depois que me troquei, levei o conjunto até o balcão e disse à vendedora que ia comprar. Gostei de como ela tentou disfarçar a surpresa quando peguei o cartão de crédito. *É, vá se foder, sua vadia. Eu poderia comprar tudo aqui se quisesse.*

Durante todo o caminho de volta para o apartamento, pensei na bolsa pendurada em meu braço. Não pesava nada, mas de repente era tudo.

Nas noites seguintes, observei-o pelas janelas. As sessões de escrita se estendiam até cada vez mais tarde: à base dos bules de café que ele preparava no fogão e bebia olhando pelas janelas que davam para o pátio. Era algo importante, dava para perceber. Eu via quão rápido ele digitava, curvado sobre o teclado. Talvez me deixasse ler um dia, em breve. Eu seria a primeira pessoa com quem ele compartilharia o que tinha escrito. Ele se curvava e acariciava a cabeça do gato, e eu imaginei que era aquele gato. Imaginei que um dia me deitaria naquele sofá com a cabeça no colo dele, e ele acariciaria meu cabelo como fazia com o pelo do gato. E ouviríamos discos e conversaríamos sobre todos os planos que faríamos. Eu via a imagem de nós juntos no apartamento dele com tanta clareza que era como se estivesse assistindo a um filme. Com tanta clareza que parecia uma premonição.

NICK
Segundo andar

Pancadas na porta do meu apartamento. Pulo de susto.

— Quem é?

— *Laisse-moi entrer.*

Me deixa entrar. Mais pancadas. A porta estremece nas dobradiças.

Eu abro. Antoine passa por mim com um empurrão e entra na sala envolto em uma nuvem de bebida e suor rançoso. Dou um passo para trás.

Ele entrou aqui desse mesmo jeito há apenas duas semanas:

"A Dominique está me traindo. Eu sei que está. Aquela putinha. Ela volta para casa com um cheiro diferente. Liguei para ela ontem da escada e ouvi o toque do celular dela vindo de algum lugar neste prédio. Na segunda vez que liguei, ela desligou. Me disse que estava na pedicure em Saint-Germain. É ele, eu sei. É aquele *connard* inglês que você convidou para morar aqui..."

E eu pensando: será que pode ser verdade? Ben e Dominique? Sim, houve um flerte enquanto tomávamos aqueles drinques no terraço. Eu não tinha achado grande coisa. Ben flertava com todo mundo. Mas será que isso poderia ser uma explicação para ele estar evitando meu olhar, evitando minhas ligações? Por isso estava *tão ocupado*?

Antoine estala os dedos diante do meu rosto.

— Acorde, *petit frère!* — Ele não diz isso de maneira afetuosa.

Seus olhos estão injetados de sangue, o hálito fedendo a vinho. Não acreditei na mudança quando voltei depois de todos aqueles anos longe. Quando fui embora, meu irmão era um homem recém-casado e feliz. Agora ele é um trapo alcoólatra abandonado pela mulher. É isso que trabalhar para nosso pai causa nas pessoas.

— O que vamos fazer com ela? — pergunta ele. — A garota?

— Se acalme...

— *Me acalmar?* — Ele aponta o dedo.

Dou outro passo para trás. Ele pode estar um trapo, mas sempre vou ser o irmão mais novo, pronto para desviar de um soco. E ele é muito parecido com papai quando está com raiva.

—Você sabe que tudo isso é culpa sua, não sabe? Que foi você que causou essa merda? Que se não tivesse convidado aquele babaca para morar aqui, que chegou aqui achando que podia simplesmente... pôr as mãos em tudo. Sabe que ele usou você, não é? Mas você não enxergou, não foi? Não conseguiu enxergar nada. — Ele franze a testa, fingindo refletir. — Na verdade, pensando bem, o jeito como você olhava para ele...

— *Ferme ta gueule.*

Cala a boca. Dou um passo na direção dele. A raiva é repentina, cegante. E quando me dou conta do que estou fazendo, minha mão está no pescoço dele e seus olhos estão arregalados. Eu afrouxo os dedos, mas com esforço, como se parte de mim resistisse a seguir esse comando.

Antoine ergue a mão e massageia o pescoço.

— Toquei em um ponto sensível, não foi, maninho? — A voz dele está rouca, os olhos um pouco assustados, seu tom não tão irreverente quanto ele provavelmente gostaria. — Papai não ia gostar nada disso, não é? Não, ele não ia gostar mesmo.

— Me desculpe — digo, envergonhado. Minha mão dói. — Merda, me desculpe. Isso não ajuda em nada, nós dois brigando assim.

— Ah, olha só para você. Tão maduro. Envergonhado do seu pequeno ataque de fúria porque gosta de fingir que é bem resolvido, não é? Mas você é tão fodido quanto eu.

Quando ele diz "fodido", um *foutu* áspero em francês, uma grande cusparada atinge minha bochecha. Ergo a mão e limpo. Quero lavar o rosto, esfregá-lo com água quente e sabão. Me sinto *infectado* por ele.

Quando Jess falou de Antoine ontem à noite, eu o vi através dos olhos de uma desconhecida. Tive vergonha dele. Ela está certa. Ele é um fracassado. Mas detestei ouvi-la dizendo isso. Porque ele também é meu irmão. Podemos falar mal dos nossos familiares o quanto quisermos. Mas no segundo em que alguém de fora os insulta, nosso sangue ferve. No fim das contas, não gosto dele, mas o amo. E vejo meus defeitos nele. Para Antoine é a bebida, para mim são os comprimidos, o exercício autopunitivo. Posso estar um pouco mais no controle dos meus vícios. Posso ser menos ferrado... em público, pelo menos. Mas será que isso é realmente motivo para me gabar?

Antoine sorri para mim.

— Aposto que você gostaria de nunca ter voltado para cá, hein? — Ele dá mais um passo para perto de mim. — Me diga, se era tão bom assim conviver com os caras ambiciosos do Vale do Silício, por que você voltou? Ah, *oui*... porque você não é melhor do que o resto de nós. Tenta fingir que é, que não precisa dele, do dinheiro dele. Mas aí volta rastejando para cá, como todos nós, querendo mamar um pouco mais na teta paterna...

— Cala a porra da boca! — grito, cerrando os punhos.

Respiro fundo: inspirando em quatro tempos, expirando em oito, como meu aplicativo de atenção plena me manda fazer. Não tenho orgulho de perder a cabeça dessa forma. Eu sou melhor que isso. Não sou esse cara. Mas ninguém me tira do sério como Antoine. Ninguém mais sabe exatamente o que dizer e como dizer para obter o máximo impacto. A não ser meu pai, é claro.

Mas o pior é que meu irmão está certo. Eu voltei. De volta ao *pater familias* feito uma ave migratória retornando para o mesmo lago envenenado.

"Você voltou para casa, filho", disse papai, enquanto estávamos sentados juntos no terraço na minha primeira noite de volta. "Eu sempre soube que você ia voltar. Temos que fazer uma viagem para a Île de Ré, sair de barco um fim de semana."

Talvez ele tivesse mudado. Amolecido. Não tinha zombado de mim por causa do dinheiro que perdi no investimento... ainda não. Até me ofereceu um charuto, que eu fumei, embora deteste o gosto. Talvez ele tivesse sentido minha falta.

Só mais tarde percebi que não era nada disso. Era apenas mais uma demonstração do seu poder. Eu tinha fracassado em construir uma vida longe dele.

"Se quiser mais um centavo do meu dinheiro", disse ele, "pode voltar a morar debaixo do meu teto para eu ficar de olho em você. Chega de vagabundagem pelo mundo. Quero um retorno do meu investimento. Quero saber que você não está jogando tudo no lixo. *Tu comprends?* Entendeu?"

Antoine está andando de um lado para outro na minha frente.

— Então, o que vamos fazer com ela? — pergunta ele, com uma agressividade embriagada.

— Fala baixo — digo. — Ela pode entender alguma coisa.

As paredes têm ouvidos neste lugar.

— Ora, e que porra ela ainda está fazendo aqui? — Ele chuta o batente da porta. — E se ela procurar a polícia?

— Eu já cuidei disso.

— Como assim?

— Amigos influentes são para essas coisas.

Ele entende.

— Mas ela precisa ir embora. — Ele passa a murmurar para si mesmo: — Podemos trancá-la do lado de fora. Isso seria muito fácil. É só mudarmos o código do portão da frente... e aí ela não vai conseguir entrar.

— Não — digo —, isso não ia...

— Ou podemos expulsá-la. Uma garotinha como ela? Não seria difícil.

— Não. Se fizéssemos isso, só a estaríamos forçando a procurar a polícia de novo, agora por conta própria...

Antoine solta algo entre um rugido e um gemido. Ele é um grande risco. Família, né? Porque o sangue fala mais alto, no fim das contas. Ou como dizemos em francês: *la voix du sang est la plus forte.* A voz do sangue é a mais forte. E me chamou de volta para este lugar.

— É melhor ela ficar aqui — digo, bruscamente. —Você precisa entender isso. É melhor ficarmos de olho nela. Por enquanto, só temos que manter a calma. Papai vai saber o que fazer.

—Você teve notícias dele? — pergunta Antoine. — Do papai? — O tom dele mudou. Há certa carência agora.

Quando disse "papai", por um segundo ele soou como o garotinho que foi um dia, o garotinho que ficava sentado do lado de fora do quarto da mãe enquanto os melhores médicos de Paris iam e vinham, incapazes de compreender a doença que a consumia.

Faço que sim.

— Ele entrou em contato hoje de manhã.

Espero que você esteja cuidando de tudo aí, filho. Mantendo Antoine sob controle. Volto assim que puder.

Antoine faz uma careta. Ele é o braço direito do papai nos negócios da família. Mas agora, por enquanto, é em mim que papai confia. Isso deve magoar meu irmão. Mas sempre foi assim, nosso pai nos colocando um contra o outro em uma disputa por migalhas de afeto paternal. Exceto nas poucas ocasiões em que nos unimos contra um inimigo comum.

Quarenta e oito horas antes

Ela observa através das venezianas enquanto ele é carregado para fora do prédio. Assim como observa tudo neste lugar. Às vezes de sua casinha no jardim, outras vezes dos cantos do prédio, de onde pode espioná-los sem ser notada.

O corpo na mortalha improvisada é visivelmente pesado. Já ficando rígido talvez, difícil de manejar. Um peso morto.

As luzes no apartamento do terceiro andar ficaram acesas até pouco tempo, brilhando na noite. Agora estão apagadas, e ela vê as janelas se tornarem vãos escuros, ocultando tudo lá dentro. Mas vai ser preciso mais do que isso para apagar a lembrança do que aconteceu naquele apartamento.

Então a luz do pátio se acende. Ela os observa começarem a trabalhar, escondidos do mundo lá fora atrás dos muros altos, fazendo tudo o que precisa ser feito.

Ao vê-lo, ela pensou que sentiria algo, mas não sentiu nada. Sorri de leve ao pensar que o sangue dele agora fará parte deste lugar, vai ser seu segredo sombrio. Bom, ele gostava de segredos. Sua mancha vai ficar aqui para sempre, suas mentiras enterradas com ele.

Algo terrível aconteceu aqui esta noite. Ela não vai falar sobre o que viu, nem mesmo por cima do cadáver dele. Ninguém neste prédio é totalmente inocente. Nem mesmo ela.

Uma nova luz se acende quatro andares acima. No vidro, ela vislumbra um rosto pálido, cabelos escuros. A mão na vidraça. Talvez haja uma pessoa inocente nisso tudo, afinal.

JESS

Estou vasculhando o armário de Ben para ver se há alguma roupa que uma antiga namorada tenha deixado para trás, algo que eu possa pegar emprestado. Antes de Theo desligar na minha cara, eu ia dizer a ele que não tenho nada elegante para vestir hoje à noite. Nem tempo ou dinheiro para comprar nada, afinal ele me avisou em cima da hora.

Apenas por um momento, paro de vasculhar as camisas de Ben e pressiono uma delas no rosto. Tento, pelo cheiro, invocar a presença dele aqui, acreditar que logo vou vê-lo na minha frente. Mas o cheiro — de sua colônia, de sua pele — já parece ter se atenuado um pouco. Parece de alguma forma um símbolo de todo o nosso relacionamento: eu sempre perseguindo um fantasma.

Me arrasto para longe do armário. Escolho um dos meus dois suéteres que não tem nenhum furo e escovo o cabelo que não lavo desde que cheguei, mas pelo menos agora lembra menos um ninho de passarinho. Visto a jaqueta. Penduro um par de argolas baratas nas orelhas. Me olho no espelho. Não é exatamente "elegante", mas vai ter que servir.

Abro a porta do apartamento. A escada está um breu. Tateio em busca do interruptor. Sinto cheiro de fumaça de cigarro, ainda mais forte que o normal.

É quase como se alguém estivesse fumando neste exato momento. Algo me faz olhar para a esquerda. Um som, talvez, ou apenas um movimento do ar.

E então avisto algo fora do lugar: um pequeno ponto vermelho brilhante pairando no alto, na escuridão. Levo um tempo para entender o que é. Estou olhando para a ponta de um cigarro aceso na mão de alguém escondido no breu logo acima de mim.

— Quem está aí? — pergunto, ou tento, porque sai como um gritinho estrangulado.

Procuro o interruptor de luz perto da porta e finalmente o encontro, acendendo as luzes. Não há ninguém à vista.

Meu coração ainda está batendo duas vezes mais rápido que o normal enquanto atravesso o pátio. Assim que chego ao portão da rua, ouço o som de passos rápidos atrás de mim. Eu me viro.

É a concierge, emergindo mais uma vez das sombras. Tento dar um passo para trás, mas, quando meu calcanhar bate no metal, percebo que já estou encostada no portão. Ela só chega até meu queixo — e eu nem sou muito alta —, porém há algo de ameaçador em sua proximidade.

— Pois não? — pergunto. — O que foi?

— Tenho uma coisa para dizer a você — sussurra ela, em seguida olha para o prédio ao redor.

Ela me lembra um pequeno animal farejando o ar em busca de um predador. Sigo seu olhar para cima. Quase todas as janelas são vãos escuros, refletindo o brilho dos postes de luz do outro lado da rua. Há apenas uma luz vindo da cobertura. Não vejo ninguém nos observando — tenho certeza de que é isso que ela está verificando —, mas, mesmo se houvesse alguém, não sei se eu seria necessariamente capaz de identificar.

De repente, ela estende a mão para mim. É um gesto tão súbito e violento que por um momento acho que ela vai me bater. Não tenho tempo de me afastar, é muito rápido. Mas, em vez de bater, ela agarra meu pulso com os dedos contorcidos. Seu aperto é surpreendentemente forte e doloroso.

— O que você está fazendo? — pergunto.

— Só venha — diz ela, com tanta autoridade que não ouso desobedecer. — Venha comigo.

Vou me atrasar para o encontro com Theo, mas ele pode esperar. Isso parece importante. Eu a sigo pelo pátio até sua casinha. Ela anda depressa, do seu jeito levemente curvado, como alguém tentando se proteger de uma tempestade. Eu me sinto como uma criança em um livro de histórias sendo levada para a cabana da bruxa na floresta. Ela olha para o prédio várias vezes, como se procurasse algum espectador. Mas parece decidir que vale a pena correr o risco.

Então abre a porta e me faz entrar. O lugar é ainda menor do que parece por fora, se é que isso é possível. Tudo amontoado em um espaço apertado. Há uma cama presa à parede por um sistema de roldanas, que no momento está fechada, o que nos permite ficar de pé; um lavatório; um fogão antigo minúsculo. À minha direita há uma cortina que, suponho, deve levar a um banheiro, simplesmente porque não há outro lugar onde possa haver um banheiro.

É quase assustador de tão limpo, todas as superfícies brilhando de tão polidas. Cheira a alvejante e detergente, não tem nada fora do lugar. De alguma forma, eu não esperava nada menos dessa mulher. Ao mesmo tempo, a limpeza, a organização, o vasinho de flores tornam tudo ainda mais deprimente. Um pouco de bagunça talvez desviasse a atenção do fato de esse lugar ser tão apertado, ou das manchas de umidade no teto que tenho certeza de que nenhuma faxina poderia remover. Já morei em algumas espeluncas, mas essa bate o recorde. Tento imaginar a sensação de viver neste casebre cercada pelo luxo e pela fartura do restante do prédio. Como deve ser viver com a lembrança constante do quão pouco você tem bem à sua porta todos os dias?

Não surpreende que ela me odiasse, entrando do nada para morar no terceiro andar. Se ao menos soubesse o quanto também estou deslocada aqui, o quanto na verdade sou mais parecida com ela do que com eles. Sei que não posso deixar que perceba minha pena: seria o pior insulto possível. Tenho a impressão de que ela provavelmente é uma pessoa muito orgulhosa.

Atrás da cabeça dela e da mesinha de jantar com uma cadeira, vejo várias fotos desbotadas pregadas na parede. Uma garotinha sentada no colo de uma mulher. O céu atrás delas é azul-claro, com oliveiras ao fundo. A mulher tem um copo diante de si, cheio de algo que parece ser chá e com uma alça prata. A foto seguinte é de uma mulher jovem. Magra, cabelo escuro, olhos escuros. Talvez dezoito ou dezenove anos. Não é uma fotografia nova: dá para perceber pelas cores saturadas, pela falta de nitidez. Mas, ao mesmo tempo, é definitivamente recente demais para ser da própria concierge. Deve ser alguém da família. De alguma forma, é impossível imaginar essa senhora idosa tendo uma família ou um passado longe deste lugar. É impossível até imaginar que

O APARTAMENTO DE PARIS

ela foi jovem um dia. Como se sempre tivesse estado aqui. Como se fosse parte do prédio.

— Ela é linda — digo. — Aquela garota na parede. Quem é?

Há um longo silêncio, tão longo que acho que talvez ela não tenha me entendido. E então, finalmente, com sua voz rouca, ela responde:

— Minha filha.

— Uau.

Olho outra vez para ela diante dessa informação, da beleza da filha. É difícil enxergar além das rugas, dos tornozelos inchados, das mãos retorcidas, mas talvez dê para ver uma sombra dessa beleza, no fim das contas.

Ela pigarreia.

— *Vous devez arrêter* — ruge ela, de repente, interrompendo meus pensamentos. *Você precisa parar.*

— O que quer dizer com isso? Parar o quê? — Eu me inclino para a frente. Talvez ela possa me dizer alguma coisa.

— Todas as suas perguntas — diz ela. — Toda a sua... *investigação*. Só está criando problemas para si mesma. Não pode mais ajudar seu irmão. Você tem que entender que...

— Como assim? — Um calafrio percorre meu corpo. — O que você quer dizer com não posso mais ajudar meu irmão?

Ela apenas balança a cabeça.

— Há coisas aqui que você não entende. Mas eu vi, com meus próprios olhos. Eu vejo tudo.

— O quê? — pergunto a ela. — O que você viu?

Ela não responde. Simplesmente balança a cabeça.

— Estou tentando ajudar você, garota. Estou tentando ajudar você desde o começo. Será que não entende isso? Se soubesse o que é melhor para você, pararia. Iria embora deste lugar. E não olharia para trás.

SOPHIE
Cobertura

Há uma batida na porta. Vou atender e me deparo com Mimi parada do outro lado.

— Mamãe. — A maneira como ela diz essa palavra. Como fazia quando era pequena.

— O que foi, *ma petite*? — pergunto afetuosamente.

Imagino que para os outros eu possa parecer fria. Mas o amor que sinto por minha filha... Desafio qualquer um a encontrar algo próximo disso.

— Mamãe, estou com medo.

— Shh.

Dou um passo à frente para abraçá-la. Puxo-a para junto de mim, sentindo as protuberâncias frágeis de suas omoplatas sob minhas mãos. Parece que faz tanto tempo desde que a abracei assim, desde que ela *permitiu* que eu a abraçasse assim, como eu fazia quando ela era criança. Por um tempo pensei que nunca mais faria isso. Que nunca mais seria chamada de "mamãe". Ainda é o mesmo milagre de quando a ouvi dizer essa palavra pela primeira vez.

Sempre senti que ela é mais minha do que de Jacques. E acho que faz algum sentido, porque, de certa forma, ela foi o maior presente que ele me deu, muito mais valiosa do que qualquer broche de diamante, qualquer pulseira de esmeralda. Algo — alguém — que eu poderia amar sem reservas.

Certa noite — cerca de uma semana depois da noite em que bati na porta de Benjamin Daniels —, Jacques apareceu brevemente em casa para jantar. Eu servi a ele a quiche lorraine que havia comprado na *boulangerie*, bem quente, recém-tirada do forno.

Tudo estava como deveria. Tudo seguia o padrão habitual. Exceto pelo fato de que algumas noites antes eu tinha dormido com o homem do apartamento do terceiro andar. Ainda estava me recuperando. Não acreditava que isso tinha acontecido. Um momento — ou melhor, uma noite — de loucura.

Coloquei uma fatia de quiche no prato de Jacques. Servi uma taça de vinho.

— Encontrei nosso inquilino na escada agora à noite — disse ele enquanto comia, e eu escolhia cuidadosamente as garfadas da minha salada. — Ele nos agradeceu pelo jantar. Muito atencioso... atencioso o suficiente para não mencionar o desastre do tempo. Ele mandou um oi.

Tomei um gole do meu vinho antes de responder:

— Ah, foi?

Ele riu e balançou a cabeça, achando graça.

— A julgar pela sua expressão... Outra pessoa acharia que esse vinho está estragado. Você realmente não gosta dele, não é?

Não consegui dizer nada.

Fui salva pelo toque do celular de Jacques. Ele foi até o escritório para atender a ligação. Quando voltou, seu rosto estava tomado de raiva.

— Tenho que ir. Antoine cometeu um erro estúpido. Um dos clientes não está satisfeito.

Apontei para a quiche.

— Vou manter aquecida para você, para quando voltar.

— Não. Vou comer fora. — Ele vestiu o paletó. — Ah, e me esqueci de dizer. Sua filha. Eu a vi na rua uma noite dessas. Estava vestida como uma prostituta.

— *Minha* filha? — perguntei.

Agora que ela havia feito algo que o desagradava era "minha" filha?

— Todo aquele dinheiro — disse ele — para mandá-la para a escola católica, para tentar transformá-la em uma moça bem-comportada. E no fim ela se desonrou lá. E agora sai vestida como uma vadia. Mas talvez não seja nenhuma surpresa.

— O que você quer dizer com isso?

Mas eu não precisava perguntar. Sabia exatamente o que ele queria dizer com aquilo.

E então ele saiu. E fiquei sozinha no apartamento, como sempre.

Pela segunda vez em uma semana, eu estava tomada pela raiva. Uma raiva incandescente, poderosa. Bebi o resto da garrafa de vinho. Em seguida me levantei e desci dois lances de escada.

Bati na porta dele.

Ele abriu. E me puxou para dentro.

Dessa vez não houve preâmbulos. Nenhuma simulação de conversa educada. Acho que não dissemos uma palavra. Não fomos respeitosos, gentis nem cautelosos um com o outro. Minha camisa de seda foi arrancada. Arfei em sua boca feito alguém se afogando. Eu o mordi. Arranhei suas costas com as unhas. Renunciei a todo o controle. Estava possuída.

Depois, enquanto estávamos deitados, emaranhados nos lençóis, finalmente consegui falar:

— Isso não pode acontecer de novo. Você entende, não é?

Ele apenas sorriu.

Nas semanas seguintes, nos tornamos imprudentes. Testando os limites, nos assustando um pouco. A adrenalina, o medo, uma sensação tão semelhante ao crescendo da excitação. Um parecia intensificar o outro, como o efeito de uma droga. Eu tinha me comportado tão bem por muito tempo.

Os espaços secretos do prédio se tornaram nosso parque de diversões particular. Tomei-o na boca na antiga escada dos empregados, minhas mãos deslizando para dentro de sua calça, experientes, ávidas. Ele me possuiu na lavanderia da *cave*, encostada na máquina de lavar enquanto ela batia seu ciclo.

E todas as vezes eu tentava encerrar aquilo. E todas as vezes sabia que nós dois percebíamos a mentira por trás das minhas palavras.

— Mamãe — diz Mimi agora, e sou arrancada, abruptamente, cheia de culpa, dessas lembranças. — Mamãe, não sei o que fazer.

Meu maravilhoso milagre. Minha Merveille. Minha Mimi. Ela veio para mim quando eu já tinha perdido todas as esperanças de ter um filho. A verdade é que ela nem sempre foi minha.

O APARTAMENTO DE PARIS

Ela era, simplesmente, perfeita. Um bebê com apenas algumas semanas de vida. Eu não sabia muito bem de onde ela viera. Tinha minhas suspeitas, mas as guardei para mim. Aprendera que às vezes era importante fazer vista grossa. Se você sabe que não vai gostar da resposta, não pergunte. Havia apenas uma coisa que eu precisava saber e para isso obtive resposta: a mãe estava morta.

"E era imigrante ilegal. Portanto, não há nenhum rastro de documentos com que se preocupar. Conheço uma pessoa na prefeitura que vai arrumar uma certidão de nascimento." Uma mera formalidade para a grande e poderosa casa Meunier. "Amigos influentes são para essas coisas."

E então ela era minha. E era só isso que importava. Eu poderia lhe dar uma vida melhor.

— Shh — digo. — Eu estou aqui. Vai ficar tudo bem. Me desculpe por ter sido ríspida ontem à noite, com o vinho. Mas você entende, não é? Eu não queria uma cena. Deixe que eu cuido de tudo, *ma chérie*.

Foi — é — um sentimento muito forte. Mesmo que ela não tenha saído de mim, eu soube assim que a vi que faria qualquer coisa para protegê-la, para mantê-la segura. Outras mães podem dizer essas coisas casualmente. Mas talvez já esteja claro a esta altura que eu não faço nem digo nada casualmente. Quando digo algo assim, estou falando sério.

JESS

Saio da estação de metrô Palais-Royal. Quase não reconheço o sujeito alto e bem-vestido esperando no topo da escada até que ele começa a vir na minha direção.

—Você está quinze minutos atrasada — diz Theo.

—Você mal me deu tempo — retruco. — E eu fui pega...

—Vamos — interrompe Theo. — Ainda dá tempo, se formos rápidos.

Olho para ele, tentando descobrir por que parece tão diferente da última vez em que o vi. Há apenas uma barba por fazer agora, revelando a linha acentuada do maxilar. O cabelo escuro ainda precisa de um corte, mas está penteado e afastado do rosto. Um blazer escuro sobre uma camisa jeans branca. Sinto até uma lufada de colônia. Ele definitivamente deu um trato no visual desde aquele dia no café. Ainda parece um pirata, mas um pirata que tomou banho, se barbeou e pegou algumas roupas normais emprestadas.

—Você não pode ir assim — diz ele, acenando com a cabeça para mim.

Claramente não está tendo os mesmos pensamentos generosos sobre as minhas roupas.

— Era a única coisa que eu tinha para vestir. Eu tentei avisar...

— Tudo bem, eu já imaginava. Trouxe umas coisas para você.

Ele me entrega uma ecobag. Olho lá dentro e encontro um emaranhado de roupas; um vestido preto e sapatos de salto alto.

—Você *comprou* isso?

— Ex-namorada. Vocês devem usar mais ou menos o mesmo tamanho, eu acho.

— Credo. Tudo bem. — Lembro a mim mesma que tudo isso pode de alguma forma me ajudar a descobrir o que aconteceu com Ben, que não estou em posição de escolher muito em se tratando de usar as roupas mal-assombradas de namoradas do passado. — Por que eu tenho que usar essas coisas?

Ele dá de ombros.

— São as regras. — E então, quando vê minha expressão: — É sério, são as regras de verdade. Esse lugar tem um código de vestimenta. As mulheres não podem usar calça, saltos são obrigatórios.

— Que legal e machista.

Ecos do Tarado insistindo para que eu mantenha os quatro primeiros botões da minha camisa abertos "para os clientes": *Você quer parecer funcionária de um jardim de infância, querida? Ou de uma filial do McDonald's, porra?*

Theo dá de ombros.

— É, bem, eu concordo. Mas eis certa parte de Paris para você: hiperconservadora, hipócrita, machista. Enfim, a culpa não é minha. Não é como se eu estivesse levando você para um encontro lá. — Ele tosse. — Vamos, não temos a noite toda. Já estamos atrasados.

— Para quê?

— Você vai ver quando chegarmos lá. Digamos apenas que não vai encontrar esse lugar em um guia turístico.

— Como isso vai nos ajudar a encontrar o Ben?

— Explico quando chegarmos lá. Vai fazer mais sentido.

Meu Deus, ele é irritante. Também não tenho certeza se confio nele, embora não consiga dizer ao certo por quê. Talvez seja só por ainda não ter descoberto o que ele quer com isso e por que está tão interessado em ajudar.

Ando apressada, tentando acompanhá-lo. Não o vi de pé no café naquele dia e imaginei que fosse alto, mas agora percebo que ele tem ao menos trinta centímetros a mais do que eu, e tenho que dar dois passos para cada passo dele. Depois de alguns minutos de caminhada, estou realmente ofegante.

À nossa esquerda, avisto uma enorme pirâmide de vidro, toda iluminada, que parecia ter acabado de pousar do espaço sideral.

— O que é isso?

Ele olha para mim sem acreditar, como se eu tivesse feito um comentário estúpido.

— Essa é a Pirâmide. Em frente ao Louvre. Você sabe... o museu famoso?

Eu não gosto quando as pessoas me tratam como se eu fosse idiota.

— Ah. A *Mona Lisa*, né? Eu sei, bem, tenho andado um pouco ocupada tentando encontrar meu irmão desaparecido, então não deu tempo de fazer um tour pela cidade ainda.

Passamos por multidões de turistas conversando em todas as línguas do planeta. Enquanto caminhamos, conto a ele sobre o que descobri, sobre todos eles serem uma família. Uma frente unida, agindo em conjunto... e contra mim. Eu me lembro de quando entrei tropeçando no apartamento de Sophie Meunier, todos sentados juntos daquela forma, um sinistro retrato de família. As palavras que ouvi, agachada do lado de fora. *Elle est dangereuse*. E Nick... descobrir que ele não era o aliado que eu pensava: essa parte ainda dói.

— E pouco antes de eu sair para encontrar você, a concierge me deu um alerta. Ela me disse para "parar de investigar".

— Posso lhe contar uma coisa que aprendi em minha longa e não muito ilustre carreira? — pergunta Theo.

— O quê?

— Quando alguém diz para você parar de investigar normalmente significa que você está no caminho certo.

Eu me troco rapidamente no banheiro subterrâneo de um bar descolado enquanto Theo compra uma cerveja no andar de cima para os funcionários não nos expulsarem. Ajeito o cabelo e observo meu reflexo no vidro manchado do espelho. Não pareço eu mesma. Pareço estar interpretando um papel. O vestido é justo, apesar de mais elegante do que eu esperava. Na etiqueta de dentro está escrito *Isabel Marant*, o que imagino que seja um nível acima das minhas habituais roupas da Primark. Os sapatos — *Michel Vivien* é o nome impresso na palmilha — são mais altos do que qualquer coisa que eu usaria, mas surpreendentemente confortáveis; acho que vou conseguir andar neles. Assim tenho a sensação de que estou interpretando o papel da ex-namorada de Theo; não sei ao certo como me sinto em relação a isso.

Uma garota sai da cabine ao meu lado: cabelo comprido, escuro e brilhante, um vestido de seda caindo de um dos ombros por baixo de um cardigã

O apartamento de Paris

235

enorme, delineador preto. Ela começa a retocar o batom. É disso que preciso: o toque final.

— Ei. — Eu me aproximo dela, abrindo meu sorriso mais cativante. — Pode me emprestar?

Ela franze a testa para mim, um pouco enojada, mas me entrega o batom.

— *Si tu veux*.

Eu coloco um pouco no dedo e passo nos lábios — é um vermelho vampiresco escuro — antes de devolvê-lo para ela.

Ela ergue a mão.

— *Non, merci*. Pode ficar. Eu tenho outro.

E joga o cabelo brilhante por cima do ombro.

— Ah. Obrigada.

Coloco a tampa de volta, que se fecha com um satisfatório clique magnetizado. Percebo que há dois pequenos Cs entrelaçados no topo.

Mamãe tinha um batom assim, embora definitivamente não tivesse dinheiro sobrando para gastar com maquiagem cara. Mas isso era típico da minha mãe: gastar tudo o que tinha com um batom e ficar sem dinheiro para o jantar. Eu, sentada em uma cadeira, balançando as pernas. Ela pressionando o toco ceroso nos meus lábios e me virando para que eu me olhasse no espelho. *Pronto, querida. Você não está bonita?*

Estou me olhando no espelho agora. Fazendo beicinho como ela me pedia muitos anos — um milhão de anos, uma vida inteira — atrás. Pronto; feito. Caracterização completa.

Volto para o andar de cima.

— Pronto — digo a Theo.

Ele bebe o resto de seu copo de cerveja ridiculamente minúsculo. Percebo que dá uma olhada rápida na minha roupa. Abre a boca, e, por um momento, acho que vai fazer um comentário gentil. Quer dizer, parte de mim não saberia o que fazer com um elogio, mas ao mesmo tempo seria bom ouvir. E então ele aponta para minha boca.

— Borrou um pouco — diz. — Mas, é, fora isso, deve servir.

Ah, vá se foder. Passo o dedo no contorno dos lábios. E sinto raiva de mim mesma por ter me importado com o que ele ia achar.

Saímos do bar e viramos em uma rua repleta de pessoas muito bem-vestidas. Eu poderia jurar que o ar por ali cheira a couro caro. Passamos pelas vitrines reluzentes das lojas dos ricos: Chanel, Céline e, arrá!, Isabel Marant. Ele me leva para longe da multidão, para uma rua lateral muito menor. Carros lustrosos ladeiam as calçadas. Em contraste com a avenida comercial lotada, não há ninguém à vista e é mais escuro aqui, menos postes de iluminação. Um silêncio profundo envolve tudo.

Então Theo para diante de uma porta.

— Chegamos. — Ele olha para o relógio. — Definitivamente um pouco atrasados. Espero que nos deixem entrar.

Olho para a porta. Sem número, mas há uma placa com um símbolo que reconheço: fogos de artifício explodindo. *Onde estamos?*

Theo estende o braço diante de mim — mais uma lufada da sua colônia cítrica — e toca uma campainha que eu não tinha notado. A porta se abre com um clique. Um homem surge, vestindo terno preto e gravata-borboleta. Observo Theo tirar um cartão do bolso, o mesmo que encontrei na carteira de Ben.

O segurança examina o cartão e acena com a cabeça para nós.

— *Entrez, s'il vous plaît*. A noite está prestes a começar.

Tento espiar além dele, para ver o que tem atrás. No fim do corredor, encontro uma escada, mal iluminada por arandelas com velas de verdade acesas.

Theo coloca a mão na base das minhas costas e, com um empurrãozinho, me conduz para a frente.

—Vamos — diz ele. — Não temos a noite toda.

— *Arrêtez* — diz o porteiro, barrando nossa entrada com a mão. Ele me olha. — *Votre portable, s'il vous plaît*. Não permitimos celulares... nem câmeras.

— É... por quê?

Olho para Theo. E me ocorre outra vez que não sei absolutamente nada sobre esse cara além do que está escrito em seu cartão de visita. Ele pode ser qualquer um. Pode ter me trazido a qualquer lugar.

Theo faz um pequeno aceno de cabeça e gesticula: *Não crie caso. Faça o que o sujeito está pedindo.*

— Ok.

Entrego meu celular, relutante.

— *Vos masques.*

O homem nos entrega dois pedaços de tecido.

Uma máscara preta, de seda.

— O qu...

— Apenas coloque — murmura Theo, perto do meu ouvido. E então mais alto: — Deixe-me ajudar, querida.

Tento agir com naturalidade enquanto ele alisa meu cabelo, amarrando a máscara atrás da minha cabeça.

O segurança faz sinal para entrarmos.

Com Theo logo atrás de mim, desço a escada.

JESS

Uma sala subterrânea. Vejo paredes vermelho-escuras, iluminação fraca, uma pequena multidão de pessoas sentadas em frente a um palco oculto por uma cortina de veludo vinho. Rostos mascarados se voltam para olhar enquanto descemos os últimos degraus. Definitivamente somos os últimos a chegar na festa.

— Que porra de lugar é esse? — sussurro para Theo.

— Shh.

Um lanterninha de smoking nos recebe ao pé da escada e faz sinal para avançarmos. Passamos por paredes decoradas com figuras de dançarinos estilizados, pintados de dourado, depois ziguezagueamos entre pequenas cabines com mascarados sentados atrás das mesas, mais rostos se virando em nossa direção. Eu me sinto desconfortavelmente exposta. Ainda bem que a mesa para a qual somos levados fica em um canto e com a pior vista do palco.

Nós nos acomodamos na cabine. Realmente não há muito espaço, não com as pernas compridas de Theo, que ele tem que encolher junto ao corpo, os joelhos pressionando a madeira. Ele parece tão desconfortável que em outras circunstâncias eu começaria a rir. O espacinho que sobra no assento significa que tenho que me sentar com a coxa encostando na dele.

Olho em volta. É difícil dizer se este lugar é de fato antigo ou apenas uma imitação bem-feita. As pessoas são todas muito ricas; a julgar por suas roupas, poderiam ter saído para uma noite no teatro. Mas há algo de errado no clima. Eu me recosto no assento, tentando parecer casual, como se me encaixasse em meio aos ternos sob medida, aos brincos e colares de brilhante, aos penteados de rico. Um estranho e ávido zumbido de energia emana deles e serpenteia pelo ambiente, um ar intenso de animação, de expectativa.

Um garçom se aproxima para anotar nosso pedido de bebidas. Abro o menu encadernado em couro. Sem preços. Olho para Theo.

— Uma taça de champanhe para minha esposa — diz ele depressa. E se vira para mim com um sorriso de falsa adoração tão convincente que me dá calafrios. — Já que estamos comemorando, querida. — Realmente espero que ele pague a conta. Ele olha para o menu. — E uma taça desse tinto para mim.

O garçom volta em um minuto, segurando duas garrafas envoltas em guardanapos brancos. Ele serve o champanhe em uma taça e a passa para mim. Eu bebo um gole. Está muito gelado, pequenas borbulhas elétricas na ponta da minha língua. Acho que nunca provei champanhe de verdade. Mamãe costumava dizer que "amava champanhe", mas também não tenho certeza se ela algum dia chegou a provar algo que não fosse apenas uma imitação barata e doce.

Enquanto o garçom serve o vinho tinto de Theo, o guardanapo escorrega um pouco e reparo no rótulo.

— É o mesmo vinho — sussurro para Theo, assim que o garçom sai. — Os Meunier têm isso no porão.

Theo se vira para mim.

— Qual foi o sobrenome que acabou de dizer? — Ele parece subitamente animado.

— Os Meunier. A família sobre a qual eu estava falando.

Theo baixa a voz:

— Ontem abri um pedido para ver a *matrice cadastrale*, que é como o registro de imóvel, deste lugar. É de propriedade da Vinhos Meunier Sociedade Anônima de Responsabilidade Limitada.

Eu me sento muito ereta, tudo ganhando foco. É como mil pequenas alfinetadas na superfície da minha pele.

— São eles. Essa é a família com a qual o Ben está morando. — Tento raciocinar. — Mas por que ele estaria interessado neste lugar? Será que estava escrevendo uma matéria? Algo assim?

— Se estava, não era para mim. E, sendo tão exclusivo, não acho que este seja o tipo de lugar que almeja cobertura da imprensa.

As luzes começam a diminuir. Mas pouco antes alguém na plateia chama minha atenção, estranhamente familiar apesar da máscara. Tento olhar de volta para o mesmo local, mas as luzes diminuem ainda mais, as vozes baixam e a sala mergulha na escuridão.

Ouço o farfalhar das roupas das pessoas, uma fungada ocasional, a respiração delas. Alguém tosse, e é ensurdecedor no silêncio repentino.

Então a cortina de veludo começa a se abrir.

Há uma pessoa no palco diante de um fundo preto. A pele iluminada por um holofote azul-claro. Rosto na sombra. Completamente nua. Não — não nua, um efeito de luz —, dois pedaços de tecido cobrindo as partes íntimas. Ela começa a dançar. A música é grave, pulsante, algum tipo de jazz, acho... nenhuma melodia, mas com ritmo. E ela está tão sincronizada com o ritmo que é quase como se a música estivesse vindo dela, como se seus movimentos estivessem criando a música, em vez de acompanhá-la. A dança é estranha, intensa, quase ameaçadora. Fico dividida entre olhar e desviar os olhos; algo nela me perturba.

Mais garotas aparecem, vestidas — ou, na verdade, despidas — da mesma forma. A música fica cada vez mais alta, as batidas tão avassaladoras que o ritmo é como o som do meu próprio batimento cardíaco em meus ouvidos. Com a luz azul, os corpos se movendo e serpenteando no palco, sinto como se estivesse debaixo d'água, como se os contornos de tudo estivessem ondulando e se desfazendo até se fundirem uns nos outros. Penso na noite passada. Poderia haver alguma coisa no champanhe? Ou é apenas o efeito da iluminação, da música, da escuridão? Olho para Theo. Ele se remexe no assento ao meu lado; bebe um gole de vinho, os olhos fixos no palco. Será que está excitado com o que está acontecendo? Será que *eu* estou? De repente, me dou conta de como estamos perto um do outro, de como minha perna pressiona com firmeza a dele.

O ato seguinte são apenas duas mulheres: uma vestindo um terno preto justo e gravata-borboleta, a outra com um vestido minúsculo. Aos poucos, elas vão tirando as roupas uma da outra até que, sem nada, vemos que as duas são quase idênticas. Sinto as pessoas na plateia se inclinando para a frente, se deleitando.

Eu me aproximo de Theo e sussurro:

O apartamento de Paris

— O que *é* este lugar?

— Um clube bastante exclusivo — murmura ele de volta. — O apelido, aparentemente, é La Petite Mort. Só quem tem um daqueles cartões pode entrar. Como o que você encontrou na carteira do Ben.

As luzes se apagam novamente. O silêncio se abate sobre a plateia. Outra garota quase nua — essa usando uma grinalda de penas em vez de máscara — desce do teto em um aro de prata suspenso. Sua apresentação é toda no aro: ela dá uma cambalhota, um mortal para trás, cai e então se segura com um movimento do tornozelo e o público arqueja.

Theo se aproxima.

— Olhe para trás, mas seja discreta — sussurra ele, sua respiração fazendo cócegas na minha orelha. Eu começo a me virar. — Não... Meu Deus, seja mais sutil.

Minha nossa, como ele é paternalista. Mas obedeço. Lanço vários olhares discretos e dissimulados para trás. E, ao fazer isso, noto uma série de cabines ocultas nas sombras ao fundo, seus ocupantes protegidos da vista dos clientes regulares por cortinas de veludo e servidos por um fluxo constante de garçons carregando garrafas de vinho e bandejas de canapés. De vez em quando, alguém sai ou entra, e noto que sempre parece ser um homem. Todos de tipo e idade semelhantes: elegantes, bem-vestidos, mascarados, com um ar de riqueza e importância.

Theo se inclina na minha direção, como se fosse sussurrar mais um comentário fofo e sem importância.

—Você percebeu?

— Que são todos homens?

— Sim. E como de vez em quando um deles passa por aquela porta ali. Sigo seu olhar.

— Mas eu pararia de olhar agora — murmura ele. — Antes de começarmos a chamar atenção.

Eu me volto para o palco. A garota saiu do aro. Ela sorri para a plateia, nos hipnotizando com um olhar arrebatador. Quando seu olhar encontra o meu, ela para. Não estou imaginando: ela congela. Fica me olhando com uma expressão horrorizada. Sinto um arrepio percorrer meu corpo. A franja castanha muito reta, a altura, até mesmo a pequena verruga sob o olho esquerdo, que distingo agora sob os holofotes. Eu a conheço.

SOPHIE
Cobertura

Eles entram um atrás do outro no apartamento. Nicolas, Antoine, Mimi. Sentam nos sofás nas mesmas posições de ontem à noite, quando a garota nos interrompeu. O pé de Nick bate em um ritmo frenético no tapete persa. Enquanto observo, tenho certeza de que noto uma pequena marca preta de queimadura logo abaixo de seu dedão. Um dos vários pontos queimados na seda inestimável. Mas uma pessoa só os identificaria se soubesse pelo que procurar.

De repente, sou invadida por lembranças. Foi minha maior transgressão, convidá-lo para vir até aqui. Roubamos uma garrafa da adega de Jacques: uma das melhores safras. Transamos no tapete, Paris brilhando indiscretamente sobre nós através das janelas grandes. Ficamos deitados juntos depois, aquecidos pela manta de caxemira que eu tinha puxado sobre nossos corpos nus. Se Jacques tivesse voltado inesperadamente... Mas não havia uma parte de mim que queria ser flagrada? Olhe só para mim, aquela que você deixou aqui sozinha durante todos esses anos. Cobiçada. Desejada.

Deitados ali, acariciei o cabelo dele, apreciando a suavidade densa e aveludada entre meus dedos. Ele acendeu um cigarro, que passamos de um para o outro feito namorados adolescentes, as cinzas quentes se desprendendo, chiando ao cair na seda do tapete. Eu não me importei. A única coisa que importava era que com ele ali o apartamento de repente parecia acolhedor, cheio de vida, som e paixão.

— Minha mãe também acariciava meu cabelo.

Eu recolhi a mão bruscamente.

— Não foi isso que eu quis dizer — acrescentou ele depressa. — Só quis dizer que não tinha me dado conta de como sentia falta disso.

E quando se virou para mim, vi em sua expressão algo indefeso e frágil, algo escondido sob todo o charme. Pensei ter visto minha própria solidão refletida ali. Mas logo em seguida ele sorriu e tudo desapareceu.

Mais ou menos um minuto depois, ele se sentou, observando o apartamento vazio ao nosso redor.

— O Jacques passa muitas noites fora, não é?

Fiz que sim. Será que ele já estava planejando nosso próximo encontro?

— É um homem muito ocupado.

Seu olhar parecia percorrer as pinturas nas paredes, os móveis, a riqueza do lugar.

— Imagino que isso signifique que os negócios estão indo bem.

Fico paralisada. Ele tinha dito aquilo de maneira casual. Despreocupada demais? Voltei a mim; a loucura do que estávamos fazendo, tudo o que estava em jogo.

— É melhor você ir — falei, de repente com raiva dele... e de mim mesma. — Não posso fazer isso. — Dessa vez eu realmente acreditei que estava falando sério. — Tenho muito a perder.

Fecho os olhos. Abro-os novamente e me concentro no rosto da minha filha. Ela não me encara nos olhos. Ainda assim, me traz de volta a mim mesma. Ao que importa. Bebo um gole do vinho para me acalmar. Afasto as lembranças.

— Então — digo a todos eles. — Vamos começar.

NICK
Segundo andar

Minha madrasta convocou todos nós para uma reunião. Estamos sentados na sala da cobertura. Uma pequena conferência familiar disfuncional. Como a que planejávamos ter ontem à noite antes de Jess aparecer e causar toda aquela confusão. Ou, como dizem os ingleses, *set the cat among the pigeons*, soltar o gato no meio dos pombos. Sempre fui um entusiasta de expressões idiomáticas inglesas. Temos uma parecida em francês, na verdade: *jeter un pavé dans la mare*, ou jogar uma pedra no lago. E talvez essa seja uma descrição mais precisa do que aconteceu quando ela chegou aqui. Ela perturbou tudo.

Olho para os outros. Antoine entornando o vinho; ele bem que poderia pegar logo a garrafa inteira. Mimi, com o rosto pálido e parecendo pronta para sair correndo da sala. Sophie sentada rígida e inexpressiva. Não está parecendo ela mesma, minha madrasta. No começo, não identifico o que há de diferente nela. Não há um fio fora do lugar em seu cabelo preto sedoso, seu lenço de seda está habilmente amarrado em torno do pescoço. Mas tem alguma coisa errada. Então percebo: ela não está usando batom. Acho que nunca a vi sem batom. Parece diminuída, de alguma forma. Mais velha, mais frágil, mais humana.

Antoine é o primeiro a falar:

— Aquela vagabunda está no clube. — Ele se vira para mim. — Ainda sugere que a gente não faça nada, maninho?

— Eu... Acho que o importante é todos nós ficarmos juntos — digo. — Uma frente unida. Como uma família. Isso é o mais importante. Não podemos desmoronar agora.

Mas então percebo, ao olhar para o rosto deles; todos incógnitas para mim. Sinto que não conheço essas pessoas. Não de verdade. Passei muito tempo longe. E estamos todos tão distantes que não parecemos nem nos sentimos uma família de verdade. Nem mesmo uns em relação aos outros.

— É, porque você tem sido uma peça-chave nesta família até agora — diz Antoine, fazendo-me sentir ainda mais como um impostor, uma fraude. Ele gesticula para Sophie. — E não vou bancar o enteado adorável dessa *salope*.

— Ei — digo. — Vamos só...

— Cuidado com o que diz — avisa Sophie, mordaz, virando-se para Antoine. — Você está no meu apartamento.

— Ah, é seu apartamento, então? — Ele faz uma reverência dissimulada. — Desculpe, não tinha percebido. Achei que você fosse só uma parasita vivendo do dinheiro do meu pai. Não sabia que tinha *ganhado* uma parte.

Eu tinha só oito ou nove anos quando papai se casou com aquela misteriosa nova mulher que se materializou em nossa vida, mas Antoine era mais velho, um adolescente. Mamãe estava acamada havia tanto tempo, definhando no quarto do terceiro andar. Aquela recém-chegada parecia muito jovem, glamorosa. Fiquei um pouco inebriado. Antoine encarou sua presença de maneira bem diferente. Ele sempre implicou com ela.

— Parem com isso! — diz Mimi de repente, tapando os ouvidos. — Todos vocês. Não aguento mais...

Antoine se vira para Mimi com um sorriso horrível no rosto.

— *Ah* — ele se dirige a ela com desprezo —, e quanto a você, bem, não faz realmente parte desta família, não é, *ma petite soeur...*

— Chega — diz Sophie para Antoine, sua voz fria como gelo, uma leoa protegendo sua filhote.

A seus pés, o whippet se sobressalta e solta um latido agudo.

— Ah, acho que ela sabe se virar — diz Antoine. — E todas aquelas coisas que aconteceram na escola dela, com o professor? Papai teve que fazer uma doação bastante generosa e concordar em tirá-la de lá para abafar o caso. Mas talvez não seja nenhuma surpresa, não é? — Ele se vira para Mimi. — Se considerarmos de onde ela vem.

— Não se atreva a falar assim com ela — diz Sophie. Seu tom de voz é ameaçador.

Olho para Mimi. Ela está apenas sentada, olhando para Antoine, seu rosto ainda mais pálido do que o normal.

— Tudo bem — digo. — Vamos todos...

— Só quero acrescentar — continua Antoine — que é típico do nosso querido *père* decidir meter o pé com tudo isso acontecendo. Não é?

Todos nós olhamos instintivamente para o retrato do meu pai na parede. Sei que deve ser minha imaginação ou um efeito da luz, mas tenho a impressão de que seu cenho franzido na pintura se aprofunda um pouco. Estremeço. Mesmo quando ele está a quilômetros de distância, de alguma forma ainda é possível sentir sua presença neste apartamento, sua autoridade. O onisciente e todo-poderoso Jacques Meunier.

— Seu pai — diz Sophie a Antoine, rispidamente — tem os próprios negócios para administrar. Como vocês bem sabem. Só complicaria ainda mais as coisas se ele voltasse. Nós temos que nos manter firmes na ausência dele.

— Que surpresa, ele não está aqui quando a merda é jogada no ventilador. — Antoine dá uma risada, sem achar a menor graça.

— Ele confia nos filhos para lidarem com essa situação por conta própria — declara Sophie. — Mas talvez isso seja simplesmente pedir demais. Olhe só para você. Um homem de quarenta anos que ainda mora sob o teto dele, sugando seu dinheiro. Ele deu tudo a vocês. Nunca tiveram que crescer. Tiveram tudo de mão beijada, entregue pelo pai em uma bandeja de prata. Vocês são duas flores de estufa inúteis, fracos demais para enfrentar o mundo lá fora. Incapazes de sair do ninho. — Isso me ofende. — Pelo amor de Deus. Mostrem algum respeito pelo pai de vocês.

— Ah, é? — Antoine abre um sorriso sórdido. — Você realmente vai falar comigo sobre respeito, *putain*? — A última palavra sibilada baixinho.

— Como você se atreve a falar assim comigo? — Ela se volta para ele, uma onda de raiva rompendo a fachada de gelo.

— Ah, como me atrevo? — Antoine sorri com malícia. — *Vraiment?* Sério? — Ele se vira para mim. — Você sabe o que ela é? Sabe o que nossa madrasta tão elegante é de verdade? Sabe de onde ela veio?

Eu tinha minhas suspeitas. À medida que fui crescendo, elas cresceram também. Mas mal me permitia pensar nisso, muito menos expressar em voz alta, por medo da ira do meu pai.

Antoine se levanta e sai da sala. Instantes depois, volta carregando algo em uma grande moldura. E vira para que todos vejam. É uma foto em preto e branco, um grande nu: o quadro que fica no escritório do meu pai.

— Coloque isso de volta no lugar! — ordena Sophie, sua voz ameaçadora.

As mãos cerradas em punhos, ela olha para Mimi, que está sentada, imóvel, com os olhos arregalados e assustados.

Antoine se recosta na cadeira parecendo satisfeito, apoiando a foto ao lado, como se fosse uma criança com seu projeto de ciências.

— Olhem só para ela — diz ele, apontando para a imagem, depois para Sophie. — Ela não subiu na vida? Os lenços Hermès, os sobretudos. *Une vraie bourgeoise.* Ninguém diria, não é? Ninguém diria que ela na verdade era uma...

Um estalo alto como um tiro de pistola. É tudo rápido demais para entender o que está acontecendo; ela se moveu muito depressa. Então vejo Antoine sentado, com a mão no rosto, e Sophie de pé na frente dele.

— Ela me bateu — diz Antoine, mas sua voz sai baixa e assustada como a de um garotinho.

Não é a primeira vez que ele é estapeado assim. Papai sempre foi muito generoso com os punhos, e Antoine, por ser mais velho, parecia sempre levar a pior.

— Ela me bateu, porra.

Ele afasta a mão do rosto e todos nós vemos a impressão da mão em sua bochecha, a marca de um rosa lívido.

Sophie continua de pé diante dele.

— Pense no que seu pai diria se ouvisse você falando comigo desse jeito.

Antoine olha para o retrato do papai outra vez. Desvia os olhos com esforço. Ele é um cara grande, mas parece quase encolher. Todos sabemos que nunca ousaria falar assim com Sophie na presença do papai. E todos sabemos que ele vai pagar caro se papai souber disso quando voltar.

— Será que podemos, por favor, nos concentrar no que realmente importa? — digo, tentando assumir algum controle. — Temos um problema maior para resolver aqui.

Sophie lança outro olhar malévolo para Antoine, então se vira para mim e assente com firmeza.

—Você está certo. — Ela volta a se sentar, e em um segundo sua máscara fria volta ao lugar. — Acho que o mais importante é que não podemos deixar que ela descubra mais nada. Temos que estar prontos para ela, quando voltar. E se ela for longe demais? Nicolas?

Concordo com a cabeça. Engulo em seco.

— Sim. Eu sei o que fazer. Se for preciso.

— A concierge — diz Mimi de repente, sua voz baixa e rouca.

Todos nos viramos para ela.

— Eu vi aquela mulher, Jess, entrando na casinha da concierge. Ela estava a caminho do portão quando a concierge correu e a segurou. Elas ficaram lá dentro por pelo menos dez minutos. — Ela olha para nós. — Sobre o que... Sobre o que será que conversaram durante todo esse tempo?

JESS

Eu encaro a garota no palco. É ela, a garota que me seguiu dois dias atrás, aquela que eu persegui no metrô. Ela me encara de volta. O momento se prolonga. Ela parece tão aterrorizada quanto no instante em que o trem se afastou da plataforma. E então, como se estivesse saindo de um transe, desvia o olhar para a plateia, sorri, volta para o aro que começa a subir... e desaparece.

Theo se vira para mim.

— O que foi isso?

—Você também reparou?

— Sim, eu vi. Ela estava olhando diretamente para você.

— Eu esbarrei nela — digo. — Logo depois que conversei com você pela primeira vez naquele café.

Então explico tudo: como a flagrei me seguindo, como corri atrás dela até o metrô. Meu coração está acelerado. Penso em Ben. Na família Meunier. Na dançarina misteriosa. Todos eles parecem peças do mesmo quebra-cabeça... Eu sei que são. Mas como se encaixam?

Depois que o show termina, as pessoas na plateia esvaziam suas taças e se dirigem até a escada, saindo para a rua, noite adentro.

Theo me cutuca.

— Então vamos, ande. Me siga.

Estou prestes a protestar — não podemos simplesmente ir embora —, mas paro quando percebo que, em vez de subir a escada com o restante dos clientes, Theo abriu uma porta à nossa esquerda. É a mesma que notamos antes, durante a apresentação, por onde homens de terno não paravam de entrar.

—Vamos tentar falar com sua amiga — murmura ele.

Ele entra discretamente. Eu vou logo atrás. Diante de nós há uma escada escura forrada de veludo. Começamos a descer. Ouço sons vindos de baixo, mas são sons abafados, como se viessem de debaixo da água. Escuto música, acho, o murmúrio de vozes e em seguida um grito repentino e agudo que não identifico se é masculino ou feminino.

Estamos quase chegando à base da escada. Eu hesito. Acho que ouvi alguma coisa. Passos além dos nossos.

— Pare — digo. —Você ouviu isso?

Theo me olha sem entender.

—Tenho certeza de que ouvi passos.

Ficamos em silêncio por um tempo, escutando. Nada. Então uma garota surge no primeiro degrau. Uma das dançarinas. De perto, sua maquiagem é tão pesada que parece estar usando máscara. Ela nos encara. Por um momento, tenho a impressão de que há uma garotinha assustada olhando para mim por trás da camada espessa de base, dos cílios postiços e dos lábios vermelhos brilhantes.

— Estamos procurando uma amiga — digo depressa. — A garota que se apresentou no aro. É sobre o meu irmão, Ben. Pode avisar que queremos falar com ela?

—Vocês não deviam estar aqui — sussurra ela, aterrorizada.

— Está tudo bem — digo, tentando acalmá-la. — Não vamos demorar muito.

Ela passa correndo por nós e sobe a escada sem olhar para trás. Seguimos em frente. No fim do corredor há uma porta. Eu a empurro com o ombro, mas ela não cede. De repente, me dou conta de quão fundo estamos no subsolo: pelo menos dois andares de profundidade. Essa constatação deixa minha respiração rasa. Tento engolir o medo.

— Acho que está trancada — digo.

Os sons estão mais altos agora. Do outro lado da porta, ouço um gemido que soa quase animalesco.

O APARTAMENTO DE PARIS

Tento a maçaneta de novo.

— Definitivamente está trancada. Você tem que...

Mas Theo não me responde.

E sei, antes mesmo de me virar, que há alguém atrás de nós. Então o vejo: o homem que nos recebeu na entrada, sua figura corpulenta ocupando toda a largura do corredor, seu rosto nas sombras.

Merda.

— *Qu'est-ce qui se passe?* — pergunta ele, com um tom ameaçador, baixinho, enquanto começa a avançar em nossa direção. — O que estão fazendo aqui embaixo?

— Nós nos perdemos — digo, minha voz falhando. — Eu... estava procurando o banheiro.

— *Vous devez partir* — diz ele. E em seguida repete em inglês: — Vocês têm que sair. Os dois. Agora. — Sua voz ainda é baixa, e soa ainda mais ameaçadora do que se ele tivesse gritado. O que ele quer dizer é: *nem pensem em se meter comigo.*

Ele segura meu braço com uma das mãos enormes. Seu aperto machuca. Tento me desvencilhar. Ele aperta com mais força. Tenho a impressão de que nem está se esforçando muito.

— Ei, ei, não precisa disso — diz Theo.

O segurança não dá ouvidos, nem me solta. Em vez disso, também segura o braço de Theo. Até agora eu considerava Theo um homem grande, mas de repente ele parece uma criança, um fantoche nas garras daquele sujeito.

Por um momento, o segurança fica imóvel, a cabeça inclinada para o lado. Olho para Theo, que franze a testa, claramente tão confuso quanto eu. Então ouço um ruído metálico e percebo que ele está ouvindo as instruções de alguém através de um fone de ouvido.

Ele se endireita.

— Por favor, *madame, monsieur.* — Ainda aquele tom assustadoramente educado, ao mesmo tempo que sua mão aperta mais meu bíceps, fazendo a pele arder. — Não façam cena. Vocês precisam vir comigo agora.

E então ele começa a nos conduzir, com uma força excessiva, pelo corredor, subindo o primeiro lance de escada, de volta ao salão com as mesas, o palco. A maioria das luzes foi apagada, e o ambiente está completamente vazio. Não, não completamente. De soslaio, acho que avisto alguém alto nos observando dos recônditos sombrios em um canto. Mas não vejo direito porque agora estamos sendo empurrados para o próximo lance de escada, subindo para o térreo.

Até que a porta da frente se abre e somos jogados na rua, o segurança empurrando tão forte minhas costas que tropeço e caio de joelhos.

A porta bate com força atrás de nós.

Theo, que conseguiu manter o equilíbrio, estende a mão para me ajudar a levantar. Meus batimentos cardíacos levam bastante tempo para voltar ao normal. E enquanto tento recuperar o controle da minha respiração, me dou conta de que, embora meus joelhos estejam doloridos e meu braço esteja bastante machucado, poderia ter sido muito pior. Fico feliz por estar do lado de fora enchendo os pulmões de ar gelado. E se a voz no ouvido daquele sujeito tivesse dado outras instruções? O que estaria acontecendo conosco agora?

É esse pensamento, e não o frio, que me faz estremecer. Aperto o casaco em volta do corpo.

— Vamos embora daqui — diz Theo.

Eu me pergunto se ele está pensando o mesmo que eu: *Melhor não esperar eles mudarem de ideia.*

A rua está quase silenciosa, totalmente deserta. Há apenas o piscar das luzes de segurança nas vitrines das lojas e o eco dos nossos passos nos paralelepípedos.

E então ouço um novo som: passos atrás de nós, se movendo rápido, mais rápido, ficando mais alto enquanto meu coração começa a bater mais acelerado. Eu me viro para olhar. Alguém alto, com o capuz do casaco sobre a cabeça. E quando a luz ilumina o rosto por um momento, vejo que é ela. A garota que me seguiu duas noites atrás, a garota no aro, que me encarou na plateia esta noite como se estivesse diante de um pesadelo.

CONCIERGE
Portaria

Estou tirando o pó no último andar. Em geral, a essa hora do dia, eu limpo os corredores e as escadas, pois *madame* Meunier é muito minuciosa com essas coisas. Mas hoje à noite infringi as regras e passei para o patamar. É o segundo risco que assumo; o primeiro foi falar com a garota mais cedo. Talvez nos tenham visto. Mas eu estava desesperada. Tentei enfiar um bilhete por baixo da porta dela ontem à noite, mas ela me flagrou e me ameaçou com uma faca. Tive que encontrar outra maneira. Porque percebi quem ela era na noite em que chegou aqui, indo socorrer aquela mulher, ajudando-a a colocar as roupas de volta na mala. Eu não podia ficar parada e deixar outra vida ser destruída.

Estão todos lá, na cobertura; todos menos ele, o chefe da família. Eu poderia ter ido pela escada dos fundos — eu a uso, às vezes, para espiar —, mas a acústica é muito melhor daqui. Não consigo ouvir tudo o que estão dizendo, mas de vez em quando distingo uma palavra ou uma frase.

Um deles menciona Benjamin Daniels. Eu me aproximo um pouco mais da porta. Agora também estão falando sobre a garota. Penso no jeito ávido, interessado e esperto dela. Alguma coisa em seu comportamento me lembra seu irmão, sim. Mas também minha filha. Não na aparência, é claro: ninguém poderia igualar a beleza da minha filha.

★ ★ ★

Um dia, quando o calor já começava a se dissipar, convidei Benjamin Daniels para tomar chá em minha casinha. Eu disse a mim mesma que era porque precisava demonstrar gratidão pelo ventilador. Mas na verdade queria companhia. Não tinha me dado conta do quão solitária eu era até ele demonstrar interesse. Havia perdido a vergonha que sentira a princípio do meu mísero estilo de vida. Tinha começado a gostar da companhia dele.

Ele olhou novamente para as fotos nas paredes enquanto estava sentado segurando seu copo de chá.

— Elira. Acertei? O nome da sua filha?

Eu o encarei. Não acreditava que ele tinha se lembrado.

Fiquei comovida.

— Isso mesmo, *monsieur*.

— É um nome bonito — disse ele.

— Significa "aquela que é livre".

— Ah, em que idioma?

Eu fiz uma pausa.

— Albanês. — Essa foi a primeira coisa que confidenciei a ele.

Com esse detalhe, ele poderia inferir meu status aqui na França. Eu o observei com atenção.

Ele apenas sorriu e assentiu.

— Eu estive em Tirana. É uma cidade maravilhosa... muito vibrante.

— Já ouvi dizer... mas não conheço bem. Sou de uma cidadezinha na costa do Adriático.

— Você tem fotos?

Hesitei. Mas que mal poderia haver? Fui até minha pequena cômoda e peguei o álbum. Ele se sentou na cadeira à minha frente. Percebi que tomava cuidado para não tirar as fotos do lugar ao virar as páginas, como se estivesse manuseando algo muito precioso.

— Eu gostaria de ter alguma coisa assim — disse ele, de repente. — Não sei o que aconteceu com as fotos de quando eu era pequeno. Mas também não sei se conseguiria olhar...

Ele fez uma pausa. Senti uma reserva oculta de sofrimento. Então, como se tivesse esquecido essa dor — ou quisesse esquecê-la —, ele apontou para uma foto.

O apartamento de Paris

— Olha isso! A cor do mar!

Segui seu olhar. Ao ver a foto, senti o cheiro do tomilho selvagem, da maresia.

Ele levantou a cabeça.

— Lembro que você disse que veio para Paris atrás da sua filha. Mas ela não está mais na cidade?

Vi seu olhar vacilante percorrer o cômodo. Entendi a pergunta implícita. Estava claro que eu não havia deixado para trás a pobreza em minha terra natal em troca de uma vida rica aqui. Por que alguém abandonaria a própria vida por isto?

— Eu não pretendia ficar — falei. — Não no começo.

Olhei para a parede de fotografias. Elira me encarou de volta — aos cinco, aos doze, aos dezessete —, sua beleza crescendo, mudando, mas o sorriso sempre o mesmo. Os olhos iguais. Eu me lembrei dela no peito quando criança: os olhos escuros me encarando intensamente, uma inteligência muito além da idade. Quando falei, não foi com ele, mas com a imagem dela.

— Eu vim para cá porque estava preocupada com ela.

Ele se inclinou para a frente.

— Por quê?

Eu o encarei. Por um momento, tinha quase esquecido que ele estava lá. Hesitei. Nunca tinha falado com ninguém sobre isso. Mas ele parecia tão interessado, tão curioso... E lá estava aquela dor que eu havia identificado nele. Antes, mesmo quando demonstrava pequenas gentilezas e atenções, eu o enxergava como um deles. Uma espécie diferente. Rico, mimado. Mas sua dor o tornou humano.

— Ela se esqueceu de ligar quando disse que ligaria. E quando finalmente tive notícias, ela não parecia a mesma. — Olhei para as fotos. — Eu... — Tentei encontrar uma maneira de descrever o que havia acontecido. — Ela me disse que estava ocupada, que estava trabalhando muito. Tentei não dar importância. Tentei ficar feliz por ela.

Mas eu sabia. Meu instinto materno me dizia que tinha alguma coisa errada. Pela voz, ela parecia estar mal. Rouca, doente. Mas, pior do que isso, soou vaga; não parecia ela mesma. Sempre que nos falávamos, eu a sentia perto de mim, apesar das centenas de quilômetros entre nós. Dessa vez, tive a sensação de que estava distante. Isso me assustou.

Respirei fundo.

— Ela ligou de novo algumas semanas depois.

No começo, só ouvi a respiração de alguém. Então, finalmente, distingui as palavras:

"Estou tão envergonhada, mamãe. Tenho tanta vergonha. O lugar... é um lugar ruim. Coisas horríveis acontecem lá. Eles não são boas pessoas. E..."

A parte seguinte saiu tão abafada que não entendi. E percebi que ela estava chorando; chorando tanto que não conseguia falar. Agarrei o telefone com tanta força até minha mão doer.

"Não consigo ouvir você, meu amor."

"Eu disse... Eu disse que também não sou uma boa pessoa."

"Você é uma boa pessoa", falei com firmeza. "Eu conheço você, você é minha filha e é boa."

"Não sou, mamãe. Eu fiz coisas horríveis. E não posso mais trabalhar lá."

"Por que não?"

Uma longa pausa. Tão longa que passei a me perguntar se a ligação tinha caído.

"Estou grávida, mamãe."

A princípio, achei que não tinha ouvido direito.

"Você está... grávida?" Ela não só era solteira como não havia mencionado nenhum parceiro para mim; ninguém especial. Fiquei tão chocada que não disse nada por um tempo. "De quantos meses?"

"Cinco meses, mamãe. Não consigo mais esconder. E não posso trabalhar."

Depois disso, a única coisa que ouvi foi o choro dela. Eu sabia que tinha que dizer alguma coisa positiva.

"Mas eu... estou tão feliz, meu amor", falei para ela. "Vou ser avó. Que coisa maravilhosa. Vou começar a juntar dinheiro." Tentei disfarçar meu pânico a respeito de como faria isso a tempo. Eu teria que arrumar trabalho extra, teria que pedir favores, pegar um empréstimo. Levaria tempo. Mas eu ia dar um jeito. "Vou para Paris", avisei. "Vou ajudar você a cuidar do bebê."

Olhei para Benjamin Daniels.

— Levei um tempo, *monsieur*. Não era barato. Levei seis meses. Mas finalmente arranjei o dinheiro para vir para cá. — Também tinha o meu visto, o que me permitiria ficar algumas semanas. — Eu sabia que o bebê já devia ter nascido, apesar de estar há várias semanas sem notícias dela. — Tentei não entrar em pânico. Em vez disso, procurei imaginar como seria segurar meu netinho nos braços pela primeira vez. — Eu estaria lá para ajudá-la com os cuidados, para cuidar dela; era isso o que importava.

— Claro. — Ele assentiu em sinal de compreensão.

— Quando cheguei, eu não tinha o endereço dela. Então fui para onde ela trabalhava. Eu sabia o nome; pelo menos isso ela havia me contado. Parecia um lugar muito elegante e refinado. Na parte rica da cidade, como ela havia dito. O segurança na porta olhou para mim com minhas roupas pobres. "A entrada das faxineiras fica nos fundos", disse ele. Não fiquei ofendida, era de se esperar. Encontrei a entrada e me esgueirei para dentro. E, por causa da minha aparência, eu era invisível. Ninguém nem sequer reparou em mim, ninguém disse que eu não deveria estar ali. Encontrei as mulheres... as meninas... que tinham trabalhado com a minha filha, que a conheciam. E foi então...

Por um momento não consegui falar.

— Foi então? — disse ele, me instigando delicadamente a continuar.

— Minha filha morreu, *monsieur*. Ela morreu no parto há dezenove anos. Eu vim trabalhar aqui e acabei ficando.

— E o bebê? O bebê da sua filha?

— *Monsieur*, está claro que o senhor não entendeu. — Peguei o álbum de fotos da mão dele e o guardei dentro da cômoda com minhas relíquias, meus tesouros. O que fui colecionando ao longo dos anos: um dente de leite, um sapato de criança, um diploma escolar. — Minha neta está aqui. Foi por isso que vim para cá. Por isso trabalhei aqui todos esses anos, neste prédio. Eu queria estar perto dela. Eu queria vê-la crescer.

Uma palavra por trás da porta da cobertura, e de repente sou trazida de volta ao presente. Acabei de ouvir claramente um deles dizer "concierge". Dou um passo para trás na escuridão, pisando com cuidado para evitar fazer as tábuas do piso rangerem. Sinto que eu não deveria estar aqui. Preciso voltar para minha casinha. Agora.

MIMI
Quarto andar

Entro depressa no apartamento e vou direto para o meu quarto, direto para a janela, e olho através do vidro. Foi um inferno ficar sentada lá em cima com todos eles falando, gritando uns com os outros. Eu só queria que aquilo acabasse. Queria muito ficar sozinha.

Mimi. Mimi. Mimi.

Demoro a descobrir de onde está vindo o som. Eu me viro e vejo Camille parada na porta do meu quarto, com as mãos na cintura.

— Mimi? — Ela vem até mim e estala os dedos diante do meu rosto. — Olá? O que você está fazendo?

— *Quoi?* — O quê? Eu a encaro.

— Você estava olhando pela janela. Parecendo um zumbi. — Ela imita meus olhos arregalados, minha boca aberta. — Para o que estava olhando?

Dou de ombros. Nem tinha percebido. Mas devia estar olhando para o apartamento dele. É difícil se livrar de velhos hábitos.

— *Putain*, você está me assustando, Mimi. Tem agido de um jeito tão... tão estranho. — Ela faz uma pausa. — Ainda mais estranho que o normal. — Então franze a testa, como se estivesse se dando conta de alguma coisa. — Desde aquela noite. Quando voltei tarde e você ainda estava acordada. O que houve?

— *Rien* — respondo. *Nada.*

Por que ela simplesmente não me deixa em paz?

— Não acredito em você. O que aconteceu aqui naquela noite, antes de eu chegar? O que está havendo com você?

Fecho os olhos e cerro os punhos. Não consigo lidar com todas essas perguntas. Todo esse interrogatório. Sinto que estou prestes a explodir. Com o máximo de controle que tenho, digo:

— Eu só... preciso ficar sozinha agora, Camille. Preciso do meu espaço.

Ela não percebe a indireta.

— Ei... tem alguma coisa a ver com aquele cara sobre quem você estava fazendo o maior mistério? Não deu certo? Se você me disser, talvez eu possa ajudar...

Não suporto mais. O ruído branco está zumbindo na minha cabeça. Eu me levanto. Odeio como ela olha para mim: a preocupação e o interesse em sua expressão. Por que ela simplesmente não se toca? De repente, não quero mais olhar para a cara dela. Seria muito melhor se ela não estivesse aqui.

— Apenas cale a boca! *Fous le camp!* — Dá um tempo. — Só... me deixe em paz.

Ela dá um passo para trás.

— Estou de saco cheio de você me perturbando — digo. — Estou de saco cheio da sua bagunça pela casa inteira, em todo lugar para onde olho. Estou de saco cheio de você trazer seus, seus... amigos coloridos para cá. Posso até ser esquisita, e, sim, eu sei que é o que todos os seus amigos acham, mas você... não passa de uma putinha nojenta.

Acho que consegui. Os olhos dela estão arregalados enquanto ela se afasta de mim. Em seguida desaparece do quarto. Não me sinto bem, mas pelo menos posso respirar outra vez.

Ouço sons vindos do quarto dela, gavetas sendo abertas, portas de armário batendo. Pouco depois, Camille aparece com duas bolsas de lona transbordando de coisas em cada braço.

— Quer saber? — diz ela. — Eu posso ser uma putinha nojenta, mas você é uma maluca do caralho. Não aguento mais você, Mimi, não preciso disso. E a Dominique tem onde morar agora. Chega de fazer tudo escondida. Vou dar o fora daqui.

Só conheço uma pessoa com esse nome. Mas não faz sentido.

— Dominique...

— É. A ex do seu irmão. E todo aquele tempo ele pensou que ela estava dando em cima do Ben. — Um sorrisinho. — Foi um belo disfarce, não acha? Enfim. Agora é diferente. É de verdade. Eu amo a Dominique. Só tem lugar para uma mulher na minha vida. Chega de Camille, a... como você me chamou? Putinha nojenta. — Ela ajeita a bolsa no ombro. — Enfim. A gente se vê por aí, Mimi. Boa sorte com qualquer merda que esteja rolando aí com você.

Alguns minutos depois, ela se foi. Volto para a janela e a observo cruzar o pátio, as bolsas penduradas no braço.

Por um momento, realmente me sinto melhor, mais calma, mais livre. Como se pudesse pensar com mais clareza sem Camille aqui. Mas agora está silencioso demais. Porque ela ainda está aqui: a tempestade na minha cabeça. E não sei se tenho mais medo disso... ou do que ela está abafando.

Desvio o olhar do pátio. Volto a observar o apartamento dele. Alguns dias atrás, entrei lá com a chave que roubei da casinha da concierge. Vou na casa dela desde criança; entro escondida quando sei que a velha está limpando lá em cima. Aquela casinha me fascinava; como uma cabana na floresta em um conto de fadas. A mulher tem um monte de fotos misteriosas nas paredes, provas de que realmente teve uma vida antes de vir para cá, por mais difícil que seja de acreditar. Uma jovem bonita em várias delas, como uma princesa de um conto de fadas.

Agora que estou mais velha, é claro que sei que não há nada mágico naquela casinha. É apenas o lar minúsculo e solitário de uma pobre senhora; deprimente. Mas eu ainda me lembrava exatamente de onde ela guardava o molho de chaves mestras. É óbvio que ela não tem permissão para usá-las. São para emergências; se houver um alagamento em um dos apartamentos, por exemplo, enquanto estivermos viajando de férias. E ela não tem cópias das chaves do apartamento dos meus pais: isso está fora de cogitação.

Era início da noite, crepúsculo. Esperei e observei enquanto ele saía pelo pátio, assim como observei Camille há pouco. Ele estava só de camisa, e fazia frio, então concluí que provavelmente não ia muito longe. Talvez a apenas algumas quadras de distância, para comprar cigarro, o que ainda me dava tempo suficiente para fazer o que precisava.

Desci correndo o único lance de escadas e entrei no apartamento do terceiro andar.

O apartamento de Paris

Por baixo das roupas, eu estava usando a lingerie nova que havia comprado com Camille. Sentia o toque secreto e escorregadio na pele. Eu estava mais corajosa. Mais ousada.

Ia esperar que ele voltasse. Queria surpreendê-lo. E assim estaria no controle da situação.

Eu o havia observado muitas vezes do meu quarto. Mas estar no apartamento dele era diferente: eu *sentia* a presença dele ali. Sentia o cheiro dele apesar do odor estranho, mofado e de coisa velha daquele lugar. Perambulei pelo apartamento por um tempo, apenas inspirando-o. Durante todo o tempo, o gato me seguiu, me observando. Como se soubesse que eu estava tramando alguma coisa.

Abri a geladeira e vasculhei os armários. Examinei seus discos, sua coleção de livros. Fui até o quarto e me deitei na cama, que ainda tinha a marca do corpo dele, e senti seu cheiro nos travesseiros. Dei uma olhada nos artigos de higiene pessoal no banheiro, abri as tampas. Borrifei sua colônia com aroma de limão na minha blusa e no meu cabelo. Abri o armário e enfiei o rosto em suas camisas, mas melhor que isso foram as camisetas no cesto de roupa suja, as que ele havia usado, as que tinham o cheiro da sua pele e do seu suor. Melhor ainda foram os pelos que encontrei ao redor da pia, onde ele havia se barbeado e não conseguira limpar totalmente. Peguei vários com o dedo. E os engoli.

Se tivesse observado a mim mesma, talvez achasse que eu parecia alguém nas garras de um *amour fou*: um amor obsessivo e insano. Mas um *amour fou* geralmente não é correspondido. E eu *sabia* que ele sentia o mesmo; era isso que importava. Eu só queria me tornar parte daquilo, daquele mundo, do mundo dele. Já tivera milhares de conversas com ele na minha cabeça. Tinha lhe contado sobre meus irmãos. Sobre como Antoine sempre tinha sido horrível comigo. Sobre como Nick na verdade não passava de um fracassado que vivia do dinheiro do nosso pai, e eu honestamente não entendia por que Ben era amigo dele. Sobre como, assim que me formasse, eu daria o fora dali. Ia viajar pelo mundo. Nós poderíamos ir juntos.

Encontrei uma taça na cozinha e me servi um pouco do vinho dele, bebi como se fosse um copo de grenadine. Eu precisava estar bêbada o suficiente para fazer aquilo. Então tirei as roupas e me deitei na cama dele: à espera, como um presente deixado sobre o travesseiro. Mas depois de um tempo me senti idiota. Talvez o efeito do vinho estivesse passando. Eu estava sentindo um pouco de frio. Não tinha sido assim que eu havia planejado as coisas na minha mente. Achei que ele voltaria mais rápido.

Meia hora se passou. Quanto tempo ele ia demorar?

Fui até a escrivaninha. Queria ler o que ele ficava escrevendo até tarde da noite, rascunhando anotações, digitando no laptop.

Achei um caderno. Um Moleskine, igual aos que uso para meus esboços. Mais um sinal de que tínhamos sido feitos um para o outro: caras-metades, almas gêmeas. A música, a escrita. Nós éramos muito parecidos. Era isso que ele estava me dizendo naquela noite, quando ficamos sentados juntos na escuridão do parque. E, antes disso, quando me deu o disco. Dois estranhos, mas estranhos juntos.

O caderno estava cheio de anotações para resenhas de restaurantes. Pequenos desenhos entre os trechos escritos. Cartões de restaurante enfiados entre as páginas. Isso fez com que me sentisse muito próxima dele. Sua caligrafia era bonita, elegante, um pouco angulosa. Exatamente como eu teria imaginado. Delicada como os dedos que haviam tocado meu braço naquela noite no parque. Eu me apaixonei um pouco mais, vendo aquela caligrafia.

E então, na última página, havia uma anotação com meu nome. Seguida de um ponto de interrogação, assim:

Mimi?

Ai, meu Deus. Ele andava escrevendo sobre mim.

Eu precisava saber mais, precisava descobrir o que aquilo significava. Abri o laptop. Pedia uma senha. *Merde*. Eu não tinha a menor chance de adivinhar. Poderia ser literalmente qualquer coisa. Fiz algumas tentativas. O sobrenome dele. Seu time de futebol; eu havia encontrado uma camisa do Manchester United pendurada no armário. Nada. Então tive uma ideia. Pensei no colar que ele sempre usava, aquele que disse que havia ganhado da mãe. Digitei: SaoCristovao.

Não... O computador voltou a pedir a senha. Tinha sido apenas um tiro no escuro, então não fiquei surpresa. Mas só para testar, tentei novamente, com números substituindo algumas das letras, uma criptografia mais sofisticada: S40Cr1st0v40.

E, dessa vez, quando apertei *enter*, a caixa de senha se fechou e a tela inicial surgiu.

O apartamento de Paris

Fiquei olhando para a tela. Não acreditava que havia adivinhado. Isso *tinha* que significar alguma coisa também, não tinha? Pareceu uma confirmação de quão bem eu o conhecia. E sei que os escritores são reservados em relação a seu trabalho, da mesma forma que sou reservada em relação a minha arte, mas naquele momento pareceu quase que ele queria que eu encontrasse e lesse o que havia lá, independentemente do que fosse.

Acessei os documentos; fui para os "recentes". E lá estava, no topo. Todos os outros tinham nomes de restaurantes, obviamente resenhas. Mas o nome daquele era *Meunier Wines SARL*. De acordo com o pequeno registro de horário, era naquele arquivo que ele estava trabalhando uma hora antes. Eu o abri.

Merde, meu coração estava muito acelerado.

Animada e apavorada, comecei a ler.

Mas na mesma hora quis parar; desejei nunca ter visto nada.

Eu não sabia o que estava esperando, mas não era nada parecido com aquilo.

Tive a sensação de que todo o meu mundo estava desmoronando ao meu redor.

Eu estava nauseada.

Mas não conseguia parar de ler.

JESS

A garota fica sob a luz do poste. Ela parece totalmente diferente da apresentação. Está de calça jeans e uma jaqueta de couro falso e barato por cima de um moletom com capuz, mas a diferença é também porque tirou toda a espessa camada de maquiagem. Parece bem menos glamorosa e ao mesmo tempo bem mais bonita. E mais jovem. *Muito* mais jovem. Não dei uma boa olhada nela na escuridão perto do cemitério daquela vez. Se me perguntassem, eu teria dito vinte e tantos anos. Mas agora eu diria algo mais próximo de dezoito ou dezenove, mais ou menos a mesma idade de Mimi Meunier.

— Por que vocês foram lá? — sussurra ela para nós, com o sotaque carregado. — No clube?

Eu me lembro de como ela se virou e saiu correndo na primeira vez que nos encontramos. Sei que preciso ir com cuidado, para não assustá-la.

— Nós ainda estamos procurando pelo Ben — digo, gentilmente. — E tenho a impressão de que você sabe de alguma coisa que pode nos ajudar. Estou certa?

Ela murmura algo baixinho, uma palavra que soa como "*koorvah*". Por um momento, acho que ela pode estar prestes a fugir. Mas não vai a lugar nenhum; pelo contrário, até se aproxima um pouco mais.

— Aqui não — sussurra ela. E olha para trás, nervosa como um gato. — Temos que ir para outro lugar. Longe disso aqui.

Indo atrás dela, nos afastamos das ruas elegantes com carros chiques e vitrines reluzentes. Atravessamos avenidas com cafés de fachada vermelha e dourada, e cadeiras de vime do lado de fora, como aquele onde me encontrei com Theo, com placas anunciando cardápios a preço fixo, grupos de turistas ainda vagando sem rumo. Também os deixamos para trás. Caminhamos por ruas com bares e música techno alta, passamos por uma casa noturna com uma longa fila serpenteando pela esquina. Entramos em um novo bairro, onde os restaurantes têm nomes escritos em árabe, chinês e outras línguas que não reconheço. Passamos por tabacarias de cigarros eletrônicos e lojas de celulares que parecem exatamente iguais, vitrines com manequins usando perucas de diversos estilos, lojas de mobília barata. Esta não é a Paris turística. Atravessamos um cruzamento repleto de barracas de aparência frágil no trechinho de grama no meio, um grupo de sujeitos cozinhando em um pequeno fogão improvisado, com as mãos nos bolsos, de pé perto do fogo para se aquecer.

A garota nos leva a uma lanchonete de kebab que fica aberta a noite toda, com um letreiro piscando acima da porta e algumas mesinhas de metal nos fundos, fileiras de luzinhas no teto. Nós nos sentamos a uma mesinha de fórmica gordurosa no canto. É difícil imaginar um lugar que contraste mais com a penumbra glamorosa do clube do qual acabamos de sair. Talvez seja exatamente por isso que ela escolheu este lugar. Theo pede uma porção de batata frita para cada um de nós. A garota pega um punhado enorme, mergulha as batatas, todas juntas, em um dos potinhos de molho de alho e, de alguma forma, enfia tudo na boca.

— Quem é ele? — murmura ela com a boca cheia, acenando com a cabeça para o Theo.

— Esse é o Theo — respondo. — Ele trabalha com o Ben. Está me ajudando. Eu sou a Jess. Qual o seu nome?

Uma breve pausa.

— Irina.

Irina. O nome é familiar. Eu me lembro do que Ben rabiscou naquela folha de contabilidade de vinho que encontrei em seu dicionário. *Perguntar a Irina*.

— Ben disse que ia voltar — diz ela de repente, com urgência. — Ele disse que ia voltar para me buscar. — Reconheço alguma coisa na expressão dela.

Arrá. Mais uma que se apaixonou pelo meu irmão. — Ele disse que ia me tirar daquele lugar. Me ajudar a encontrar um novo trabalho.

— Tenho certeza de que ele estava cuidando disso — digo com cautela. Isso parece algo que Ben faria, eu acho: prometer coisas que não pode necessariamente cumprir. — Mas, como eu disse antes, ele desapareceu.

— O que aconteceu? — pergunta ela. — O que vocês acham que aconteceu com ele?

— Não sabemos — respondo. — Mas encontrei um cartão do clube nas coisas dele. Irina, se houver alguma coisa que você possa nos dizer, qualquer coisa, talvez nos ajude a encontrá-lo.

Ela nos avalia. Parece confusa por estar nessa posição desconhecida de poder. E com medo também. Olhando para trás de vez em quando.

— Nós podemos pagar — digo.

Olho para Theo, que revira os olhos e pega a carteira.

Quando chegamos a um valor satisfatório para Irina — uma quantia deprimentemente pequena, na verdade — e, depois de terminar de comer as batatas fritas e usar nossos dois potes de molho de alho, ela chega para a frente na cadeira, firmando os pés no chão, numa postura defensiva; a pele de seu joelho pálida e machucada em um ponto desponta da calça jeans rasgada. Por alguma razão, isso me faz pensar em arranhões de parquinhos, na criança que ela era até pouco tempo atrás.

—Você tem um cigarro? — pergunta ela a Theo.

Ele passa um para ela, que o acende. Seu joelho balança sob a mesa com tanta força que os pequenos saleiros e pimenteiros pulam para cima e para baixo.

— A propósito, você foi muito boa — digo, tentando pensar em algo seguro para começar. — Sua dança.

— Eu sei — diz ela, séria, balançando a cabeça. — Eu sou muito boa. A melhor do La Petite Mort. Eu praticava dança lá onde morava. Quando comecei esse trabalho, eles disseram que era para dançar.

— Parece que o público gostou muito — afirmo. — Do show. Achei sua performance muito... — Tento pensar na palavra certa. — Sofisticada.

Ela ergue as sobrancelhas, em seguida faz um som parecido com "rá" sem nenhum humor.

— O show — murmura ela. — Era sobre isso que Ben queria informações. Ele parecia já saber de algumas coisas. Acho que talvez alguém tenha contado a ele um pouco.

O APARTAMENTO DE PARIS

— Contado a ele um pouco do quê? — pergunto.

Ela dá uma longa tragada no cigarro. Percebo que sua mão está tremendo.

— Que o show, tudo aquilo, é só... — Ela parece procurar as palavras certas. — Vitrine... Não. Fachada. Não é o que aquele lugar oferece de verdade. Porque depois eles descem. Os convidados especiais.

— Como assim? — pergunta Theo, se inclinando para a frente. — Convidados especiais?

Um olhar nervoso pelas janelas que dão para a rua. Então, de repente, ela tira do bolso da jaqueta o maço de notas que Theo lhe deu, empurrando-o de volta para ele.

— Eu não posso fazer isso...

— Irina — digo depressa e com cautela —, não estamos tentando arranjar problemas para você. Confie em mim. Não vamos contar nada a ninguém. Só estamos tentando descobrir o que Ben sabia, porque acho que isso pode nos ajudar a encontrá-lo. Qualquer coisa que você nos diga pode ser útil de alguma forma. Estou... com muito medo do que pode ter acontecido com ele. — Ao dizer isso, minha voz falha e não é encenação. Eu me inclino para a frente, implorando a ela. — Por favor. Por favor, nos ajude.

Ela parece estar absorvendo tudo aquilo, se decidindo. Eu a observo respirar fundo. Então, em voz baixa, ela começa a falar:

— Os convidados especiais compram um tipo diferente de ingresso. São homens ricos. Homens importantes. Homens casados. — Ela levanta a mão para dar ênfase, tocando o dedo anelar. — Não sabemos o nome deles. Mas sabemos que são importantes. Que têm... — Ela esfrega o polegar e o indicador: *dinheiro*. — Eles descem. Para os outros cômodos, lá embaixo. Nós fazemos com que eles se sintam bem. Dizemos como são bonitos, como são sexy.

— E eles — Theo tosse — compram... alguma coisa?

Irina o encara, inexpressiva.

Acho que ela não entendeu sua maneira sutil de formular a frase.

— Eles pagam por sexo? — pergunto, baixando a voz para um murmúrio, para mostrar que ela pode confiar em nós. — Foi isso que ele quis dizer.

Mais uma vez, Irina olha para as janelas, para a rua escura. Ela está praticamente pairando sobre o assento, parecendo prestes a sair correndo a qualquer instante.

— Você quer mais dinheiro? — pergunto.

Eu meio que quero que ela peça mais. Tenho certeza de que Theo pode pagar.

Ela faz que sim com a cabeça rapidamente.

Eu cutuco Theo.

—Vamos lá.

Com um pouco de relutância, ele tira mais duas notas do bolso e as desliza pela mesa até ela. Então, quase como se estivesse lendo algum roteiro, ela diz:

— Não. É ilegal neste país. Pagar.

— Ah.

Theo e eu nos entreolhamos. Acho que nós dois estamos pensando a mesma coisa. *Nesse caso, então o que...?*

Mas ela não tinha terminado:

— Eles não compram *aquilo*. É inteligente. Eles compram vinho. Gastam *muito* dinheiro com vinho. — Ela afasta as mãos para enfatizar. — Há um código. Se eles pedirem uma safra "mais jovem", esse é o tipo de garota que querem. Se pedem uma das safras "especiais", quer dizer que gostariam de... extras. E nós fazemos tudo que eles querem. Fazemos qualquer coisa que pedirem. Nós pertencemos a eles durante aquela noite. Eles escolhem a garota, ou as garotas, que querem e vão para uma sala especial com fechadura na porta. Ou vamos para algum lugar com eles. Hotel, apartamento...

— Ah — diz Theo, fazendo uma careta.

— As garotas do clube... Nós não temos família. Não temos dinheiro. Algumas fugiram de casa. Algumas... Muitas são ilegais. — Ela se inclina para a frente. — Eles também ficam com nosso passaporte.

— Então vocês não podem sair do país — digo, me virando para Theo. — Isso é sinistro pra cacete.

— Não posso voltar para casa, de um jeito ou de outro — diz ela, de repente, com firmeza. — Para a Sérvia. Não era... A situação no meu país não era boa. — Ela acrescenta, na defensiva: — Mas nunca pensei... nunca pensei que ia parar em um lugar como aquele. Eles sabem que nós não vamos procurar a polícia. Um dos clientes, algumas meninas dizem que ele *é* da polícia. Um cargo importante. Lugares desse tipo são fechados o tempo todo. Mas não aquele lá.

—Você pode provar isso? — pergunta Theo, inclinado para a frente.

Antes de responder, ela olha para trás e baixa a voz. Em seguida acena com a cabeça.

O APARTAMENTO DE PARIS

— Eu tirei umas fotos. Do homem que dizem que é da polícia.

—Você tem fotos? — Theo se inclina ainda mais para a frente, ansioso.

— Eles pegam nosso celular. Mas quando comecei a falar com o Ben, ele me deu uma câmera. Eu ia entregar as fotos para o seu irmão. — Uma hesitação. Seus olhos disparam entre nós e a janela. — Mais dinheiro — diz ela.

Nós duas nos voltamos para Theo, esperamos enquanto ele procura mais dinheiro e o coloca na mesa.

Ela vasculha o bolso da jaqueta, então tira a mão, o punho cerrado, os nós dos dedos empalidecendo. Com muito cuidado, como se estivesse manuseando algo explosivo, ela coloca um cartão de memória na mesa e o empurra na minha direção.

— Não são fotos muito boas. Tive que tomar bastante cuidado. Mas acho que é o suficiente.

— Pode me entregar — diz Theo, estendendo a mão.

— Não — diz Irina, olhando para mim. — Ele, não. Você.

— Obrigada. — Pego o cartão de memória e o coloco no bolso do casaco. — Sinto muito — digo, porque de repente parece importante dizer isso. — Lamento que isso tenha acontecido com você.

Ela dá de ombros e se encolhe.

—Talvez seja melhor do que outras coisas, sabe? Pelo menos você não vai acabar morta em um beco ou no Bois de Boulogne, ou estuprada no carro de algum cara. Nós temos mais controle. E às vezes eles compram presentes para a gente se sentir bem. Algumas garotas ganham roupas bonitas, joias. Algumas vão a encontros, se tornam namoradas. Todo mundo fica feliz.

Exceto pelo fato de que Irina parece tudo menos feliz.

—Tem até um boato... — Ela se aproxima e baixa a voz.

— Que boato? — pergunta Theo.

— Que a mulher do dono veio de lá.

Eu a encaro.

— Como assim, do clube?

— É. Que ela era uma das garotas. Então, acho que as coisas terminam bem para algumas.

Estou tentando processar essa informação. Sophie Meunier? Os brincos de diamante, as camisas de seda, o olhar gélido, a cobertura, toda aquela aura de quem é melhor do que os outros... Ela fazia *isso*? Era profissional do sexo?

— Mas nem todas conseguem um marido rico. Alguns caras... se recusam a usar proteção. Ou tiram quando a gente não está olhando. Algumas garotas ficam, você sabe... doentes.

—Você está falando de ISTs? — pergunto.

— Isso. — E então em voz baixa: — Eu peguei uma coisa. — Sua expressão muda para uma careta de nojo e vergonha. — Depois disso, eu sabia que tinha que ir embora. E algumas meninas engravidam. Acontece, sabe? Tem uma história também, sobre uma garota muito, muito tempo atrás... talvez também seja só boato. Mas dizem que ela engravidou e queria ficar com o bebê, ou talvez fosse tarde demais para dar um jeito... enfim, quando ela entrou em... — Ela faz uma mímica se contorcendo de dor.

—Trabalho de parto?

— É. Quando isso aconteceu, ela foi para o clube, sem ter nenhum outro lugar para ir. Quando se é ilegal, você tem medo de ir para o hospital. Ela teve o bebê *no* clube. Mas disseram que foi um parto ruim. Sangrou muito. Levaram o corpo dela embora, ninguém nunca ia saber que ela tinha existido. Tudo certo. Porque ela não era oficial.

Meu Deus.

— E você contou tudo isso para o Ben? — pergunto.

— Contei. Ele disse que ia me manter em segurança. Que ia me ajudar. Um novo começo. Eu falo inglês. Sou inteligente. Quero um emprego normal. Garçonete, algo assim. Porque... — A voz dela falha. Ela leva a mão aos olhos. Eu vejo o brilho das lágrimas. Ela as seca com a palma da mão, quase com raiva, como se não tivesse tempo para chorar. — Não foi para isso que eu vim para este país. Eu vim em busca de uma vida nova.

E por mais que eu nunca chore, sinto meus olhos arderem. Sei do que ela está falando. Toda mulher merece isso. A chance de uma vida nova.

MIMI

Quarto andar

Estou sentada na minha cama, olhando para a escuridão do apartamento dele, me lembrando. No laptop dele, três noites atrás, eu li sobre um lugar com um quarto trancado. Sobre o que acontecia naquele quarto. Sobre as mulheres. Os homens.

Sobre como tudo estava — está — conectado com este lugar. Com esta família.

Tive vontade de vomitar. Não podia ser verdade o que ele tinha escrito. Mas havia nomes. Havia detalhes. Muitos detalhes horríveis. E papai...

Não. Não podia ser verdade. Eu me recusava a acreditar. Tinha que ser mentira...

E então vi meu nome, como tinha visto no caderno dele, naquele momento emocionante. Só que dessa vez fiquei com medo. De alguma forma, eu também estava conectada àquele lugar. Meu meio-irmão mais velho tinha dito coisas horríveis. Sempre pensei que fossem apenas insultos aleatórios. Agora não tinha mais certeza. Achei que não conseguiria ler, mas sabia que precisava fazer isso.

O que li em seguida... Senti minha vida inteira desmoronar. Se fosse verdade, explicaria justamente por que sempre me senti uma estranha. Por que papai sempre me tratou daquele jeito. Porque eu não era filha deles de verdade. E havia mais: vislumbrei uma frase, alguma coisa sobre minha mãe verdadeira, mas não consegui ler porque meus olhos estavam embaçados de lágrimas...

Fiquei paralisada. Então ouvi passos do lado de fora se aproximando da porta. *Merde*. Fechei o laptop com força. A chave estava girando na fechadura. Ele tinha voltado.

Ai, meu Deus. Eu não podia encará-lo. Não agora. Não assim. Tudo entre nós havia mudado, se quebrado. Tudo em que eu acreditava tinha acabado de se despedaçar. Tudo que eu achava que sabia era mentira. Eu nem fazia ideia mais de quem eu era.

Corri para o quarto. Não havia tempo... O armário. Abri as portas, me enfiei lá dentro e me encolhi na escuridão.

Eu o ouvi colocar um disco na vitrola da sala, e a música começou a tocar, a música que eu tinha ouvido em todas aquelas noites quentes de verão, flutuando até mim pelo pátio. Como se ele a estivesse colocando para eu ouvir.

Senti meu coração se partir.

Não podia ser verdade. Não podia ser verdade.

Então, mais alto que o som da minha respiração, eu o ouvi entrar no quarto. Pelo buraco da fechadura eu o vi se movendo. Ele tirou o suéter. Vi sua barriga, a linha de pelos que eu tinha notado no primeiro dia. Pensei na garota que eu fora, aquela que o havia observado da sacada. Senti ódio dela por ter sido uma idiota ingênua. Uma pirralha mimada. Pensando que *ela* tinha problemas. Mas não fazia ideia. E ao mesmo tempo estava sofrendo por perdê-la. Por saber que nunca mais voltaria a ser ela.

Ele se aproximou do armário — eu me encolhi nas sombras — e em seguida se afastou, entrando no banheiro. Eu o ouvi ligar o chuveiro. Tudo o que eu queria, naquele momento, era sair dali. Aquela era a minha chance. Empurrei a porta. Eu o ouvi se movendo no banheiro, a porta do chuveiro se abrindo. Comecei a andar pelo quarto na ponta dos pés. O mais silenciosamente possível. Então ouvi uma batida na porta do apartamento. *Putain*.

Corri de volta para dentro do armário e voltei a me encolher na escuridão.

Ouvi o chuveiro desligar. Eu o ouvi abrir a porta, cumprimentar quem quer que estivesse lá.

E então ouvi a outra voz. Eu a reconheci de imediato, é claro. Eles conversaram por um tempo, mas não ouvi o que estavam dizendo. Abri uma fresta da porta do armário, tentando escutar.

Então eles seguiram para o quarto. Por quê? O que iam fazer no quarto? Por que aqueles dois iriam para lá? Eu mal conseguia vê-los pelo buraco da fechadura. Mas mesmo naqueles vislumbres, percebi que havia algo estranho na linguagem corporal deles, alguma coisa que eu não identificava muito bem. Mas sabia que tinha alguma coisa errada... algo não estava como deveria.

E aí aconteceu. Eles se aproximaram um do outro, ao mesmo tempo. Vi seus lábios se encontrarem. Era como se tudo estivesse acontecendo em câmera lenta. Cravei as unhas com tanta força na palma das mãos que pensei que fossem sangrar. Aquilo não podia estar acontecendo. Não podia ser real. Afundei na escuridão, o punho na boca, cravando os dentes nos dedos para não gritar.

Instantes depois, ouvi o chuveiro outra vez. Os dois entrando no banheiro, fechando a porta. Era a minha chance. Não me importei com o risco, com a possibilidade de ser flagrada. Nada importava mais do que sair dali. Corri como se minha vida dependesse disso.

De volta ao meu quarto, de volta ao apartamento, desmoronei. Estava chorando tanto que mal conseguia respirar. A dor era grande demais; eu não conseguia suportar. Pensei em todos os planos que eu tinha feito para nós dois. Eu sabia que ele também sentira o que havia acontecido entre nós no parque naquela noite. Mas ele tinha destruído aquilo. Ele tinha arruinado tudo.

Peguei as pinturas que tinha feito dele e me forcei a olhar para elas. A dor se transformou em raiva. Maldito. *Fils de pute* mentiroso da porra. Todas aquelas palavras horríveis, distorcidas e mentirosas no computador dele. E depois ele e mamãe, os dois juntos daquele jeito...

Parei e me lembrei do que tinha visto no computador. Eu a chamava de mãe, mas depois de tudo que havia lido não tinha mais certeza do que ela era para mim...

Não. Eu não conseguia pensar nisso. Eu não ia acreditar, não podia acreditar. Era tudo doloroso demais. Eu só conseguia me concentrar na minha raiva: era pura, simples. Peguei meu estilete de cortar tela, a lâmina tão afiada que apenas um toque era capaz de cortar. Cravei-a na primeira tela e rasguei. O tempo todo tive a sensação de que ele estava me observando com seus lindos olhos, me perguntando o que eu estava fazendo, então fiz dois buracos ali para não ver seus olhos. E destruí todas elas, esfaqueando a tela com a lâmina, sentindo prazer ao ouvi-la rasgar. Arranquei o tecido com as mãos, a tela fazendo um ruído áspero enquanto seu rosto e seu corpo eram despedaçados.

Depois comecei a tremer.

Olhei para o que tinha acabado de fazer, a bagunça, a violência. Sabendo que tinha vindo de mim. A sensação era a de que havia uma corrente elétrica percorrendo meu corpo. Um misto de medo e empolgação. Mas não era o suficiente.

Eu sabia o que tinha que fazer.

JESS

— Tenho que ir — diz Irina. Um olhar nervoso para a rua escura e vazia lá fora. — Já demorei muito conversando com vocês.

Eu me sinto mal por simplesmente deixar que ela saia pela cidade sozinha. Ela é tão jovem, tão vulnerável.

— Você vai ficar bem? — pergunto.

Ela me encara. Sua expressão diz: *Já faz tempo que cuido da minha vida, meu bem. Confio mais em mim mesma para fazer isso do que em qualquer outra pessoa.* E há certo orgulho nela enquanto se afasta, uma dignidade. Sua postura ereta. A postura de uma dançarina, suponho.

Penso em como Ben prometeu cuidar dela. Eu poderia fazer promessas também. Mas não sei se vou conseguir cumpri-las. Não quero mentir para ela. Mas prometo a mim mesma, naquele momento, que se encontrar um jeito, vou ajudá-la.

Enquanto Theo e eu caminhamos até o metrô, me sinto tonta, repassando tudo que Irina nos contou. Todos eles sabem? A família inteira? Até o "bom moço" do Nick? Essa ideia me deixa enjoada. Lembro que ele me disse que estava "entre um emprego e outro", que isso claramente não tinha muita importância para ele. Imagino que não, para quem não precisa ganhar seu próprio dinheiro, para quem tem um estilo de vida financiado por um monte de garotas vendendo o próprio corpo.

E se a família Meunier soubesse que Ben havia descoberto a verdade sobre o La Petite Mort, o que teriam feito para evitar que um segredo como esse fosse revelado?

Eu me viro para Theo.

— Se a reportagem do Ben tivesse sido publicada, a polícia teria que agir, não é? Não importa que os Meunier tenham contatos no alto escalão. Certamente haveria pressão pública para investigar.

Theo assente, mas sinto que ele não está prestando atenção ao que estou dizendo.

— Então ele realmente descobriu alguma coisa, no fim das contas — murmura ele depressa, quase para si mesmo.

Sua voz soa muito diferente do seu habitual tom sarcástico e pessimista. Soa... Tento identificar. Animada? Olho para ele.

—Vai ser um grande furo — diz. — Isso é grandioso. É realmente grande. Ainda mais se houver figurões envolvidos. É como o escândalo sexual do President's Club, mas muito, muito mais pesado. É o tipo de coisa que ganha prêmios...

Eu paro de repente.

— Você tá de sacanagem? — Sinto a raiva pulsando pelo meu corpo. — Você se importa pelo menos um pouco com o Ben? — Eu o encaro. —Você não dá a mínima, não é? —Theo abre a boca para dizer alguma coisa, mas não quero ouvir uma palavra. — Que ódio. Quer saber? Vai se foder.

Saio pisando duro para longe dele, o mais rápido que consigo com esses saltos ridículos. Não sei ao certo para onde estou indo, e é claro que meu celular idiota está sem internet, mas vou pensar em alguma coisa. É muito melhor do que ter que passar literalmente mais um segundo que seja na companhia dele.

— Jess! — grita Theo.

Estou quase correndo agora. Viro à esquerda em outra rua. Não o escuto mais, graças a Deus. Acho que é esse o caminho. Mas o problema é que todas as malditas lojas de celular parecem exatamente iguais, ainda mais com as luzes apagadas e as grades baixadas, sem ninguém por perto. Há um cheiro estranho e acre vindo de algum lugar, como se fosse plástico queimado.

Que babaca. Acho que estou chorando. Por que estou chorando? No fundo, eu sempre soube que não podia confiar nele. Suspeitei que tinha algum interesse na primeira vez que nos encontramos. Então não é nenhuma grande surpresa. Deve ser tudo acumulado, o estresse dos últimos dias. Ou Irina e o horror de tudo que ela acabou de nos contar. Ou simplesmente o fato de que, embora parte de mim estivesse esperando por isso, eu meio que desejei estar errada, só desta vez.

E agora aqui estou eu sozinha, de novo. Como sempre.

Viro em outra rua. Hesito. Acho que não reconheço este lugar. Mas parece haver estações de metrô por toda a cidade. Se eu andar mais alguns quarteirões, com certeza vou encontrar uma. Em meio à agitação dos meus pensamentos raivosos, me dou conta, vagamente, de alguma comoção nas proximidades. Berros e gritos: uma festa de rua? Talvez eu deva ir até lá. Porque acabei de perceber que há um sujeito sozinho do outro lado da rua vindo na minha direção com as mãos nos bolsos, e claro que não deve ser nada, mas não quero pagar para ver.

Eu me viro e sigo o barulho. Mas já é tarde demais quando me dou conta de que não se trata de uma festa de rua. Vejo um grupo de pessoas correndo, algumas delas usando balaclavas, óculos de natação e máscaras de esqui. Grandes nuvens de fumaça preta surgem no ar. Escuto gritos, berros, sons metálicos altos.

O calor ruge na minha direção em uma onda poderosa e vejo o fogo no meio da rua; chamas tão altas que alcançam as janelas do segundo andar dos prédios em frente. No meio, vejo apenas a carcaça enegrecida de uma viatura da polícia que foi tombada e incendiada.

Então noto a polícia se aproximando dos manifestantes com equipamento antichoque, capacetes e viseiras de plástico, balançando cacetetes. Ouço o estalido dos golpes. E misturado à fumaça preta há outro tipo de vapor: acinzentado, se espalhando, vindo até mim. Por um momento, fico paralisada, imóvel, apenas observando tudo aquilo. As pessoas estão vindo correndo, ziguezagueando ao meu redor. Empurrando, gritando, desesperadas, segurando lenços e camisetas sobre a boca. Um sujeito ao meu lado se vira e joga algo — uma garrafa? — na polícia.

Eu me viro e sigo a multidão, tentando correr. Mas há muita gente, e a fumaça cinza está me alcançando, serpenteando ao meu redor. Começo a tossir e não consigo parar; tenho a sensação de estar sufocando. Meus olhos ardem, lacrimejando tanto que mal enxergo. Então me choco — bam! — em outro corpo, alguém que está parado no meio da debandada. Eu ricocheteio para trás, sem fôlego por causa do impacto. Então olho para cima, estreitando os olhos para tentar enxergar em meio às lágrimas.

— Theo!

Ele segura a manga do meu casaco e eu me agarro a ele. Juntos nos viramos e meio que corremos, cambaleantes, tossindo e respirando com dificuldade. De alguma forma conseguimos encontrar uma rua lateral e nos desvencilhamos da torrente de pessoas.

Alguns minutos depois, entramos em um bar. Meus olhos ainda estão marejados. Olho para Theo e noto que os dele também estão vermelhos.

— Gás lacrimogêneo — diz ele, erguendo o antebraço para limpá-los. — Merda.

As pessoas se viram em seus bancos de bar para nos observar.

— Precisamos lavar o rosto — diz Theo. — Imediatamente.

Sem dizer nada, o barman nos indica a direção. É um banheiro único, grande. Abrimos a torneira e jogamos água no rosto, debruçados juntos na pia pequena. Ouço uma respiração entrecortada. Não tenho certeza se é a minha ou a dele.

Pisco algumas vezes. A água ajuda a aliviar um pouco a ardência. É então, quando minha pulsação volta ao normal, que lembro que não quero estar na companhia desse cara. Procuro a porta.

— Jess — diz Theo. — Sobre antes...

— Não. Nem pensar. Vai se foder.

— Por favor, me escute. — Ele, pelo menos, parece um pouco envergonhado. Levanta a mão, enxuga os olhos. O gás faz seu rosto se contrair como se ele estivesse chorando, e ver isso é estranho. Ele começa a falar depressa, como se tentasse colocar tudo para fora antes que eu o interrompesse: — Por favor, me deixe explicar. Olha. Esse trabalho é uma dor de cabeça sem fim, paga mal, acabou com meu último relacionamento... Mas quando uma coisa rara assim acontece, quando a gente tem chance de expor os bandidos, de repente tudo parece valer a pena. Sim, eu sei que não é desculpa. Eu me empolguei. Me desculpe.

Olho para o chão, de braços cruzados.

— E para ser sincero, não, eu na verdade não me importava com o seu irmão. Uma das principais habilidades de um jornalista é ler as pessoas. E posso ser realmente, brutalmente sincero agora? O Ben sempre me pareceu muito autocentrado. Sempre se colocando em primeiro lugar.

Eu o odeio por dizer isso, ainda mais porque parte de mim suspeita que ele esteja certo.

— Como você se atreve...

O APARTAMENTO DE PARIS

— Não, não. Me deixe terminar. No começo, quando ele me contou sobre esse grande furo, eu não dei muita bola. Ele também gostava de exagerar um pouco, não é? Mas quando você me mostrou aquela mensagem de voz, pensei: é, na verdade talvez ele tivesse mesmo encontrado um furo de reportagem. Talvez tenha se metido em alguma coisa sórdida. Pode ser que valha a pena ver aonde tudo isso vai levar, afinal. Então, não, eu não me importava com o seu irmão. Mas quer saber, Jess? Eu quero te ajudar.

— Ah, vai se f...

— Não, escute. Eu quero ajudar porque acho que você merece esse crédito, porque acho que você é muito corajosa e também porque não tem um pingo de maldade.

— Rá! Então você *realmente* não me conhece.

— Caramba, e alguém realmente conhece alguém? Mas eu não sou uma pessoa ruim, Jess. Para ser sincero, também não sou totalmente bom. Mas... — Ele tosse e olha para o chão.

Olho para ele. Está de sacanagem comigo? Começo a lacrimejar de novo; não quero que ele pense que são lágrimas reais.

— Ai, meu Deus. — Solto um gemido enquanto esfrego os olhos.

Ele dá um passo na minha direção.

— Ei. Posso dar uma olhada?

Dou de ombros.

Ele estende a mão e levanta meu queixo.

— É... ainda estão bem vermelhos. Mas acho que só fomos atingidos por um pouco de gás, graças a Deus. Deve parar de arder logo.

O rosto dele está muito próximo do meu. E não tenho certeza de como acontece, mas uma hora ele está segurando meu queixo e me olhando, seu toque surpreendentemente gentil; e na outra eu o beijo, e ele tem gosto de cigarro e do vinho do clube, o que de repente é um dos melhores gostos que consigo imaginar, e ele é muito mais alto do que eu, então meu pescoço está inclinado para trás, mas na verdade não me importo, eu meio que gosto, porque é excitante — muito excitante — e ao mesmo tempo errado em vários aspectos diferentes, ainda mais porque estou usando as roupas da ex-namorada dele.

E mesmo que ele seja muito maior do que eu, sou eu quem o empurra para a pia, e ele deixa. Uma de suas mãos grandes está emaranhada no meu cabelo, e então eu pego a outra mão e a enfio dentro do vestido minúsculo e idiota. E é nesse momento que nos lembramos que seria melhor trancarmos a porta.

SOPHIE
Cobertura

Os outros foram embora da cobertura. Mandei Mimi para o apartamento dela, para esperar. Não quero que ela testemunhe nada do que está por vir. Minha filha é muito frágil. Nosso relacionamento também. Temos que encontrar uma nova maneira de conviver uma com a outra.

Entro no banheiro, me olho no espelho e me apoio na pia. Estou pálida e abatida. Aparento cada um dos meus cinquenta anos. Se estivesse aqui agora, Jacques ficaria horrorizado. Ajeito o cabelo. Borrifo perfume atrás das orelhas e nos pulsos. Passo pó para tirar o brilho da testa e batom para dar cor aos lábios. Minha mão vacila apenas por um segundo; fora isso, sou precisa como sempre.

Então volto para a sala de estar. A garrafa de vinho ainda está na mesa. Mais uma taça, só para me ajudar a pensar...

Levo um susto ao perceber que não estou sozinha. Antoine está parado junto às janelas que vão do chão ao teto, me observando: uma presença maligna. Ele deve ter ficado depois que os outros dois foram embora.

— O que você está fazendo aqui? — pergunto. Tento manter a voz sob controle, mesmo que meu coração esteja palpitando quase na garganta.

Ele dá um passo à frente, parando sob a luz. A marca rosada da minha mão permanece em sua bochecha. Não me orgulho dessa falta de autocontrole. Isso raramente acontece; ao longo dos anos, fui aprendendo a manter minhas emoções sob rédea curta. Mas nas raras ocasiões em que uma provocação extrapola os limites, pareço perder todo o senso de proporção. A raiva toma conta de mim.

— Foi divertido — diz ele, se aproximando ainda mais.

— O que foi divertido?

— Ah. — Ele abre um sorriso que o faz parecer extremamente desequilibrado. — A essa altura você já deve ter adivinhado. Depois de todo aquele auê com a foto no escritório do meu pai. Você sabe. Deixar aqueles bilhetes para você na caixa de correio, enfiá-los debaixo da porta. Esperar para pegar meu dinheiro. Adoro como você o embrulha para mim. Com belos envelopes pardos. Muito elegantes.

Tenho a sensação de que o mundo acabou de virar de ponta-cabeça.

— *Você?* Esse tempo todo, era você?

Ele faz uma pequena reverência debochada.

— Está surpresa? Por eu ter planejado isso? Uma "flor de estufa inútil" como eu? Consegui até guardar segredo... até agora. Não queria que meu querido irmão tentasse entrar no esquema também. Porque, como você bem sabe, ele é tão... Qual foi mesmo a palavra que você usou? *Sanguessuga.* Ele é tão sanguessuga quanto eu. Só é mais hipócrita em relação a isso. Esconde melhor.

— Você não precisa de dinheiro — digo a ele. — Seu pai...

— Isso é o que você pensa. Mas, sabe, algumas semanas atrás, comecei a desconfiar de que a Dominique estava prestes a me deixar. E, como eu suspeitava, ela está tentando arrancar cada centavo meu. Sempre foi uma vadiazinha gananciosa. E meu papaizinho é pão-duro pra caralho. Então eu queria uma renda extra, sabe? Para fazer uma reserva de emergência.

— Foi o Jacques quem contou a você?

— Não, não. Eu descobri tudo sozinho. Encontrei os registros. Papai tem anotações muito precisas, sabia? Sobre os clientes, mas também sobre as garotas. Sempre suspeitei de você, mas queria provas. Então vasculhei os arquivos. Encontrei informações sobre uma tal Sofiya Volkova, que "trabalhava" — ele faz aspas com os dedos — no clube quase trinta anos atrás.

Aquele nome. Mas Sofiya Volkova não existe mais. Eu a deixei lá, enterrada naquele lugar com a escada que levava ao subsolo, as paredes de veludo, o quarto trancado.

— Enfim — diz Antoine. — Estou mais atento do que as pessoas imaginam. E enxergo mais do que acham. — Aquele sorriso maníaco de novo. — Mas dessa parte você já sabia, não é?

JESS

Theo e eu caminhamos juntos até o metrô. É engraçado como depois de duas pessoas dormirem juntas (não que dê para chamar o que acabamos de fazer apoiados na pia de "dormir"), elas podem de repente se sentir tão tímidas, tão inseguras sobre o que dizer uma à outra. Eu me sinto uma idiota ao pensar no tempo que podemos ter desperdiçado. Mesmo que, na verdade, nenhum de nós dois tenha levado tanto tempo assim. Também parece ter sido algo que acabou de acontecer com outra pessoa. Especialmente agora que voltei a vestir minhas roupas normais.

Theo se vira para mim, a expressão solene.

— Jess, você obviamente não pode voltar para aquele lugar. Voltar para a toca do lobo? Só pode estar louca. — Ele não fala mais com aquele tom arrastado e sarcástico; há suavidade em sua voz. — Não me leve a mal. Mas você me parece o tipo de pessoa que pode ser um pouco... imprudente. Eu sei que provavelmente acha que essa é a única maneira de ajudar o Ben. E é bastante... louvável.

Eu o encaro.

— *Louvável?* Não estou tentando ganhar uma merda de medalha. Ele é meu irmão. É literalmente a única família que tenho no mundo.

— Tudo bem — diz Theo, erguendo as mãos. — Está claro que eu usei a palavra errada. Mas é muito, muito perigoso. Por que você não vem para a minha casa? Pode ficar no sofá. Você ainda vai estar em Paris. Para continuar procurando pelo Ben. Pode falar com a polícia.

— O quê? A mesma polícia que supostamente sabe sobre aquele lugar e não faz nada? A mesma polícia que pode muito bem estar envolvida no desaparecimento dele? É, isso seria mesmo muito útil.

Descemos a escada do metrô juntos até a plataforma. Está quase completamente vazia, a não ser por um bêbado cantando sozinho do outro lado dos trilhos. Ouço o ruído abafado do trem se aproximando e sinto a vibração sob meus pés.

Então, tenho um pressentimento repentino de que há algo errado, embora ainda não identifique o quê. Uma espécie de sexto sentido, acho. Então escuto outra coisa: passos apressados. Vários pés correndo.

— Theo — digo —, olha, eu acho...

Mas antes que eu consiga continuar, acontece: quatro sujeitos grandalhões derrubam Theo no chão. Percebo que eles estão uniformizados — roupas da polícia — e que um deles ergue, triunfante, um saquinho cheio de algo branco.

— Isso não é meu! — grita Theo. — Vocês plantaram isso em mim, pelo amor...

Mas suas palavras são abafadas e substituídas por um gemido de dor quando um dos policiais empurra o rosto dele com força na parede, ao mesmo tempo que outro o algema. O trem está chegando na plataforma. Vejo as pessoas no vagão mais próximo olhando pelas janelas.

Então percebo que outro homem se aproxima de nós, descendo a escada que leva à plataforma. É mais velho, usa um terno elegante por baixo de um sobretudo cinza igualmente refinado. Aquele cabelo grisalho bem curto, aquela cara de pitbull. Eu o conheço. É o sujeito com quem Nick me levou para falar na delegacia. *Commissaire* Blanchot.

Agora, pensando freneticamente em retrospecto, faço outra conexão. A pessoa que achei ter reconhecido na plateia do clube, pouco antes de as luzes se apagarem. Era ele. Deve ter nos seguido a noite toda.

Os dois policiais que não estão tão preocupados em segurar Theo se aproximam de mim agora; é a minha vez. Sei que tenho poucos segundos para agir. As portas do trem se abrem. De repente, uma multidão de manifestantes sai do vagão, empunhando cartazes e armas improvisadas.

Theo consegue virar a cabeça para mim.

— Jess — diz ele com o lábio ferido e articulando as palavras com dificuldade. — Entre no maldito vagão.

O sujeito atrás dele dá uma joelhada em suas costas; ele tomba na plataforma. Eu hesito. Não posso simplesmente deixá-lo aqui...

— Entre na porra do vagão, Jess. Eu vou ficar bem. E nem pense em voltar para lá.

O policial mais próximo avança para cima de mim. Desvio depressa dele, em seguida me viro e abro caminho em meio à multidão que se aproxima. Salto para dentro do vagão instantes antes de as portas se fecharem.

SOPHIE

Cobertura

— Bem — diz Antoine —, por mais que eu tenha curtido o nosso papo, gostaria do meu dinheiro agora, por favor. — Ele estende a mão. — Pensei em vir pegá-lo pessoalmente. Porque já faz três dias que estou esperando. Você sempre foi tão rápida... Tão diligente. E por motivo de força maior, você sabe, deixei passar um dia... mas não posso esperar para sempre. Minha paciência tem limite.

— Eu não tenho esse dinheiro — digo. — Não é tão fácil quanto você pensa...

— Acho que é fácil pra caralho. — Antoine gesticula, indicando o apartamento. — Olhe só para este lugar.

Eu tiro o relógio e entrego a ele.

— Pronto. Fique com isto. É um Cartier Panthère. Eu... vou dizer ao seu pai que foi para o conserto.

— Ah, *mais non*. — Ele ergue a mão, fingindo estar ofendido. — Não vou sujar minhas mãos. Afinal, sou filho do meu pai, como você sabe, não é? Eu gostaria de outro belo envelope pardo cheio de dinheiro, por favor. Combina perfeitamente com você, não acha? O exterior elegante, a realidade suja e barata por dentro.

— O que foi que eu fiz para você me odiar tanto? Eu nunca fiz nada contra você.

Antoine ri.

— Está me dizendo que realmente não sabe? — Ele se aproxima um pouco mais, e sinto cheiro de álcool em seu hálito. —Você não é nada, *nada* comparado a minha mãe. Ela era de uma das famílias mais tradicionais da França. Uma linhagem francesa verdadeiramente distinta: imponente, nobre. Você sabia que a família dela acha que ele a matou? Os melhores médicos de Paris não descobriram o que a estava deixando tão doente. E depois que ela morreu, ele a substituiu por quem? Por você? Para ser sincero, eu não precisava nem ver os registros. Eu soube o que você era assim que te conheci. Dava para saber pelo seu *cheiro*.

Minha mão coça para esbofeteá-lo outra vez. Mas não vou me permitir perder o controle. Em vez disso, digo:

— Seu pai vai ficar muito decepcionado com você.

— Ah, não me venha com a tática da "decepção". Não funciona mais comigo. Sou uma decepção para ele desde que saí da *chatte* da minha pobre mãe. E ele nunca me deu nada. Pelo menos nada que não viesse atrelado à culpa e à recriminação. A única coisa que ele me deu foi o amor pelo dinheiro e um complexo de Édipo do caralho.

— Se ele souber disso... Que você está me ameaçando, ele... Ele vai cortar todo o seu dinheiro.

— Só que ele não vai ficar sabendo, vai? Você não pode contar para ele; esta é justamente a questão: não pode deixá-lo descobrir. Porque tem tantas coisas que eu *poderia* contar. Outras coisas que aconteceram dentro deste apartamento. — Ele faz uma expressão pensativa. — Como é mesmo aquele ditado? *Quand le chat n'est pas là, les souris dansent...* — *Quando o gato sai, os ratos fazem a festa.*

Ele pega o celular e o movimenta para a frente e para trás diante do meu rosto. O número de Jacques, bem ali, na tela.

—Você não faria isso — digo. — Porque se fizer não vai receber o seu dinheiro.

— Bem, não é exatamente essa a ideia? Beco sem saída, *ma chère belle-mère*. Você paga, eu não conto. E você não quer que eu conte ao papai, não é? Sobre todas as outras coisas que sei?

Ele me lança um olhar mal-intencionado. Da mesma maneira que fez quando saí do apartamento do terceiro andar certa noite e ele emergiu das sombras no corredor. Ele me olhou de cima a baixo de uma forma que nenhum enteado deveria olhar para a madrasta.

"Seu batom, *ma chère belle-mère*", disse ele, com um sorriso desagradável. "Está borrado. Bem aqui."

— Não — digo a Antoine agora. — Não vou te dar mais nada.

— Como é que é? — Ele coloca a mão em concha atrás da orelha. — Desculpe, não entendi.

— Não, você não vai receber dinheiro algum. Não vou dar um centavo a você.

Ele franze a testa.

— Mas vou contar para o meu pai. Vou contar para ele sobre a outra coisa.

— Ah, não, não vai.

Eu sei que estou em território perigoso. Mas não resisto a falar. A desmascará-lo.

Ele acena lentamente para mim com a cabeça, como se eu fosse estúpida demais para entendê-lo.

— Eu garanto a você, pode ter certeza de que vou contar.

— Ótimo. Mande uma mensagem para ele agora.

Vejo um espasmo de confusão em seu rosto.

— Sua vagabunda estúpida — dispara ele. — Qual é o seu problema?

E de repente ele parece inseguro. Até mesmo amedrontado.

Eu contei a Benjamin Daniels sobre Sofiya Volkova. Esse foi meu ato mais imprudente. Mais do que qualquer outra coisa que eu tenha feito com ele. Tínhamos tomado banho juntos naquela tarde. Ele havia lavado meu cabelo. Talvez tenha sido esse ato simples — muito mais íntimo que o sexo, à sua maneira — que libertou algo dentro de mim. Que me encorajou a contar a ele sobre a mulher que pensei ter deixado para trás em um quarto trancado sob uma das ruas mais elegantes da cidade. Ao fazer isso, senti de repente que estava assumindo o controle. Quem quer que fosse meu chantagista, ele não teria mais todas as cartas. Seria eu quem ia contar aquela história.

— Jacques me escolheu — falei. — Ele poderia ter ficado com qualquer uma das garotas, mas me escolheu.

— É claro que ele escolheu você — disse Ben, percorrendo meu ombro nu com o dedo.

Talvez Ben estivesse tentando me agradar. Mas, com o passar dos anos, também passei a entender o que teria atraído meu marido. Era muito melhor ter uma segunda esposa que nunca faria com que ele se sentisse inferior, que viesse de um lugar tão abaixo do dele que sempre seria grata. Alguém que ele pudesse moldar conforme a sua vontade. E eu fiquei muito feliz em ser moldada. Em me tornar *madame* Sophie Meunier, com seus lenços de seda e brincos de diamante. Eu ia deixar aquele lugar para trás. Não ia acabar como as outras. Como a pobre coitada que deu à luz minha filha.

Ou foi o que pensei. Até aquele primeiro bilhete me mostrar que o passado pairava sobre a minha vida feito uma lâmina, pronta para romper a qualquer momento a ilusão que eu havia criado.

— E me fale sobre a Mimi — murmurou Ben, junto a minha nuca. — Ela não é sua... é? Como ela se encaixa em tudo isso?

Eu fiquei imóvel. Esse foi o grande erro dele. O que finalmente me tirou do meu transe. Naquele momento percebi que eu não era a única com quem ele vinha conversando. Então me dei conta de como eu tinha sido idiota. Idiota, solitária e fraca. Eu tinha me revelado por inteiro para aquele homem, aquele estranho, alguém que eu não conhecia de verdade, apesar de todo o tempo que havíamos passado juntos. Em retrospecto, talvez até mesmo enquanto me contava sobre sua infância, ele estivesse selecionando, editando... parte dele fora do meu alcance, sempre desconhecida. Dando-me migalhas, o suficiente para que eu me abrisse com ele em troca. Ele era jornalista, pelo amor de Deus. Como pude ser tão idiota? Ao falar, eu tinha colocado nas mãos dele todo o poder. E não havia arriscado apenas tudo que construíra para mim, meu estilo de vida, mas tudo o que desejava para minha filha também.

Eu sabia o que tinha que fazer.

Assim como sei o que tenho que fazer agora. Eu me preparo e lanço a Antoine meu olhar mais fulminante. Ele pode ser mais alto do que eu, mas percebo que se encolhe sob meu olhar. Acho que acabou de entender que não vou mais ser intimidada.

— Você pode mandar uma mensagem para o seu pai ou não — digo. — Não dou a mínima. Não importa o que faça, não vai receber mais um euro sequer de mim. E neste exato momento acho que todos nós temos coisas mais importantes com as quais nos preocupar, não acha? Você sabe a posição de Jacques sobre isso. A família vem em primeiro lugar.

O APARTAMENTO DE PARIS

JESS

Estou de volta. De volta a esta rua tranquila com lindos prédios. Um sentimento familiar toma conta de mim: o resto da cidade, do mundo, parece muito distante.

Penso nas palavras de Theo: "Você me parece o tipo de pessoa que pode ser um pouco... imprudente." Fiquei com raiva, mas ele tem razão. Sei que parte de mim é atraída pelo perigo, parte de mim até mesmo procura o perigo.

Talvez seja loucura. Talvez se Theo não tivesse acabado de ser preso, eu estivesse indo para sua casa como ele disse que eu deveria fazer. Talvez tivesse passado a noite no sofá dele. Talvez não. Mas nas atuais circunstâncias não tenho para onde ir. Sei que não posso ir à polícia. Também sei que se quiser descobrir o que aconteceu com Ben, o apartamento é minha única opção. O segredo está no prédio, tenho certeza. Não vou encontrar respostas fugindo.

Também tive um pressentimento naquele dia com nossa mãe. Ela estava estranha naquela manhã. Melancólica. Não parecia ela mesma. Um sorriso vago, como se já estivesse muito longe. Alguma coisa me disse que eu não deveria ir à escola. Quem sabe poderia falsificar um atestado médico, como já tinha feito antes. Mas ela não estava triste nem assustada. Só um pouco distraída. Eu teria aula de educação física e, acredite se quiser, era boa em esportes. Para completar, era verão, e eu não gostava de ficar perto da minha mãe quando ela estava daquele jeito. Então fui à escola e me esqueci completamente da existência dela por algumas horas, da existência de qualquer coisa que não fossem meus amigos, a corrida de três pernas, a corrida do saco e todas essas coisas bobas.

Quando cheguei em casa, dez para as quatro, eu soube. Antes mesmo de chegar ao quarto. Antes mesmo de arrombar a fechadura e abrir a porta. Achei que talvez ela tivesse mudado de ideia, lembrado que tinha filhos que precisavam mais dela do que ela precisava ir embora. Porque não estava deitada placidamente na cama. Ela estava deitada de bruços, como um quadro de alguém dando braçadas, congelada no ato de nadar em direção à porta.

Nunca mais vou ignorar um pressentimento.

Se eles fizeram alguma coisa com Ben, sei que não há ninguém melhor do que eu para descobrir. Nem mesmo a polícia subornada por eles. Ninguém a não ser eu. Na verdade, não tenho nada a perder. Mais do que qualquer outra coisa, sinto que algo me atrai para este lugar. Algo me faz voltar para a toca do lobo, como disse Theo. Quando ele disse isso, achei melodramático, mas, ao parar diante do portão e olhar para cima, tenho a sensação de que ele estava certo. Como se este lugar, este edifício, fosse uma criatura enorme pronta para me engolir.

Não há sinal de ninguém por perto quando entro no prédio, nem mesmo da concierge. As luzes dos apartamentos estão todas apagadas. Tudo parece tão mortalmente silencioso quanto na noite em que cheguei. Está tarde, acho. Digo a mim mesma que deve ser apenas minha imaginação que faz com que o silêncio pareça pesado, como se o prédio estivesse esperando por mim.

Vou em direção à escada. Estranho. Algo chama minha atenção na penumbra. Uma pilha grande e desmazelada de roupas junto aos degraus, esparramada no carpete. O que isso está fazendo aqui?

Procuro o interruptor. Acendo as luzes.

Olho de novo para a pilha de roupas velhas. Sinto um nó no estômago. Ainda não identifico o que é, mas um instante depois eu sei, simplesmente sei. O que quer que esteja ali é algo ruim. Algo que não quero ver. Sigo para a escada como se estivesse caminhando dentro da água, enfrentando resistência, mas ao mesmo tempo sabendo que tenho que ir até lá e olhar. À medida que me aproximo, consigo distinguir com mais clareza. Há uma forma sólida visível envolvida pela maciez do tecido.

O apartamento de Paris

Meu Deus, não tenho certeza se sussurro em voz alta ou apenas na minha mente. Agora vejo com uma nitidez terrível que se trata de uma pessoa. Deitada de bruços, com os braços abertos no chão. Imóvel. Definitivamente imóvel.

De novo, não. Eu já vivi isso. O corpo diante de mim, terrivelmente estático. *Ai, meu Deus, ai, meu Deus.* Vejo pontinhos de luz dançando diante dos meus olhos. *Respire, Jess. Apenas respire.* Cada parte de mim quer gritar, correr na direção oposta. Eu me forço a me agachar. Há uma chance de ela ainda estar viva... Eu me abaixo, estendo a mão, toco seu ombro.

Sinto a bile subindo pela garganta, me fazendo engasgar. Engulo em seco. Viro a concierge. Seu corpo se move como se de fato fosse apenas um amontoado frouxo de roupas velhas, flácido demais, inconsciente demais. Algumas horas atrás, ela estava me alertando para tomar cuidado. Estava com medo. Agora está...

Pressiono dois dedos no pescoço dela, certa de que não vou sentir nada...

Mas acho que sinto alguma coisa. Será que é...? Sim, sob meus dedos há uma intermitência, uma pulsação. Fraca, mas perceptível. Ela ainda está viva, mas por pouco.

Olho para a escada escura, em direção aos apartamentos. Sei que não foi um acidente. Sei que um deles fez isso.

JESS

—Você consegue me ouvir? — Caramba, me dou conta de que nem ao menos sei o nome da mulher. —Vou chamar uma ambulância.

Parece tão sem sentido. Tenho certeza de que ela não me ouve. Mas enquanto a observo, vejo seus lábios começarem a se abrir, como se tentasse dizer alguma coisa.

Enfio a mão no bolso para pegar meu celular.

Mas não encontro nada. O bolso do meu casaco está vazio. Mas que...

Vasculho os bolsos da calça. Nada também. De volta ao casaco. Definitivamente não está lá. Meu celular sumiu.

E então eu me lembro. Eu o entreguei para aquele sujeito na porta do clube, porque, caso contrário, ele não nos deixaria entrar. Fomos expulsos antes que eu tivesse a chance de buscá-lo e com certeza ele não teria me devolvido mesmo.

Fecho os olhos, respiro fundo. Tudo bem, Jess, pense. *Pense.* Tudo bem. Tudo bem. Você não precisa do seu celular. Pode simplesmente ir até a rua e pedir que alguém chame uma ambulância.

Empurro a porta e corro pelo pátio até o portão. Tento a maçaneta. Mas nada acontece. Puxo com mais força: nada. Ela não se move nem um milímetro. O portão está trancado; é a única explicação. Imagino que o mesmo mecanismo que permite que ele seja aberto com o código também pode ser usado para trancá-lo. Tento pensar racionalmente. Mas é difícil, porque o pânico começa a tomar conta de mim. O portão é a única maneira de sair deste lugar. E, se está trancado, significa que estou presa aqui dentro. Não tem saída.

Será que consigo escalar o portão? Olho para cima, esperançosa. Mas é apenas uma placa de aço, não há onde me apoiar. Além disso, há pontas afiadas de ferro no topo e, ao longo de todo o muro, de ambos os lados, cacos de vidro que me cortariam em pedacinhos se eu tentasse subir.

Corro de volta para o prédio, para a escada.

Quando volto, vejo que a concierge conseguiu se sentar e está com as costas apoiadas na parede perto da escada. Mesmo na penumbra, noto o corte na linha do cabelo, onde ela deve ter batido a cabeça no chão de pedra.

— Nada de ambulância — sussurra ela, balançando a cabeça para mim. — Nada de ambulância. Nada de polícia.

— Você ficou louca? Eu tenho que ligar...

Mas paro na hora, porque ela acabou de olhar para a escada atrás de mim. Sigo seu olhar. Nick está parado lá, no topo do primeiro lance de degraus.

— Oi, Jess — diz ele. — Precisamos conversar.

NICK

Segundo andar

— Seu animal — diz ela. —Você fez isso com ela? Quem é você, porra?

Ergo as mãos.

— Não... não fui eu. Acabei de encontrá-la.

Foi Antoine, claro. Indo longe demais, como sempre. Uma senhora, pelo amor de Deus. Empurrá-la dessa forma.

— Deve ter sido um... um acidente horrível. Olha só. Preciso explicar algumas coisas. Podemos conversar?

— Não — diz ela. — Não, eu não quero conversar, Nick.

— Por favor, Jess. Por favor.Você tem que confiar em mim.

Preciso que ela fique calma. Que não faça nada precipitado. Que não me obrigue a fazer nada de que vá me arrepender depois. Também não tenho certeza se ela tem ou não celular.

— Confiar em você? Como confiei antes? Quando você me levou para falar com aquele policial suspeito? Quando escondeu de mim que vocês eram uma família?

— Olha, Jess, eu posso explicar tudo. Só... venha comigo. Não quero que você se machuque também. Eu juro que não quero que ninguém mais se machuque.

— Como assim? — Ela gesticula para a concierge. — Como ela? E o Ben? O que você fez com o Ben? Ele é seu amigo, Nick.

— Não! — grito. Tenho tentado me manter muito calmo, muito controlado. — Ele não era meu amigo. Nunca foi meu amigo.

E nem tento disfarçar a amargura.

Três noites atrás, minha irmã mais nova, Mimi, veio me contar o que havia encontrado no computador dele.

— Diz... que nosso dinheiro não vem do vinho. Diz... diz que vem de garotas. Homens pagando por garotas, não por vinho... Um lugar horrível, um clube... *Ce n'est pas vrai*... Não pode ser verdade, Nick... Me diga que não é verdade. — Ela chorava enquanto tentava falar. — E diz... — Ela respirou com dificuldade. — O texto diz que eu não sou filha deles de verdade...

Acho que sempre soubemos a verdade sobre mim, Antoine e Mimi. Acho que todas as famílias têm esse tipo de segredo, essas mentiras tacitamente aceitas sobre as quais ninguém comenta. Para ser sincero, tínhamos muito medo. Eu me lembro de como, quando éramos pouco mais que crianças, Antoine fez um comentário que nosso pai ouviu, alguma insinuação. Papai deu-lhe uma bofetada com as costas da mão que fez Antoine parar do outro lado da sala. Nunca mais tocamos nesse assunto. Virou apenas mais um esqueleto jogado no fundo do armário.

Ben tinha estado claramente muito, muito ocupado. Ao que parecia, havia descoberto mais sobre papai e seus negócios do que eu mesmo jamais soubera. Mas a verdade era que eu não queria saber todos os detalhes deploráveis. Mantive o máximo de distância, o máximo de ignorância possível ao longo dos anos. Ainda assim, tudo estava relacionado ao que eu contara a ele em caráter estritamente confidencial dez anos antes, em um café em Amsterdã. A confissão que Ben havia me jurado, com a mão no peito, nunca compartilhar com ninguém. O segredo no âmago da minha família. Minha principal e terrível fonte de vergonha.

Ainda me lembro das palavras do meu pai quando eu tinha dezesseis anos, na porta daquele quartinho trancado embaixo da escada de veludo, me provocando:

— Ah, então você acha que pode simplesmente torcer o nariz para isso, não é? Acha que está acima disso? De onde você acha que veio o dinheiro para pagar por aquela escola cara? Pelo lugar onde você mora, pelas roupas que veste? Algumas garrafas velhas e empoeiradas? A preciosa herança da sua santa mãe? Não, meu rapaz. É *daqui* que vem o dinheiro. Acha que está imune agora? Acha que é bom demais para tudo isso?

Eu sabia muito bem o que Mimi havia sentido ao ler sobre tudo aquilo no computador de Ben. Descobrir as raízes da nossa riqueza, da nossa identidade. Saber que tinha sido dinheiro sujo que pagara por tudo. É como uma doença, um câncer, se espalhando e adoecendo todos nós.

Mas, ao mesmo tempo, não se pode escolher seu sangue. Eles ainda são a única família que eu tenho.

Quando Mimi me contou o que havia lido, tudo — a mensagem casual de Ben meses antes, nosso encontro no bar, a mudança para este prédio — de repente se revelou não uma feliz coincidência, mas algo muito mais calculado. Pensado. Ele havia me usado para concretizar as próprias ambições. E agora ia destruir minha família. E, no processo, aparentemente não se importava em me destruir também.

Pensei mais uma vez naquele velho ditado francês sobre família. *La voix du sang est la plus forte*: o sangue fala mais alto. Eu não tinha escolha.

Sabia o que precisava fazer.

Assim como sei o que preciso fazer agora.

JESS

— Por favor, Jess — diz Nick, em um tom razoável. — Apenas me ouça. Eu vou descer para podermos conversar.

Por um momento, penso: só porque são uma família, não significa que todos sejam responsáveis pelo que aconteceu aqui. E me lembro de como Nick se referiu brevemente ao pai como "um babaca". Está claro que nem todos estavam de acordo com tudo. Talvez eu tenha tirado conclusões precipitadas, talvez ela tenha caído. Uma mulher idosa, frágil, escorregando na escada tarde da noite... Ninguém a ouviu porque está tarde. E talvez o portão da frente também estivesse trancado porque está tarde...

Não. Não vou arriscar.

Eu me viro para olhar para a concierge caída no chão e com o rosto contorcido de dor. Ao fazer isso, noto a porta do apartamento do primeiro andar se abrir. Observo Antoine sair e parar ao lado do irmão; os dois muito mais parecidos do que eu havia me dado conta. Ele sorri para mim, um sorriso terrível.

— Olá, garotinha.

Para onde fugir? O portão está trancado. E eu me recuso a ser a garota dos filmes de terror que foge para o porão. Os dois irmãos avançam na minha direção, começando a descer a escada. Não tenho tempo de pensar. Instintivamente, entro no elevador. Aperto o botão do terceiro andar.

O elevador sobe, o mecanismo range. Ouço Nick subir a escada correndo, e através da grade de metal vejo o topo de sua cabeça. Ele está vindo atrás de mim. As máscaras caíram.

Por fim, chego ao terceiro andar. O elevador para com uma lentidão agonizante. Abro a grade de metal e corro, enfio a chave na fechadura do apartamento de Ben, abro a porta e bato com força ao entrar, voltando a trancá-la, o peito arfando.

Tento pensar, o pânico me emburrecendo justamente quando preciso que meus pensamentos tenham a maior clareza possível. A escada dos fundos, posso tentar usá-la. Mas o sofá está no caminho. Corro até ele e tento afastá-lo da porta.

Então ouço o som inconfundível de uma chave girando na fechadura. Me afasto. Ele tem uma cópia. Claro que tem. Será que consigo colocar alguma coisa na frente da porta? Não, não dá tempo.

Nick começa a avançar até mim pela sala. Ao vê-lo, o gato passa correndo e pula na bancada da cozinha à sua direita, miando para ele, talvez esperando ser alimentado. Traidor.

—Vamos, Jess — diz Nick, tentando me convencer, ainda com seu tom de voz assustadoramente razoável. — Só, só fique onde está...

Essa nova ameaça representada por Nick é muito mais assustadora do que se ele não tivesse bancado o cara legal antes. Quer dizer, a violência do irmão dele sempre pareceu prestes a vir à tona. Mas Nick — esse novo Nick — é uma incógnita.

— Para quê? — pergunto. — Para você fazer comigo a mesma coisa que fez com o Ben?

— Eu não fiz nada...

Há uma ênfase estranha em como ele diz isso. Uma ênfase no "eu". "*Eu* não fiz nada."

— Está querendo dizer que foi outra pessoa? Um dos outros?

Ele não responde. *Mantenha a conversa*, digo a mim mesma, *ganhe tempo.*

— Achei que você quisesse me ajudar, Nick.

Ele parece magoado.

— Eu queria, Jess. E foi tudo minha culpa. Fui eu que desencadeei isso tudo. Eu o convidei para morar aqui... Eu deveria saber. Ele começou a investigar coisas que não deveria... Merda... — Nick esfrega o rosto com as mãos e, quando as afasta, vejo que seus olhos estão vermelhos. — A culpa é minha... E eu sinto muito...

Sinto o frio percorrer meu corpo.

— O que você fez com o Ben, Nick? — Eu queria soar séria, autoritária, mas minha voz sai com um tremor.

— Eu não... Eu não... Eu não fiz nada. — De novo a ênfase: "*Eu* não, *eu* não fiz nada*."

A única maneira de sair do apartamento é passando por Nick, pela porta da frente. Bem ao lado da porta fica a cozinha. O pote de utensílios está bem ali; e dentro dele a faca japonesa afiada. Se eu deixá-lo falando e de alguma forma conseguir pegar a faca...

— Vamos, Jess. — Ele dá outro passo na minha direção.

E de repente há um movimento rápido, um vislumbre preto e branco. O gato pula da bancada da cozinha para os ombros de Nick, da mesma forma que me cumprimentou na primeira vez que entrei aqui. Nick solta um palavrão e levanta as mãos para se desvencilhar do animal. Pego a faca no pote. Em seguida, passo correndo por ele em direção à porta, que bato com força ao sair.

— Olá, garotinha.

Eu me viro. Merda. Antoine está parado ali; ele deve ter ficado esperando nas sombras. Eu golpeio com a faca, a lâmina cortando o ar com tanta violência que ele cambaleia para trás e despenca do lance de escada até o andar de baixo. Tento enxergá-lo na escuridão, meu peito queimando. Acho que ouço um gemido, mas ele não se move.

Nick vai sair a qualquer momento. Só há um caminho.

Para cima.

Estou claramente em desvantagem aqui, sou apenas uma, e eles são quatro. Mas talvez haja algum lugar onde eu possa me esconder, para ganhar tempo.

Vamos, Jess. Pense. Você sempre foi boa em sair de situações difíceis.

MIMI

Quarto andar

— O que está acontecendo lá fora? Mamãe? — Depois de tudo que descobri, a palavra ainda parece estranha, dolorosa.

— Shh — diz ela, acariciando meu cabelo. — Shh, *ma petite*.

Estou encolhida na cama, tremendo. Ela desceu para ver como eu estava. Deixei que se sentasse ao meu lado, colocasse o braço em torno dos meus ombros.

— Olha — diz ela. — Apenas fique aqui, está bem? Vou lá fora ver o que houve.

Eu agarro seu pulso.

— Não, por favor, não me deixe sozinha. — Detesto a carência em minha voz, minha dependência, mas não consigo evitar. — Por favor. *Maman*.

— Vão ser só alguns minutos. Tenho que ver...

— Não. Por favor, não me deixe aqui.

— Mimi — diz ela, bruscamente. — Solte meu braço, por favor.

Mas continuo me agarrando a ela. Apesar de tudo, não quero que me deixe. Porque, se isso acontecer, serei só eu com meus pensamentos, feito uma garotinha com medo dos monstros debaixo da cama.

JESS

Disparo escada acima, subindo dois degraus de cada vez. O medo me faz correr como nunca antes.

Por fim, chego ao último andar, na outra extremidade da porta da cobertura, diante da escada de madeira que leva aos antigos quartos dos empregados. Começo a subir, adentrando a escuridão. Talvez eu possa me esconder aqui tempo suficiente para organizar as ideias, decidir o que fazer. Tiro as argolas das orelhas e as moldo no formato certo, preparando minhas ferramentas. Agarro o cadeado e começo a trabalhar. Costumo fazer isso muito rápido, mas minhas mãos estão tremendo. Além disso, sinto que um dos pinos dentro do cadeado está preso e simplesmente não consigo fazer a pressão certa para soltá-lo.

O cadeado enfim se destrava, eu o abro com força e empurro a porta, fechando-a rapidamente depois de entrar. O cadeado aberto é a única coisa que me entrega; só me resta rezar para que eles não se deem conta de imediato de que vim para cá.

Meus olhos começam a se ajustar à penumbra. Estou em um sótão apertado, comprido e estreito. O teto se inclina de forma abrupta para baixo bem acima de mim. Tenho que me agachar para não bater a cabeça em uma das grandes vigas de madeira.

Está escuro, mas percebo que há um brilho fraco, da lua cheia; sua luz entrando pelas janelas pequenas e sujas do sótão. Este lugar cheira a madeira velha, ar estagnado e alguma coisa animalesca: suor ou pior, algo em decomposição. E isso me impede de respirar fundo. O ar parece espesso, repleto de partículas de poeira que flutuam diante de mim sob o luar. Parece que acabei de abrir uma porta para outro mundo, onde o tempo ficou suspenso por cem anos.

Procuro um lugar para me esconder.

No canto escuro na extremidade do sótão, vejo o que se assemelha a um colchão velho. Parece haver alguma coisa em cima dele.

Tenho aquela sensação de novo, a mesma que me invadiu lá embaixo quando encontrei a concierge. Não quero me aproximar. Não quero olhar.

Mas me aproximo, porque preciso saber. Então vejo o que é. Quem é. Noto o sangue. E entendo tudo.

Ele estava aqui o tempo todo. E esqueço que deveria estar me escondendo deles. Esqueço tudo que não seja o horror do que está diante de mim. E grito, grito, grito.

MIMI

Quarto andar

Um grito atravessa o apartamento.

— *Ele está morto. Ele está morto... vocês mataram ele, caralho.*

Solto o braço da minha mãe.

O barulho da tempestade na minha cabeça está ficando cada vez mais alto. É como um enxame de abelhas... depois é como ser engolida pelo turbilhão de ondas, e então como estar no meio de um furacão. Mas ainda não é alto o suficiente para bloquear os pensamentos que começam a surgir. As lembranças.

Eu me lembro de sangue. Muito sangue.

Sabe quando você é criança e não consegue dormir porque tem medo dos monstros debaixo da cama? Bem, o que acontece quando você começa a suspeitar que o monstro talvez seja você mesma? Onde você se esconde?

É como se as lembranças tivessem sido mantidas atrás de uma porta trancada em minha mente. Eu conseguia ver a porta. Sabia que estava lá, e sabia que havia algo terrível atrás dela. Algo que eu não quero ver... nunca. Mas agora a porta está se abrindo, as lembranças transbordando.

O cheiro ferroso de sangue. O piso de madeira escorregadio. E, na minha mão, o estilete de cortar tela.

Eu me lembro de alguém me empurrando para o chuveiro. Mamãe... e mais alguém, talvez. Me lavando. O sangue, diluído e rosado, escorrendo pelo ralo, girando em torno dos meus dedos do pé. Meu corpo inteiro tremia; eu não conseguia contê-lo. Mas não porque a água estivesse fria; estava quente, escaldante. E sim porque havia um frio profundo dentro de mim.

Eu me lembrei de mamãe me segurando como fazia quando eu era uma menininha. E mesmo que estivesse com muita raiva, muito confusa, de repente tudo que eu queria era ficar agarrada a ela. Ser aquela menina de novo.

— Mamãe — falei. — Estou com medo. O que aconteceu?

— Shh. — Ela acariciou meu cabelo. — Está tudo bem — disse ela. — Não vou deixar que nada de ruim aconteça. Vou proteger você. Deixe que eu cuido de tudo. Não vai acontecer nada com você. Foi culpa dele. Você fez o que tinha que ser feito. O que eu não tive coragem de fazer. Nós precisávamos nos livrar dele.

— Como assim? — Examinei seu rosto, tentando entender. — Mamãe, o que você quer dizer com isso?

Ela olhou com atenção para mim. Olhou fixamente nos meus olhos. Em seguida balançou a cabeça com firmeza.

—Você não se lembra. Isso, isso, é melhor assim.

Mais tarde, percebi que sob as minhas unhas havia uma crosta cor de ferrugem, marrom-avermelhada. No banheiro, esfreguei as unhas com uma escova de dentes até os sabugos começarem a sangrar. Eu não me importava com a dor; só queria me livrar do que quer que fosse aquilo. E aquilo foi a única coisa que pareceu real. O resto era como um sonho.

E então ela chegou. Na manhã seguinte veio até o meu apartamento. Bateu sem parar na porta, até que fui obrigada a abrir. E ela disse aquelas palavras terríveis:

"Meu irmão... Ben... Ele... Bom, ele meio que me deu um perdido."

Foi então que compreendi que talvez tivesse sido real, no fim das contas.

Acho que pode ter sido eu. Acho que eu posso ter matado Ben.

SOPHIE
Cobertura

— Ele está morto. Ele está morto... vocês mataram ele, caralho.

— Tenho que ir, *chérie* — digo a Mimi. — Tenho que dar um jeito nisso.

Saio do apartamento, deixando minha filha sozinha.

Olho para cima. Aconteceu. A garota está nas *chambres de bonne*. Ela o encontrou.

Eu me lembro de abrir a porta do apartamento dele naquela noite terrível. Minha filha, coberta de sangue. Ela abriu a boca como se fosse falar ou gritar, mas não saiu nada.

A concierge também estava lá, não sei como. Mas é claro que estava; ela vê e sabe tudo, perambulando por este prédio como um espectro. Fiquei olhando para a cena em estado de choque. Então, fui tomada por um estranho senso de praticidade.

— Precisamos dar um banho nela — afirmei. — Limpar todo esse sangue.

A concierge assentiu. Pegou Mimi pelos ombros e a levou para o chuveiro. Mimi murmurava uma torrente de palavras: sobre Ben, sobre traição, sobre o clube. Ela sabia. E, por alguma razão, não tinha ido até mim.

Quando estava limpa, foi levada pela concierge de volta para o apartamento dela. Percebi que minha filha estava em choque. Eu queria ir com ela, confortá-la.

Mas primeiro tinha que lidar com as consequências do que ela havia feito. Algo que, com toda a sinceridade, eu mesma já tinha pensado em fazer.

Peguei e usei todos os panos de prato do apartamento. Todas as toalhas do banheiro. Todas encharcadas de carmesim. Arranquei as cortinas das janelas e enrolei o corpo nelas, amarrando-o cuidadosamente com os cordões. Escondi a arma do crime no elevador de comida, na cavidade secreta dentro da parede, e girei a manivela para deixá-lo no espaço entre dois andares.

A concierge trouxe alvejante, e eu limpei tudo depois que removi o sangue, respirando pela boca para não sentir o cheiro. Pressionando as costas da mão sobre a boca. Eu não podia vomitar, tinha que me manter no controle.

O alvejante manchou o chão, removeu o verniz da madeira, deixando uma marca enorme, ainda maior do que a poça de sangue. Mas foi o melhor que pude fazer, melhor do que a outra opção.

E então — não sei quanto tempo depois — a porta se abriu. Não estava trancada, e eu havia me esquecido disso diante da tarefa que tinha pela frente.

Lá estavam eles. Os dois meninos Meunier. Meus enteados. Nicolas e Antoine. Me encarando horrorizados. A mancha de alvejante na minha frente, sangue até os meus cotovelos. Nick ficou pálido.

— Houve um acidente horrível — falei.

— Meu Deus — disse Nick, engolindo em seco. — Isso é...

Houve uma longa pausa enquanto eu tentava pensar no que dizer. Achei melhor não mencionar Mimi. Decidi que Jacques poderia levar a culpa, como um pai deve fazer. Aquilo tudo, no fim das contas, era por causa dele. Então eu disse:

— O pai de vocês descobriu no que Ben estava trabalhando...

— Ai, meu Deus. — Nick escondeu o rosto nas mãos. E em seguida gemeu como uma criança pequena. Um som de sofrimento terrível. Seus olhos estavam marejados, a boca aberta. — É tudo culpa minha. Eu contei ao papai. Contei a ele o que a Mimi havia descoberto, o que o Ben estava escrevendo. Eu não fazia ideia. Se eu soubesse, ai, meu Deus...

Por um momento, ele pareceu cambalear. Em seguida saiu correndo da sala. Eu o ouvi vomitando no banheiro.

Antoine ficou parado, os braços cruzados. Parecia igualmente enjoado, mas percebi que estava determinado a resistir.

— Bem feito pra ele, esse *putain de bâtard* — disse ele, por fim. — Eu mesmo teria feito isso. — Mas não parecia convencido.

Alguns minutos depois, Nick voltou, ainda pálido, porém determinado.

Nós três ficamos ali, olhando uns para os outros. Nunca tínhamos sido como uma família. Mas agora estávamos estranhamente unidos. Não trocamos nenhuma palavra, apenas um aceno silencioso de solidariedade. Então começamos a trabalhar.

JESS

Mesmo nos momentos mais sombrios dos últimos dias, mesmo sabendo no que Ben havia se metido, não me permiti imaginar isto: encontrar meu irmão assim, do mesmo jeito que encontrei nossa mãe.

Caio de joelhos.

Não parece ele, o corpo no colchão. Não é apenas a cor pálida e cerosa da pele, as órbitas fundas. É o fato de que nunca o vi tão imóvel. Não consigo pensar em meu irmão sem considerar seu sorriso espontâneo, sua energia.

Reparo no tom carmesim-escuro e enferrujado de sua camiseta. E percebo que em outras partes o tecido está claro. É uma mancha. E cobre todo o seu torso.

Ele devia estar aqui desde o início, todo esse tempo, enquanto eu corria atrás de pistas, metendo os pés pelas mãos. Achando que o estava ajudando de alguma forma. E pensar que eu vi a porta trancada do sótão na minha primeira manhã aqui.

Agachada ao lado dele, balanço para a frente e para trás enquanto as lágrimas começam a escorrer.

— Sinto muito. Sinto muito mesmo.

Eu me abaixo para pegar sua mão. Quando foi a última vez que demos as mãos, meu irmão e eu? Naquele dia na delegacia, talvez. Depois do que aconteceu com mamãe. Antes de cada um seguir seu rumo. Aperto os dedos dele com força.

Então quase deixo sua mão cair, em choque.

Poderia jurar que senti seus dedos se fecharem ao redor dos meus. Sei que é minha imaginação, só pode ser. Mas, por um momento, realmente pensei...

Olho para ele. Seus olhos estão abertos. Não estavam abertos antes... estavam?

Fico de pé e me debruço sobre ele. O coração disparado.

— Ben?

Tenho certeza de que acabei de vê-lo piscar.

— Ben?

Outra piscadela. Não foi minha imaginação. Vejo seus olhos tentando focar nos meus. E em seguida ele abre a boca, mas nenhum som sai. Então:

— Jess. — É pouco mais do que um sussurro, mas definitivamente o ouvi dizer isso.

Ele fecha os olhos de novo, como se estivesse muito, muito cansado.

— Ben! — digo. — Vamos. Ei. Sente-se.

De repente, parece muito importante levantá-lo. Enfio os braços sob suas axilas. Ele é praticamente um peso morto. Mas de alguma forma consigo colocá-lo sentado. Ele meio que tomba para a frente, os olhos turvados pela confusão, mas abertos.

— Ah, Ben. — Seguro seus ombros, sem me atrever a abraçá-lo, caso ele esteja muito ferido. Lágrimas escorrem pelo meu rosto, e eu deixo. — Ai, meu Deus, Ben, você está vivo... Você está vivo.

Ouço uma porta bater atrás de mim. É a porta do sótão. Por um momento, eu realmente havia me esquecido de qualquer outra coisa e de qualquer outra pessoa.

Então me viro, lentamente.

Sophie Meunier está lá. Atrás dela, Nick. E por mais atordoada que eu esteja por causa de tudo que acabou de acontecer, ainda assim percebo uma grande diferença na expressão deles. O rosto de Sophie é uma máscara intensa e aterrorizante. Mas o de Nick, ao olhar para Ben, transparece surpresa, horror e confusão. Na verdade, Nick parece — e essa é a única maneira que consigo pensar em descrevê-lo — estar vendo um fantasma.

NICK

Segundo andar

Sinto o pavor invadir meu corpo enquanto observo a cena no sótão. Corri até aqui quando ouvi os gritos, depois de arrastar Antoine, semiconsciente, até o sofá do meu apartamento.

Ele está aqui. Ben está aqui. Ele não parece bem, mas está sentado. E está vivo.

Não pode ser. Não faz nenhum sentido. Não é possível.

Ben está morto. Ele está morto desde sexta à noite. Meu velho amigo, meu antigo colega de faculdade, o cara por quem me apaixonei naquela noite quente de verão em Amsterdã há mais de uma década e em quem tenho pensado desde então.

Ele morreu, e foi por minha causa, e desde esse dia tenho tentado viver com a culpa e a dor, me sentindo praticamente morto também.

Olho para minha madrasta, esperando ver meu choque refletido em sua expressão. Mas não há choque. Não parece uma surpresa para ela. Ela sabia. É a única explicação. Por que mais estaria tão calma?

Por fim, consigo falar:

— O que é isso? — pergunto, com a voz rouca. — O que é isso? O que está acontecendo, porra? — Aponto para Ben. — Não é possível. Ele está morto.

Sabe, eu tenho certeza. Tive muito tempo para absorver tudo: o horror indescritível daquela forma sem vida envolta em uma mortalha improvisada. O fato inegável. O sangue, também, espalhado pelas tábuas do assoalho e encharcando as toalhas; muito mais sangue do que qualquer um poderia perder e continuar vivo. No entanto, é mais do que isso. Três noites atrás, Antoine e eu carregamos o corpo dele escada abaixo, cavamos uma cova rasa e o enterramos no jardim do pátio.

MIMI

Quarto andar

Tudo ficou tão silencioso depois do grito lá em cima. O que será que está acontecendo? O que ela descobriu?

Essa é a parte de que me lembro. Depois disso não há mais nada, até o sangue.

Era tarde e eu estava cansada de todos os pensamentos zumbindo no meu cérebro, mas não conseguia dormir. Não parava de pensar no que tinha lido. No que tinha visto. Ben... e minha mãe. Destruí as pinturas que fizera dele. Mas isso não bastou. Eu o via em seu apartamento, trabalhando no computador. Mas tudo tinha mudado. Eu sabia sobre o que ele estava escrevendo, e pensar nisso me deixou nauseada outra vez. Eu jamais poderia deixar de saber o que sabia. Mesmo que tentasse não acreditar. Mas acho que acredito. Acho que realmente acredito. O tom abafado que todos usam quando falam sobre os negócios de papai. Coisas que ouvi Antoine dizer. Tudo estava começando a fazer um sentido terrível.

Ben foi até a janela e olhou para fora. Eu me escondi, para que ele não me visse. Em seguida, voltei a observar.

Ele voltou para sua mesa, olhando para o celular, segurando-o junto ao ouvido. E então ergueu os olhos. Virou a cabeça. Começou a se levantar. A porta estava se abrindo. Havia alguém entrando no apartamento.

Ah... merde.

Putain de merde.

O que ele está fazendo lá?

Era papai.

Não era para ele estar em casa.

Quando tinha voltado? E o que estava fazendo no apartamento do Ben?

Papai tinha alguma coisa nas mãos. Reconheci o que era: uma garrafa de vinho *magnum* que ele dera de presente a Ben algumas semanas antes.

Ele ia...

Eu não suportava continuar olhando. Mas ao mesmo tempo não conseguia desviar o olhar. Observei Ben cair de joelhos. E papai erguer a garrafa repetidas vezes. Vi Ben cambaleando para trás, enquanto caía no chão, enquanto o sangue começava a encharcar a frente de sua camiseta clara, deixando tudo vermelho. E sabia que era tudo culpa minha.

Ben rastejou até a janela. Eu vi quando ele levantou a mão e bateu no vidro. E então murmurou uma palavra: *Socorro.*

Vi meu pai erguer a garrafa novamente. E eu sabia o que ia acontecer. Ele ia matá-lo.

Eu tinha que fazer alguma coisa. Eu o amava. Ben tinha me traído. Tinha destruído todo o meu mundo. Mas eu o amava.

Estendi a mão para o objeto mais próximo. E então desci tão rápido que parecia que meus pés nem sequer tocavam o chão. A porta do apartamento do Ben estava aberta, papai pairava de pé sobre ele, e eu tinha que fazê-lo parar, eu tinha que fazê-lo parar, e ao mesmo tempo talvez houvesse uma vozinha dentro de mim que dizia: ele não é seu pai de verdade, esse homem. E ele não é um homem bom. Ele fez coisas horríveis. E agora está prestes a se tornar um assassino também.

Ben estava no chão, de olhos fechados. E então eu estava atrás do meu pai — ele não tinha me visto, não tinha me ouvido quando me esgueirei pela sala — com o estilete de cortar tela na mão, que, apesar de pequeno, tem uma lâmina muito, muito afiada. Então o ergui acima da cabeça...

E então nada.

E então o sangue.

Mais tarde, pensei ter ouvido vozes no pátio. Pás raspando. Não fazia sentido. Mamãe gosta de cuidar do jardim, mas estava escuro, era noite. Por que ela estaria fazendo isso àquela hora? Não podia ser real, tinha que ser um sonho. Ou um pesadelo.

NICK
Segundo andar

Eu me lembro de sair do escritório de papai depois que contei a ele sobre o que Ben estava fazendo, sobre o que ele andava escrevendo. Eu tinha ligado para ele, dito que havia algo que ele precisava saber. Enquanto descia a escada, pensei na expressão dele. A fúria mal disfarçada. Uma onda de medo que me fez voltar à infância; quando ele assumia aquela expressão, era hora de fugir. Mas, ao mesmo tempo, também senti um *frisson* de prazer perverso. Prazer em acabar com a alegria de Benjamin Daniels. Em mostrar a papai que seu famoso julgamento nem sempre era tão acertado quanto ele pensava, macular o menino de ouro que por um breve período ele pareceu apreciar mais do que os próprios filhos. Eu havia traído Ben, era verdade, mas de uma maneira muito menos significativa do que ele havia traído a mim e à hospitalidade da minha família. Ele teve o que mereceu.

Qualquer sentimento de triunfo logo passou. De repente eu queria me entorpecer. Tomei quatro dos pequenos comprimidos azuis e fiquei deitado no meu apartamento, envolto em uma névoa de oxicodona.

É possível que eu tivesse ouvido uma comoção lá em cima, não sei, era como se estivesse transcorrendo em outro universo. Mas, depois de um tempo, quando o efeito dos comprimidos começou a passar, pensei que talvez devesse ver o que estava acontecendo.

Encontrei Antoine na escada. Dava para sentir o cheiro de bebida nele; provavelmente estivera apagado, em mais um estupor de embriaguez.

— Que porra está acontecendo? — perguntou ele. Seu tom era áspero, mas havia algo de temeroso em sua expressão.

— Não faço ideia — respondi.

Isso não era exatamente verdade. Uma suspeita inominável já estava se formando em minha mente. Subimos juntos para o terceiro andar. O sangue. Essa foi a primeira coisa que vi. Muito sangue. Sophie no meio de tudo.

— *Houve um acidente horrível.* — Foi o que ela nos disse.

Eu soube no mesmo instante que a culpa era minha. Eu tinha provocado tudo aquilo. Sabia que tipo de homem meu pai era. Deveria saber o que ele poderia ser levado a fazer. Mas estava tão cego pela minha raiva, pelo meu sentimento de traição. Disse a mim mesmo que estava protegendo minha família. Mas também queria atacar. Machucar Ben de alguma forma. Aquilo, no entanto... o sangue, aquela forma pavorosa e inerte envolta na mortalha da cortina. Eu não conseguia olhar.

No banheiro, vomitei como se fosse possível expelir o horror como algo que eu houvesse comido. Mas é claro que aquela sensação permaneceu. Tornara-se parte de mim.

De alguma forma, eu me recompus. Não havia mais nada que eu pudesse fazer por Ben. E sabia que, naquele momento, aquilo era necessário, em nome da sobrevivência da família.

O peso terrível do corpo em meus braços. Mas nada daquilo parecia real. Parte de mim achava que, se eu visse o rosto de Ben, aquilo se tornaria real. Talvez fosse importante, para haver algum desfecho. Mas no fim das contas não consegui. Não pude desfazer toda aquela amarração apertada, confrontar o que estava por baixo.

Então foi isso que aconteceu. Três noites atrás, Ben morreu, e nós o enterramos.

Não foi?

SOPHIE
Cobertura

Assim que a vi, coberta de sangue — o sangue do meu marido —, agi com pressa, quase sem pensar. Tudo o que fiz foi para proteger minha filha. É possível que eu também estivesse em choque, mas minha mente parecia muito lúcida. Sempre fui obstinada, focada. Capaz de tirar o melhor proveito de uma situação ruim. Foi assim que conquistei esta vida, afinal.

Eu sabia que se quisesse contar com a cooperação de seus filhos, com a ajuda deles, Jacques teria que estar vivo. Eu sabia que Benjamin era quem deveria ter morrido. Antes de enrolar o corpo, segurei o telefone de Jacques diante do seu rosto, desbloqueei-o e mudei a senha. Eu o mantive comigo desde então, enviando mensagens para Antoine e Nicolas como se fosse o pai deles. Quanto mais tempo eu mantivesse Jacques "vivo", mais eu conseguiria arrancar de seus filhos.

Depois de fazer o que pude por Benjamin — estancar o sangue com uma toalha, limpar as feridas —, a concierge e eu o trouxemos aqui para as *chambres de bonne*. Ele estava atordoado demais para resistir; ferido demais para tentar se desvencilhar. Aqui eu venho mantendo Ben vivo... por pouco. Tenho lhe dado água, restos de comida; dia desses lhe dei uma quiche da *boulangerie*. Até decidir o que fazer com ele. O ferimento era tão grave que talvez tivesse sido mais fácil deixar que a natureza seguisse seu curso. Mas nós tínhamos sido amantes. Ainda restava a lembrança do que havíamos sido brevemente um para o outro. Sou muitas coisas: puta, mãe, mentirosa. Mas não sou uma assassina. Ao contrário da minha amada filha.

— Jacques vai passar um tempo fora — avisei meus enteados, quando eles voltaram. — É melhor que ninguém saiba que ele esteve em Paris esta noite. Então, até onde vocês sabem, se alguém perguntar, ele esteve ausente durante todo esse tempo em uma de suas viagens. Entenderam?

Os dois assentiram. Eles nunca gostaram de mim, nunca me aprovaram. Mas, na ausência do pai, estavam atentos a cada palavra minha. Esperando que eu lhes dissesse o que fazer, como agir. Nunca cresceram de fato, nenhum dos dois. Jacques nunca permitiu.

Penso na gratidão que senti por Jacques no início, por ter me "resgatado" da minha antiga vida. Na época eu não sabia por quão pouco ele havia me comprado. Não me libertei quando me casei com meu marido, como eu pensava. Não subi na vida. Fiz exatamente o contrário. Eu me casei com meu cafetão e me acorrentei a ele para sempre.

Talvez minha filha tenha feito exatamente o que não tive coragem de fazer.

JESS

Agarro a faca, pronta para defender Ben — e a mim mesma — caso algum deles se aproxime. Estranhamente, eles não parecem tão ameaçadores agora. O ambiente parece menos tenso. Nick olha de Sophie para Ben e de volta para ela; os olhos desorientados. Tem mais alguma coisa acontecendo aqui, algo que não compreendo. Mesmo assim, seguro a faca com força. Não posso baixar a guarda.

— Meu marido está morto — diz Sophie Meunier. — Foi isso que aconteceu.

Ao ouvir essas palavras, vejo Nick cambalear para trás. *Ele não sabia?*

— *Qui?* — pergunta ele, com a voz rouca. — *Qui?*

Acho que ele deve estar perguntando quem o matou.

— Minha filha — responde Sophie Meunier. — Ela estava tentando proteger o Ben. Eu venho mantendo seu irmão aqui. — Sophie gesticula em nossa direção. — Eu o mantive vivo — diz, como se achasse que merece algum crédito.

Não encontro palavras para responder.

Olho de um para o outro, tentando entender qual deve ser meu próximo movimento. Nick está encolhido, agachado, a cabeça entre as mãos. Sophie Meunier é a ameaça, tenho certeza. Sou eu quem está segurando a faca, mas ela parece capaz de qualquer coisa. Ela dá um passo na minha direção. Eu ergo a faca, mas ela não parece se intimidar.

—Vocês vão nos deixar ir embora — digo, tentando soar muito mais segura do que me sinto.

Posso ter uma faca, mas ela nos prendeu aqui, já que o portão está trancado. Logo me dou conta de que não há como sairmos deste lugar a menos que ela concorde. Duvido que Ben consiga ficar de pé sem muita ajuda, e há todo o prédio entre nós e o mundo exterior. Ela provavelmente está pensando a mesma coisa.

Sophie balança a cabeça.

— Não posso fazer isso.

— Pode. Você tem que fazer isso. Preciso levá-lo a um hospital.

— Não...

— Não vou contar a ninguém — me apresso a dizer. — Olha... não vou dizer como ele se machucou. Eu vou... vou dizer que ele caiu da lambreta ou algo assim. Vou dizer que ele deve ter voltado para o apartamento... que eu o encontrei.

— Não vão acreditar em você — diz ela.

—Vou encontrar uma maneira de convencê-los. Não vou contar a verdade. — Ouço o desespero em minha própria voz. Estou implorando. — Por favor. Você tem a minha palavra.

— E como posso ter certeza disso?

— Que escolha você tem? — pergunto. — O que mais você pode fazer? — Eu me arrisco. — Porque não pode nos manter aqui para sempre. As pessoas sabem que estou aqui. Vão vir atrás de mim. — Não é exatamente verdade. Tem Theo, que deve estar preso em uma cela agora, e não lhe dei o endereço, então ele levaria algum tempo para descobrir. Mas ela não precisa saber disso. Só precisa acreditar. — E eu sei que você não é uma assassina, Sophie. Como você mesma disse, o manteve vivo. Não teria feito isso se fosse uma assassina.

Ela me observa calmamente. Não tenho ideia se algum desses argumentos está funcionando. Tenho a impressão de que preciso de algo mais.

Penso em como ela disse "minha filha", na intensidade do sentimento. Preciso apelar para essa parte dela.

—A Mimi está segura — digo. — Eu prometo. Se o que você está dizendo é verdade, ela salvou a vida do Ben. Isso significa muito... significa tudo. Nunca vou contar a ninguém o que ela fez. Juro. Esse segredo está seguro comigo.

SOPHIE
Cobertura

Será que posso confiar nela? Será que tenho escolha?

Nunca vou contar a ninguém o que ela fez. De alguma forma, ela adivinhou meu maior medo.

E está certa: se eu quisesse matá-los, já teria feito isso. Sei que não posso manter os dois presos aqui indefinidamente. Nem quero. E acho que meus enteados não vão cooperar comigo. Nicolas parece estar desmoronando diante da revelação da morte do pai; Antoine ajudou até agora só porque achava que estava cumprindo as ordens de Jacques. Tenho medo de imaginar sua reação quando souber a verdade. Vou ter que descobrir o que fazer com ele, mas esse não é meu maior problema agora.

—Você não vai contar à polícia — digo. Não é uma pergunta.

Ela balança a cabeça.

— A polícia e eu não nos damos bem. — Ela aponta para Nicolas. — Ele pode confirmar isso. — Mas Nicolas mal parece ouvi-la. Então ela continua, a voz baixa e urgente: — Olha. Vou contar uma coisa a você, caso isso ajude. Meu pai era policial, na verdade. Um maldito herói para todo mundo. Só que ele fazia da vida da minha mãe um inferno. E ninguém acreditava em mim quando eu contava como ele a tratava, como batia nela. Porque ele era um "cara do bem", colocava bandidos na cadeia. E então... — Ela pigarreia. — E então um dia minha mãe não suportou mais. Ela decidiu que seria mais fácil simplesmente parar de tentar. Então... não. Eu não confio na polícia. Nem aqui, nem em lugar nenhum. Mesmo antes de conhecer aquele sujeito que trabalha para vocês, Blanchot. Você tem a minha palavra de que não vou contar a eles sobre isso.

Então ela sabe sobre Blanchot. Eu tinha pensado em acioná-lo para me ajudar. Mas ele sempre foi um dos homens de Jacques, não sei se sua lealdade se estenderia a mim. Não posso arriscar que ele saiba a verdade.

Avalio a garota. E percebo que, quase contra minha vontade, acredito nela. Em parte por causa do que acabou de me contar, sobre seu pai. Em parte porque vejo a sinceridade em seu rosto. E, por fim, porque acho que não tenho escolha a não ser confiar nela. Preciso proteger minha filha a qualquer preço: só isso importa agora.

NICK

Segundo andar

Estou entorpecido. Sei que os sentimentos vão voltar em algum momento e que, sem dúvida, quando acontecer, a dor vai ser terrível. Mas, por enquanto, há apenas esse entorpecimento. E há certo alívio nisso. Talvez eu ainda não saiba o que sentir. Meu pai está morto. Passei a infância aterrorizado por ele, toda a minha vida adulta tentando fugir dele. E, no entanto, Deus sabe que também o amava.

Estou agindo por puro instinto, como um autômato, enquanto ajudo a erguer Ben, a carregá-lo escada abaixo. E, apesar de entorpecido, ainda sinto o eco estranho e terrível de três noites atrás, quando carreguei outro corpo, rígido e imóvel, para o jardim do pátio.

Por um momento, nossos olhos se encontram. Ele mal parece consciente, então talvez eu esteja imaginando... mas acho que noto algo em sua expressão. Um pedido de desculpas? Uma despedida? Porém, com a mesma rapidez, a expressão desaparece e seus olhos se fecham outra vez. E sei que eu não acreditaria nisso de qualquer maneira. Porque nunca conheci Benjamin Daniels de verdade.

Uma semana depois
JESS

Estamos sentados em silêncio, um diante do outro a uma mesa de fórmica, meu irmão e eu. Ben bebe de um gole só o espresso em seu copinho de papel. Eu arranco uma ponta do meu croissant e como. Podemos até estar no café de um hospital, mas por ser na França, os itens da lanchonete são muito gostosos.

Por fim, Ben fala:

— Não consegui me conter, sabe? Aquela família. Tudo o que nunca tivemos. Eu queria ser parte dela. Queria que eles me amassem. E, ao mesmo tempo, queria destruí-los. Em parte por explorarem mulheres que poderiam ter sido a nossa mãe, em um período da vida dela. Mas também, acho, só porque eu podia.

Ele está com uma aparência péssima: metade do rosto coberto de hematomas verde-escuros, a pele acima da sobrancelha grampeada, o braço engessado. Quando nos sentamos, a mulher ao nosso lado levou um ligeiro susto e desviou o olhar rapidamente. Mas, conhecendo Ben, ele vai ter uma cicatriz atraente para mostrar em breve, algo que vai usar a favor do seu charme.

Eu o trouxe para o hospital de táxi... com o dinheiro da carteira dele, claro. Expliquei que ele havia caído de lambreta perto de casa e tinha se ferido gravemente na cabeça. Disse que ele havia voltado para o apartamento e desmaiado, perdido de vez os sentidos, até que eu apareci e o salvei. Algumas sobrancelhas se ergueram — turistas ingleses malucos —, mas cuidaram dele.

— Obrigado — diz Ben, de repente. — Não acredito em tudo que você passou. Eu sabia que deveria ter dito para você não vir...

— Ué, graças a Deus você não fez isso, não é? Porque eu não teria salvado sua vida.

Ele engole em seco. Dá para perceber que não gosta de ouvir isso. É desconfortável reconhecer que se precisa das pessoas. Eu sei disso.

— Sinto muito, Jess.

— Bom, não espere que eu salve você da próxima vez.

— Não só por isso. Mas por não ter estado presente quando você precisou de mim. Por não ter estado presente na única vez que realmente importava. Você não deveria ter encontrado nossa mãe sozinha.

Um longo silêncio.

Então ele diz:

— Sabe, de certa forma, sempre tive inveja de você.

— Por quê?

—Você a viu uma última vez. Nunca tive a chance de me despedir.

Não consigo pensar em nada para dizer. Não imagino nada pior do que tê-la encontrado. Mas talvez parte de mim o compreenda.

Ben ergue os olhos.

Sigo seu olhar e encontro Theo vestindo um casaco escuro e um cachecol, a mão levantada, do outro lado do vidro. Eu podia ter perdido meu celular, mas felizmente ainda tinha o cartão de visita dele nas minhas coisas. Com o lábio cortado, ele está parecendo um pirata que acabou de sair de um duelo. Está bonito, também.

Eu me volto para Ben.

— Ei — digo. — A sua matéria. Você ainda a tem, certo?

Ele ergue as sobrancelhas.

— Tenho. Só Deus sabe o que eles fizeram com meu laptop, mas eu já tinha feito backup na nuvem. Qualquer escritor que se preze faz isso.

— Ela precisa ser publicada — digo.

— Eu sei, estava pensando a mesma coisa...

— Mas... — Ergo o dedo. —Temos que fazer isso direito. Se a matéria for publicada, a polícia vai ter que investigar o clube. E as garotas que trabalham lá... a maioria vai ser deportada, certo?

Ben concorda.

— Então vai ser ainda pior para elas — digo.

Penso em Irina. *Não posso voltar... a situação não era boa.* Penso em como ela falou sobre querer uma vida nova. Prometi que, se achasse Ben, encontraria uma maneira de ajudá-la. Definitivamente não vou ser a responsável por sua volta para casa. Se não fizermos as coisas direito, só os vulneráveis vão se dar mal, eu sei disso.

Olho para Ben, em seguida para Theo atravessando a lanchonete para se juntar a nós.

— Eu tenho uma ideia.

SOPHIE
Cobertura

O envelope pardo treme em minhas mãos. Entregue pessoalmente na caixa de correio do prédio, hoje de manhã.

Eu o rasgo e tiro uma carta dobrada. Nunca vi essa caligrafia; um garrancho bastante desleixado.

Madame Meunier

Há uma coisa que não tivemos a chance de discutir. Acho que nós duas tínhamos outras preocupações em mente. De qualquer forma, fiz uma promessa: não falei com a polícia, nem vou falar. Mas a matéria de Ben sobre o La Petite Mort vai ser publicada em duas semanas, não importa o que você faça.

Prendo a respiração.

Mas, se nos ajudar, a ênfase pode ser diferente. Você pode fazer parte da história, assumir o papel de protagonista. Ou Ben pode garantir que não seja citada, que seja deixada fora disso tanto quanto possível. E sua filha não vai sequer ser mencionada.

Agarro a carta com mais força. Mimi. Eu a mandei para o sul da França, para pintar, se recuperar. Isso foi contra todos os meus instintos maternais, porque eu não queria me separar dela, sabendo quão vulnerável, chateada, ela estava. Mas eu sabia que ela não podia ficar aqui, com a sombra da morte pairando sobre este lugar. Antes de ela ir embora, expliquei tudo, com minhas próprias palavras. Expliquei o quanto ela era desejada quando surgiu na minha vida. O quanto é amada. Como nunca pensei nela como nada além de minha filha legítima. Meu milagre, minha menina maravilhosa.

Também tentei fazê-la compreender que, diante das circunstâncias, ela fez a única coisa que poderia naquela noite. Que salvou uma vida, além de ter tirado outra. Que também agiu por amor. Eu não disse a ela que eu provavelmente teria feito o mesmo. Que por um breve período ele foi quase tudo para mim também. Mas acho que ela sabe, de alguma forma, sobre nosso caso, se é que se pode chamar de caso aquelas poucas semanas de insanidade gloriosa, imprudente e egoísta.

Sei que as coisas podem nunca mais ser as mesmas entre nós duas. Mas posso ter esperança. E amá-la. É tudo que me resta fazer.

Eu também deixaria este lugar e me juntaria a ela, se pudesse. Mas meu falecido marido está enterrado no jardim. Tenho que ficar. Já me conformei. Isto aqui pode ser uma gaiola dourada, mas é a vida que escolhi.

Continuo lendo.

Nick também não será mencionado. Talvez ele não seja um cara mau, lá no fundo. Acho que só fez algumas escolhas questionáveis. (Continua no verso.)

Nicolas também foi embora, levando os poucos pertences que tinha aqui. Acho que ele não vai voltar. Acho que vai lhe fazer bem deixar este lugar. Ser independente.

Meu outro enteado continua aqui e, embora não seja o mais simpático dos vizinhos, é melhor tê-lo por perto, onde eu possa ficar de olho. E ele é uma presença menos ameaçadora agora. Acho que não vou mais receber seus bilhetes. Ele parece diminuído por tudo que aconteceu, pelo pesar que sente por um pai que raramente demonstrou por ele algo além de crueldade. Apesar de tudo, tenho pena dele.

Viro a carta e continuo a ler:

Aqui está o meu pedido. Sabe as garotas? As do clube? As que têm a idade da sua filha e que são obrigadas a transar com caras ricos e importantes para que todos vocês possam morar nesse lugar? Você vai fazer o que é certo com elas. Vai dar a cada uma delas uma boa quantia em dinheiro.

Eu balanço a cabeça.
— Não tem como...

Imagino que você vá dizer que o prédio, tudo isso, está no nome do seu marido. Mas e aqueles quadros nas paredes? E aqueles diamantes nas suas orelhas, aquela adega cheia de vinhos lá embaixo? Não sou nenhuma especialista, mas mesmo de acordo com minhas modestas estimativas, você tem uma bela fortuna em mãos. E digo mais: venda tudo isso para alguém que não queira nada documentado. Alguém que pague em dinheiro.

Vou lhe dar algumas semanas. Isso também dará às garotas a chance de se organizarem. Mas depois disso a história do Ben vai ser publicada. Ele tem um editor esperando, afinal. E aquele lugar precisa desaparecer. O La Petite Mort precisa encontrar sua pequena morte. A polícia enfim vai ser obrigada a investigar. Talvez não com tanto afinco quanto poderia, considerando que provavelmente está envolvida.

Estou pedindo que você faça tudo isso como mãe, como mulher. Além do mais, algo me diz que você não se importaria de se livrar de vez daquele lugar. Estou certa?

Dobro a carta de novo. Coloco-a de volta no envelope e assinto.
Ergo os olhos, sentindo-me observada. Meu olhar vai direto para a casinha no canto do pátio. Mas não há ninguém lá. Procurei por ela naquela noite. Vasculhei o prédio de cima a baixo, pensando que ela não poderia ter ido longe com seus ferimentos. Procurei até mesmo na casinha. Mas não havia sinal dela. Junto com as fotos na parede, vários dos menores e também mais valiosos objetos do meu apartamento (o pequeno Matisse, por exemplo, e meu whippet cinza, Benoit), a concierge havia desaparecido.

O apartamento de Paris

Reportagem do *Paris Gazette*

Ao que tudo indica, o proprietário do La Petite Mort, Jacques Meunier, desapareceu após as alegações sensacionalistas sobre a exclusiva casa noturna. A polícia está agora tentando conduzir uma investigação completa, embora isso esteja sendo dificultado pelo fato de que não há testemunhas disponíveis para interrogatório. Todas as dançarinas antes empregadas pelo clube, ao que tudo indica, também desapareceram.

Isso poderia ser um alívio para a antiga clientela das alegadas atividades ilegais da casa. No entanto, um site anônimo publicou recentemente o que afirma ser uma lista de contas que constam nos registros do La Petite Mort, na qual estão incluídas dezenas de nomes de ricos e poderosos da sociedade francesa.

Além disso, um oficial do alto escalão da polícia, o *commissaire* Blanchot, apresentou seu pedido de demissão após circularem imagens explícitas que aparentemente o mostravam em flagrante com várias mulheres em um dos quartos no subsolo do clube.

Como já foi noticiado, um dos filhos de Meunier, Antoine Meunier (supostamente braço direito do pai), cometeu suicídio com uma antiga arma de fogo na propriedade da família para evitar a prisão.

EPÍLOGO

JESS

Arrasto minha mala pelo saguão da Gare de l'Est, a rodinha quebrada travando de vez em quando; eu realmente preciso resolver isso. Olho para o painel para procurar meu trem.

Lá está: o noturno para Milão, onde vou fazer conexão antes de seguir para Roma. Nas primeiras horas da manhã, viajaremos ao longo da margem do lago Léman, e, teoricamente, quando o céu está sem nuvens, dá para ver os Alpes. Isso me parece ótimo. Achei que era hora do meu próprio tour pela Europa, por assim dizer. Ben vai ficar aqui para se dedicar à carreira de jornalista investigativo. Então, quem sabe pela primeira vez, eu é quem vou deixá-lo. Não estou fugindo de nada nem de ninguém. Apenas viajando, em busca da próxima aventura.

Tenho até um lugar esperando por mim. Um *studio*, que na verdade é uma palavra elegante para um quartinho onde dá para alcançar tudo da cama. Curiosamente, é um antigo quarto dos empregados no alto de um prédio residencial. E, ao que parece, tem vista para a Basílica de São Pedro, se você estreitar bem os olhos. Não deve ser muito maior do que a casinha da concierge. Mas não tenho muita coisa para colocar lá dentro, apenas o que levo nessa mala quebrada.

De qualquer forma, é tudo meu. Não, não é meu *meu*... eu não comprei, perdeu o juízo? Mesmo que de alguma forma eu tivesse dinheiro, não ia querer meu nome na escritura de nada. Não quero amarras. Mas depositei a garantia e paguei o primeiro mês adiantado. Fiquei com parte do dinheiro que as garotas do clube iam ganhar. Uma espécie de honorário, se preferir. Não sou santa, afinal.

Quanto às garotas — as mulheres, devo dizer —, é claro que não pude apertar a mão de cada uma delas e me certificar de que ia ficar tudo bem. Mas é bom saber que receberam o mesmo que eu. Isso vai lhes dar algum tempo. Um pouco de espaço para respirar. Talvez até a oportunidade de fazer outra coisa.

Vinte minutos antes de meu trem partir, procuro um lugar para comer alguma coisa. E, ao fazer isso, vislumbro alguém se movendo em meio à multidão. Uma pessoa pequena, com um andar conhecido, curvado e arrastado. Um lenço de seda na cabeça. Um whippet cinza em uma coleira. Entrando na fila para embarcar em um dos trens — olho para o painel acima da plataforma — para Nice, no sul da França. Então desvio o olhar, e só me viro novamente quando o trem está deixando a plataforma. Porque todos temos direito a isso, não temos?

A chance de uma vida nova.

AGRADECIMENTOS

Adorei escrever este livro. Ao mesmo tempo, de todas as minhas obras, esta foi a mais difícil de escrever; em parte porque tem a estrutura e a premissa mais complexas que tentei até agora, e em parte porque comecei a escrever em meio à gravidez já avançada e depois com um bebê a tiracolo. *E* durante uma pandemia, embora, nesse aspecto, eu saiba como sou sortuda por ter um emprego que me permite facilmente trabalhar de casa, ao contrário de muitos, em especial as pessoas supercorajosas que se dedicam a trabalhos essenciais.

De qualquer forma, estou muito orgulhosa deste livro e de lançá-lo no mundo. Não é muito britânico dizer isso, mas estou! Ao mesmo tempo, parece muito, *muito* importante enfatizar que nada disso teria sido possível sem o trabalho árduo de algumas pessoas bastante generosas, dedicadas e talentosas. Na verdade, deveria haver vários nomes na capa: este livro foi um grande trabalho em equipe!

Obrigada à fenomenal Cath Summerhayes, por sua sagacidade e sabedoria infinitas e por seus sábios conselhos, por ser uma companhia tão divertida para trabalhar, almoçar e tomar drinques... e por estar sempre disponível do outro lado da linha. Tenho muita sorte de ter você e sou muito grata por tudo que você faz.

Obrigada à incrível Alexandra Machinist, por seus conselhos infalivelmente excelentes e por suas fantásticas habilidades de negociação. E embora, por enquanto, as aventuras parisienses que planejamos tenham sido atrapalhadas pelo norovírus, sei que vamos tomar uma taça de champanhe nos *terrasses* em breve, e mal posso esperar para brindar ao seu brilhantismo!

Obrigada a Kim Young, por ser a editora mais paciente e solidária, por defender este livro desde a concepção e o primeiro rascunho (francamente, bastante precário). Você sempre sabe como extrair de mim meu melhor trabalho e me inspira com sua confiança em mim e na minha escrita! Obrigada por segurar minha mão durante todo esse processo e por estar sempre pronta para atender o telefone e discutir uma nova ideia louca de enredo!

Obrigada a Kate Nintzel, por sua assistência editorial perfeita, pelo olhar aguçado e pelo domínio geral da magia da publicação. Ainda não acredito no que você conseguiu com *A lista de convidados* nos Estados Unidos, levando meu pequeno e sombrio livro britânico a mais de um milhão de leitores! Tenho muita sorte de tê-la como minha apoiadora.

Obrigada à completamente *brilhante* Charlotte Brabbin. Você é uma editora extremamente talentosa e dedicada. Sou muito grata por todo o seu trabalho árduo e por todos os seus conselhos, por seu tato e sua criatividade, e por estar sempre pronta e disposta a trocar ideias, por menor ou mais tola que seja a questão, a qualquer hora do dia ou da noite!

Obrigada a Luke Speed, por toda a gentileza e sabedoria... e por sua paciência infinita em me explicar o mundo mágico e místico do cinema! E obrigada ao mesmo tempo por ser alguém tão divertido com quem trabalhar. Você e Cath são o time dos sonhos! Que venham mais almoços... e sessões de cinema!

Obrigada a Katie McGowan, Callum Mollison e Grace Robinson, por seu incrível trabalho em encontrar tantas editoras para meus livros no mundo todo. É emocionante pensar neles sendo traduzidos para outros idiomas e encontrando tantos novos leitores pelo planeta. Fico admirada com o que vocês fazem.

Obrigada à fabulosa família do departamento de ficção da Harper: Kate Elton, Charlie Redmayne, Isabel Coburn, Abbie Salter, Hannah O'Brien, Sarah Shea, Jeannelle Brew, Amy Winchester, Claire Ward, Roger Cazalet, Izzy Coburn, Alice Gomer, Sarah Munro, Charlotte Brown, Grace Dent e Ben Hurd. Tenho muita sorte de ser publicada por vocês. Espero que todos possamos brindar juntos em breve!

Obrigada à brilhante equipe da William Morrow: Brian Murray, Liate Stehlik, Molly Gendell, Brittani Hilles, Kaitlin Harri, Sam Glatt, Jennifer Hart, Stephanie Vallejo, Pam Barricklow, Grace Han e Jeanne Reina. Muito obrigada por seu trabalho e sua dedicação incansáveis e por cuidarem dos meus livros em solo americano. Mal posso esperar para visitar todos vocês em Nova York para comemorarmos juntos!

Obrigada ao maravilhoso grupo de elite da Curtis Brown: Jonny Geller, Jess Molloy e Anna Weguelin.

Obrigada à minha querida amiga Anna Barrett, por fazer uma primeira leitura e uma edição tão fantástica de *O apartamento de Paris* quando eu ainda tinha muito receio de mostrá-lo a qualquer outra pessoa, e por aumentar enormemente minha confiança no livro com seu incentivo e suas sugestões. Recomendo *muito* a Anna se você estiver procurando uma edição independente para o seu romance. Podem encontrá-la em www.the-writers-space.com.

Por último, mas muito longe de ser menos importante... obrigada à minha família:

Obrigada aos clãs Foley, Colley e Allen, por todo o apoio.

Obrigada aos meus maravilhosos irmãos, Kate e Robbie (novamente, graças a Deus, nem um pouco parecidos com os irmãos deste livro!). Tenho muito orgulho dos dois e muita sorte de ter vocês.

Obrigada aos meus pais, pelo orgulho que têm de mim e pelo apoio incansável e incondicional. Obrigada por me perdoarem por aparecer apenas para entregar o rapazinho a vocês sem aviso prévio e desaparecer atrás do meu laptop. Por serem avós tão gentis e amorosos, alimentando, brincando e cuidando do nosso menino com tanto amor e abnegação enquanto eu estava mergulhada em edições e revisões. Obrigada por me encorajarem nas minhas narrativas desde que eu era uma menininha contando histórias do Fazendeiro Ervilha no banco de trás do carro!

Obrigada a Al, por possibilitar tudo isso. Por segurar o bebê; por deixar coisas de lado para me ajudar; por me acudir nas crises de enredo às três da manhã, e durante caminhadas, passeios e jantares e breves férias que tiramos para *fugir* do livro... por sua sabedoria; seu apoio; sua confiança; seu encorajamento. Por ter lido quase tantos rascunhos deste livro quanto eu mesma, de esferográfica na mão, até quando estava exausto depois de um dia de trabalho ou de cuidados com o bebê... ou ambos. Você diz vinte por cento, eu digo que devo tudo a você.

1ª edição	JUNHO DE 2022
reimpressão	OUTUBRO DE 2024
impressão	LIS GRÁFICA
papel de miolo	HYLTE 60 G/M²
papel de capa	CARTÃO SUPREMO ALTA ALVURA 250 G/M²
tipografia	BEMBO